D1248988

ESCRITORES REPRESENTATIVOS DE AMÉRICA

SEGUNDA SERIE

LUIS ALBERTO SÁNCHEZ

CAMPO ABIERTO

ESCRITORES REPRESENTATIVOS DE AMÉRICA

SEGUNDA SERIE

BIBLIOTECA ROMÁNICA HISPÁNICA

DIRIGIDA POR DÁMASO ALONSO

VII. CAMPO ABIERTO

LUIS ALBERTO SÁNCHEZ

ESCRITORES REPRESENTATIVOS DE AMÉRICA

SEGUNDA SERIE

EDITORIAL GREDOS

N.º de Registro: 1999-63. — Depósito Legal: M. 1850-1963

Gráf. Cóndor, S. A. — Aviador Lindbergh, 5. — Madrid-2. 1876-1963

ADVERTENCIA

La primera serie de *Escritores representativos de América*, conteniendo cincuenta pequeñas monografías sobre otros tantos poetas, novelistas, cuentistas y ensayistas del Nuevo Mundo, tuvo mejor acogida que la que el autor pensó. A solicitud de numerosos de sus lectores y con el amable asentimiento de sus editores, el autor se ha atrevido, por eso, a continuar con esta segunda serie.

Había yo pensado enfocar sólo a autores que hubiesen fallecido. En este volumen he roto esa regla. La presencia de Pablo Neruda, Jaime Torres Bodet, Rómulo Gallegos, Eduardo Barrios, Fernando Ortiz, Rafael Arévalo Martínez, Juana de Ibarbourou, Jorge Luis Borges, Martín Adán y el hecho de que los estudios sobre Ventura García Calderón, Franz Tamayo, Alfonso Reyes, Gabriela Mistral, Luis Palés Matos y Enrique Larreta, fueron escritos en vida de ellos, nos coloca ante la literatura en plena función, sin necesidad de pagar el tributo debido a Caronte.

El método seguido es el mismo. Una corta reseña biográfica, una perspectiva de la obra entera, el pormenor de algunos de los libros, una referencia bibliográfica sobre el autor estudiado y la bibliografía del mismo. El juicio objetivo ha tratado de sobreponerse a las inevitables contingencias de predilecciones de tono, cronología y patria. Para mí, los escritores aquí presentes son sólo escritores, prescindiendo de sus perfiles de otro tipo, inclusive los ideológicos. Repitamos: la literatura de América ha alcanzado ya un nivel que le permite ser juzgada con arreglo a cánones estrictamente literarios.

Pienso que el conjunto de este centenar de monografías constituye una aprovechable contribución a cualquier historia literaria del Nuevo Mundo. Ya que, en 1937, comencé publicando una obra de carácter general, reeditada cinco veces con rectificaciones y ampliaciones hasta 1951, creo que ahora podré reescribir dicha historia, con mejores elementos, mejor método y más exigente criterio selectivo. Confío en hacerlo antes de mucho: para ello he comenzado a reestructurar el plan de aquel no siempre afortunado propósito.

Una sola advertencia adicional: el lector atento descubrirá, como he comprobado ya, que existe un tono o temple americano. Aunque usamos el lenguaje de Castilla, muchos vocablos, numerosas formas sintácticas, ciertos giros de influencia indígena, criolla o europea no española, dan a nuestra literatura un creciente tono personal, sin desmedro de sus permanentes vínculos con el idioma de Cervantes. Tal vez sea lo más sugestivo, si algo lo fuese, en las páginas siguientes.

Universidad Nacional Mayor de San Marcos, Lima, Perú.
18 de junio de 1962.

L.A.S.

I

AMARILIS
(1621)

(*Un pespunte*)

La primera pregunta, autorizada por la burocracia histórico-literaria, con que se encaran los lectores de *Amarilis*, es muy simple e inútil ¿quién fue ella? Después de paladear sus versos, se encarnizan con su misterio, tratando de desvelarlo por mor de historicismo, no de crítica ni de literatura. Por tanto, esa curiosidad menospasa los límites de las letras: apenas alcanza a chisme y murmuración de dragoneantes literarios.

Nadie desdeña —salvadas las muchas distancias— *La Ilíada* por no estar seguro de si Homero existió. En torno a Shakespeare, la disputa es de eruditos, pero el lector común y hasta el avisado se satisfacen al deleitarse con *Hamlet* o *El Rey Lear*. Sin ir tan lejos, la poesía quechua y la náhuatl prehispánicas encantan por sí, aparte cualquier preocupación acerca del autor. En cambio, la crítica literaria peruana se ha manifestado inepta ante *Amarilis*, pues, en vez de esforzarse en penetrar su *Epístola*, ha tratado de calar en su seudónimo, arrastrándose por donde quisieron conducirla quienes estuvieron menos autorizados para aconsejarla.

Dentro del cuadro de interrogaciones vigentes, las más inmediatas se refieren a si aquella poetisa fue realidad o no, es decir, si fue o no superchería de Lope de Vega; si nació en Huánuco o en Lima; si fue verdaderamente mujer o varón disfrazado de señora; si fue monja o seglar; si se la debe confundir con la misteriosa dama docta "en lengua toscana y portuguesa" que, bajo anónimo riguroso, firma el *Discurso en loor de la poesía,* inserto al comienzo del *Parnasso Antártico,* de Diego Mexía de Fernangil, en 1608, o si la identificamos con Mexía u otro.

Todo ello sabe a trivial, a inoportuno. Un poeta vale por su expresión no por su biografía. Y aunque ésta también interese, podríamos pasarnos sin ella, no obstante nuestra admiración a sus versos. En literatura lo esencial no está en averiguar el *quién,* sino en situar el *qué,* el *cómo,* y a veces el *para qué:* lo primero pertenece a biógrafos e historiadores, por lo general poco adiestrados en sorprender bellezas y calar simas; el resto corresponde a críticos y catadores.

Durante un siglo, sobre todo desde la reedición hecha por el señor Manuel Antonio Valdizán, en 1834, la preocupación en torno de *Amarilis* se ha concentrado en adquirir certeza sobre si ella (o él) se llamó María de Figueroa (Valdizán, José Toribio Medina, el General Mendiburu), María de Alvarado (Menéndez y Pelayo, Ricardo Palma), María Tello de Lara y Arévalo de Espinosa (Sánchez y Riva Agüero), Ana Morillo (Leonard, Lohmann y Tauro), María de Rojas Garay (Beroa), María Grimaldo Sosa Folego Tocto de la Coya (Castillo Muro), etc. [1]. Me pre-

[1] *Epístolas de Amarilis y Belardo, sacadas de la colección de obras sueltas, así en prosa como en verso de D. Frey Lope de Vega Carpio,* Madrid, Imp. Sancha, 1776, reed. por M. A. Valdizán, Lima, F. Moreno, 1834; M. de Mendiburu, *Diccionario hist. biogr. del Perú,* tomo I, Lima, 1875, pág. 59; J. T. Medina, *Escritores hisp. Amer., citados en el Laurel de Apolo,* Santiago, Imp. Elzeviriana, 1924; M. Menéndez y Pelayo, *Antología de la poesía hisp. amer.,* tomo III, Madrid, 1893, página CLXXII; J. de la Riva Agüero, *Carácter de la lit. del Perú indep.,* Lima, 1905, pág. 276; idem, "Diego Mexía", en *Cultura,* núm. 1, Lima, 1915, pág. 35; idem, *El Perú histórico y artístico,* Santander, 1921, página 87; Irving A. Leonard, "More conjectures regarding to identity of Lope de Vega's Amarilis Indiana", en *Hispania,* Stanford, 1937, vol. XX,

gunto al respecto, ¿qué ganarían las letras con dejar establecido que *Amarilis* fue ésta, ésa o aquélla, si lo importante es que su *Epístola* en silvas a Lope constituye una sorprendente invocación al espíritu, dentro del más alquitarado neoplatonismo?

Lo único realmente provechoso de la indagatoria sería saber si *Amarilis* representa el disfraz de uno de los poetas cortesanos de aquel prerrenacimiento en el Perú, como fue el comienzo de nuestro siglo XVII. En concreto, si *Amarilis* fue Dávalos y Figueroa, Mexía de Fernangil, el capitán Salcedo Villandrando, el lusitano Enrique Garcés o... el propio Lope de Vega, tan adicto a teatralidades de esa clase. Pero, de no probarse ninguno de tales extremos, nos quedaría la amarga victoria de nuestra ignorancia biográfica, a trueque de nuestro goce espiritual, como lectores, goce más profundo y delicado que muchos otros.

Con todo, y a pique de parecer contradiciéndome, apuntaré que *Amarilis,* si mujer fue, no tuvo nada de monja, como creyeron Menéndez y Pelayo, Medina, Palma, García Calderón, sino que fue mujer de mundo, creyente, eso sí, en Dios y en Jesucristo, y muy piadosa; que pudo llamarse María o no, pues el seudónimo no tiene por qué guardar relación de analogía con ese nombre, como tampoco es fuerza que Belisa sea Isabel, ni Cilena sea Elisa, ni Belardo es sinónimo de Lope (ninguna ficción es realidad); que parece oriunda de la ciudad de León de los Caballeros, o sea, León de Huánuco, en la sierra Central del Perú; que entre sus antepasados se hallarían dos de los fundadores de esa villa y uno de los compañeros del rebelde capitán

---

págs. 113-120; A. Tauro, *Amarilis Indiana,* Lima, Palabra, 1945, y en *Boletín bibliogr. de la Univ. Mayor de S. Marcos,* Lima, junio 1945; Martín Adán, "Amarilis", en *Mercurio peruano,* Lima, 1939, págs. 185-193; Y. M. Gutiérrez, "Las Poetisas Americanas", en *El Correo del Perú,* año V, núms. 32 a 34, Lima, 1875; Ricardo Palma, *Mis últimas tradiciones peruanas,* Barcelona, Maucci (1910), pág. 302 (V. G. Calderón), *El apogeo de la literatura colonial,* en Bca. de Cultura Peruana, tomo V, París, Brouwer, 1938; L. A. Sánchez, *Los Poetas de la Colonia,* Lima, Euforión, 1921, 2.ª ed. Lima, P. T. C. M., 1947; *La literatura peruana,* tomo III, Buenos Aires, Guarania, 1951; Augusto Castillo Muro Sima, *Mi Amarilis y mi señora principal deste Reyno* (inédito aún).

Francisco Hernández Girón, y que fue romántica de raíz —sin Hugo ni Nerval—, y saturada de neoplatonismo como casi todos sus coetáneos doctos, que andaban adelgazando conceptos, desde que León Hebreo, o sea, el judío Abrabanel de Nápoles, fuera traducido por Garcilaso Inca de la Vega, allá por 1595, época en que se publica la traslación de Petrarca por Enrique Garcés, minero de Huancavelica y amigo de Cervantes.

Por otra parte, si bien Lope de Vega dio aire de publicidad a *Amarilis* en la edición de 1621 de *La Filomena,* no es menos cierto que el propio Lope, nueve años después, en la enumeración contenida en su *Laurel de Apolo* (Madrid, 1630) habla de una *Amarilis bogotana,* a la que dedica suspiros más o menos poéticos. De donde fluye la pregunta, ¿cuál fue en definitiva la Amarilis de Lope? ¿la de Huánuco o Lima, o la de Bogotá? ¿Eran ambas la misma persona? ¿se trata de un ardid erótico-publicitario de Lope, como algunos de los que ilustran sus últimos años? [2]. De toda suerte, el hecho es que la *Epístola de Amarilis a Belardo,* o sea, a Lope, existe y está maravillosamente acordada. Es lo que nos importa más.

Repetiré propias palabras, escritas para mi *Literatura Peruana,* hace diez años:

> Quien quiera que fuese *Amarilis,* su *Epístola* en silva a Lope de Vega, a quien llama Belardo, es una de las más altas expresiones líricas de nuestra literatura, no sólo colonial, sino de todos los tiempos. Una vez más deberemos anotar la influencia de las letras itálicas. Al par un leve dejo de neoplatonismo, coincidente con el que confesamente muestran Dávalos y Figueroa y el Inca Garcilaso, a más de Garcés, Mexía de Fernangil y a ratos Hojeda [3].

Reiteraré algunos conceptos.

---

2 Ribas y Canfranc, *Últimos amores de Lope de Vega Carpio,* Madrid, 1876.

3 L. A. Sánchez, *La literatura peruana,* tomo III, Buenos Aires, Asunción, Guarania, 1951.

Amarilis es un poeta que, a diferencia de muchos de los coloniales, sobre todo de los barroquistas o gongorinos del siglo XVIII, no se circunscribe a las alusiones etéreas y eruditas, sino que prefiere circular sus notas personales basándose en los sentidos del hombre y las afinidades que de aquéllos se derivan. Podría confundirse, quizá, con Vittoria Colonna y Petrarca, o con Boscán y Garcilaso, mas no con Herrera, Góngora, ni con el propio Lope.

> *Tanto como* la vista, *la noticia*
> *de grandes cosas suele las más veces*
> al alma *tiernamente aficionarla,*
> que no hace el amor siempre justicia,
> ni los ojos a veces son jueces
> del valor de la cosa para amarla;
> *mas suele en los* oídos *retratarla*
> *con tal virtud y adorno,*
> *haciendo* en los sentidos *un soborno,*
> *(aunque distinto tengan el sujeto*
> *que en todo y en sus partes es perfeto)*
> *que los inflama todos,*
> *y busca luego artificiosos modos*
> *con que puede entenderse*
> *el corazón, que piensa entretenerse*
> *con dulce imaginar, para alentarse,*
> sin mirar que no puede
> amor sin esperanza sustentarse.

El fragmento es asmático, como los de toda silva. Caracterizan a esta estrofa los largos párrafos, motivados por la urgente rima; las contradictorias mezclas de lo espiritual y lo material, por causa de lo mismo, y cierta flacidez, que no es majestad, también en parte producida por la inevitabilidad de dichas consonancias. Pero, aquí se destaca la holgura con que *Amarilis* —poeta hombre o mujer—, apela al testimonio de los sentidos para describir el amor que "sin esperanza" —¿esperanza de qué?— mal puede subsistir. Y como este aserto resultaría audaz y susceptible de carnales interpretaciones, *Amarilis* se precipita, a renglón seguido —a estrofa seguida, diremos mejor— para delimitar que ese amor es esperanzado a contrapelo:

> *El sustentar amor sin esperanza*
> *es fineza tan rara que quisiera*
> *saber si en algún pecho se ha hallado,*
> *que las más veces la desconfianza*
> *amortigua la llama que pudiera*
> *obligar con amar lo deseado;*
> mas nunca tuve por dichoso estado
> amar bienes posibles,
> sino aquellos que son más imposibles.

De los tres versos finales, leídos con prejuicio, han sacado los exégetas la versión del estado claustral de *Amarilis*. No lo dicen. Amar "bienes imposibles", no sólo caracteriza a una monja, sino más a un romántico; ya que Dios, el Esposo de las religiosas, no es bien imposible, sino *intangible,* lo cual no da lo mismo. Para un místico, para un neoplatónico, la posibilidad no reside en la tactibilidad o tangibilidad; reside en la imaginabilidad, en la amatividad, si pudiera decirse. Lo amable, o sea, susceptible de ser amado, es posible; lo no amable, deja de ser. Oigamos, si no, cómo prosigue su explicación y canto nuestra *Amarilis:*

> *A éstos ha de amar un alma osada;*
> *pues para más alteza fue criada*
> *—que la que el mundo enseña—;*
> *y así quiero hacer una reseña*
> *de amor dificultoso,*
> que sin pensar desvela mi reposo,
> amando a quien no veo y me lastima
> *¡ved qué extraños contrarios*
> *venidos de otro mundo y otro clima!*

Si no incitase a situar geográficamente a *Amarilis*, el último verso debería ser degollado con afrenta. ¿Cómo compaginarlo con la impavidez del que dice: "a éstos ha de amar un alma osada"? ¿O con las menciones del Pindo, síntoma de lecturas eruditas? ¿O con aquello de "la maligna aljaba de Aristarco"?

Dejemos la parte autobiográfica con que *Amarilis* se ofrece, de alma enjuta, a su Belardo. Al finalizar la *Epístola* se dirige de esta sentida manera a su remoto corresponsal:

> *Versos cansados, ¿qué furor os lleva*
> *a ser sujetos de simpleza indiana*
> *y a poneros en manos de Belardo?*
> *Al fin, aunque amarguéis, por fruta nueva*
> *os vendrán a probar, aunque sin gana,*
> *y verán vuestro gusto bronco y tardo;*
> *el ingenio gallardo*
> *en cuya mesa habéis de ser honrados,*
> *hará vuestros intentos disculpados:*
> *navegad, buen viaje, haced la vela,*
> *guiad un alma que sin alas vuela.*

La glosa de estos versos "cansados" descubre ciertos horizontes. El adjetivo "cansado" no parece exigencia de la rima; podría ser fruto de larga vigilia, de larga experiencia (sospecha sobre Lope), de larga distancia a recorrer; en todo caso, apropiadísimo. Al decir que esos versos "cansados" van a ser "sujetos de simpleza indiana", llevados por cierto "furor", nos encontramos ante varias aperturas que indican pericia idiomática y sensibilidad eximia en la escogitación del matiz lexical. No hay otra "simpleza indiana" que la de *Amarilis,* pero "indiana" puede significar española avecindada en Indias, o española de regreso de Indias y por tanto residente en España. De esta suerte sería suponible que *Amarilis,* aunque nacida en una ciudad del Perú o habitante de ella, pudo ser de España, residente en Perú o española de regreso a España, lo que explicaría mucho, aunque estaría contradicho por otros versos en que declara ser habitante de al parecer Lima. Por otro lado, el adjetivo "cansados" se halla atemperado por el verso: "al fin, aunque amarguéis, por fruta nueva". Ello revelaría que *Amarilis* no compuso versos antes, o que no amó antes: "fruta nueva", puede referirse a juventud de edad o a novatez de vivencias. Supone, con cierta timidez, que Belardo leerá esos versos "sin gana", como jubilado don Juan; y que será evidente contraste el del gusto "bronco y tardo" de las rimas frente "al ingenio gallardo" del recipiendario y lector. Los dos versos finales indican, sin lugar a dudas, o una intuición descomedida o cierto aplomo: la expresión "buen viaje, haced la vela" está taraceada, con voluntario prosaísmo, con familiar y artística cotidianidad, y se refuerzan con el giro: "haced la vela" muy de marinos y de ese tiempo. Cierra la composición con el retruécano de clara estirpe barroca o, al menos, conceptista, antesala de Góngora, ya en la flor de su tercera fase: "guiad un alma que sin alas vuela". "Volar sin alas", pertenece a la misma familia que el teresiano "morir de no morir". Se lo debe tener en cuenta.

Lope de Vega respondió muy a lo cortesano, fingiendo luz donde había encendimiento: logro de artífice, aunque pudiera entenderse ausencia, somnolencia y modorra del artista.

Ahora creo, y en razón me fundo,
Amarilis Indiana, que estoy muerto,
Pues que vos me escribís del otro mundo...

....

Lo que en duda temí, tendré por cierto,
Pues, desde el Mar del Sur nave de pluma
En las puertas del alma toma puerto.

Está jugueteando, haciendo gimnasia el añoso Lope de Vega Carpio. "En las puertas del alma toma puerto": con ese retozo encandilará doncellas mas no a *Amarilis,* la de los "cansados versos". Ello acaecía al aparecer *La Filomena,* esto es, en 1621. Antes de transcurrir un decenio, el incansable Lope publica *El laurel de Apolo,* donde paga extremoso tributo a genios que sólo él conoció. Es ahí donde comete el error, o duplica la devoción a esa o a dos Amarilis —que las hubo a docenas, como las Filis, los Lisandros, los Belardos, las Belisas, las Doris y los Cilenos:

> *Santa Fe de Bogotá bien quisiera*
> *que su Amarilis el laurel ganara*
> *como su Fénix rara,*
> *y que el mejor de España lo perdiera;*
> *mas, dice en medio el mar, que se contente*
> *de que la llame Sol el Occidente*
> *porque estar en dos mundos no podía*
> *sin ser el uno noche, el otro día...*

La alusión es equívoca, jactanciosa, alambicada y barata. Aquello de que "como su Fénix rara / y que el mejor de España lo perdiera", se refiere a sí mismo, Fénix de los Ingenios, el mejor de España, quien pudiera perder su laurel, frente a la gracia de la *Amarilis indiana*. El símil final recuerda los ya trascritos versos de la respuesta en *La Filomena:* "que estoy muerto / porque vos me escribís del otro mundo" (1621): "porque estar en dos mundos no podía / sin ser el uno noche, el otro día" (1630). Francamente nada ha evolucionado en diez años tocante a la *Amarilis indianas* o *indiana*. Pero aquélla la de la *Epístola,* que no vuelve a ser leída, queda delatada por la supuesta jactancia del autor de *Fuente Ovejuna,* y no compone más, o no se sabe si compuso resignada a que la oyera solamente su Belardo, y nosotros, después de la felonía de Lope, a quien roba, sin duda, más de un gajo de su fama y un discreto flujo de conceptos, salidos de la cabeza, mas no del corazón, como los de ella...

Mientras se mantenga en tinieblas el secreto de *Amarilis* será más y más poético, y su obra de la mejor cepa romántica, de ese romanticismo esencial que dice Dilthey, se acendrará desprendida de consignas y preceptos, a pura alma, a quizá puro corazón.

II

JUAN DEL VALLE CAVIEDES

(Porcuna, Andalucía, España, ¿1652? — Lima, ¿1695?)

Este experto y mordaz poeta, considerado durante siglo y medio como la flor del ingenio de Lima, dejó de ser limeño en 1937, a los ciento cuarenta y tres años de su fallecimiento, a causa de que un afortunado investigador halló los papeles probatorios del andalucismo original (en Porcuna y hacia 1652). Mas, como toda la vida y obra de Juan del Valle Caviedes transcurrió en Lima, y ahí le crecieron la zumba, el humor, la versificación y hasta la ternura, como limeño sigue hasta hoy, y no habrá poder que lo arranque al Parnaso peruano en donde tiene asiento y dosel.

Pedro del Valle Caviedes se llamó su padre, esposo de doña María, cuyo patronímico propio se ignora, si no fue también el de Caviedes como parece [1]. Tuvo Juan un tío, Tomás Ber-

---

[1] Guillermo Lohmann Villena, "Dos documentos inéditos sobre don Juan del Valle Caviedes", en *Revista histórica,* vol. IX, Lima, 1937, págs. 277 y sigs.; P. Rubén Vargas Ugarte, Introducción a *Obras de don Juan del Valle Caviedes,* Lima, 1947; Cf. Mendiburu, *Diccionario hist. biogr. del Perú,* tomo II, Lima, 1876, pág. 98; Ricardo Palma, prólogo a *El Diente del Parnaso,* en *Flor de Academias,* Lima, 1899; Juan María Gutiérrez, "Fragmentos de unos estudios sobre la literatura poética del Perú", en *El Correo del Perú,* Lima, 1875; Menéndez y Pelayo, *Historia de la Poesía hispanoamericana,* Madrid, 1913, tomo II;

jón de Caviedes, español, que llegó a Oidor de la Real Audiencia de Lima, y hasta se presume, por presumir algo más, que fue don Tomás el que aconsejó a su sobrino que viajara a América. Se sabe, a ciencia cierta, que el 15 de marzo de 1671, Juan, desde luego ya en Perú y de unos veinte años de edad, contrajo matrimonio con Beatriz Godoy y Ponce de León, natural de Moquegua, aún colegiala. Enviudó hacia 1682. En esa época ya componía versos y ejercía la buhonería, en uno de los "cajones de la Ribera", o sea, en uno de los tenduchos situados en el zócalo del Palacio de Gobierno; después parece que se interesó en minas de Huancavelica como el poeta Enrique Garcés. Escribió unas sentidas endechas a doña Beatriz; sin embargo, casó de nuevo. Enfermo de gravedad y padre de cinco hijos, redactó su testamento en 1685. Ese testamento demuestra que Caviedes había reunido algún dinero. La fama de pobretón y maldiciente a causa de estrecheces de fortuna, carece pues de base. Aunque sus versos lo muestran a menudo malavenido, toda su obra es fruto de humor: buen o mal humor. Reacciona con viveza ante los hechos cotidianos. Su mayor motivo de odiosidad fueron los médicos. Hay derecho para pensar que fue pasto del error de alguno de ellos. Como menciona ciertas enfermedades entonces llamadas secretas, se deduce que las padeció y no fue curado. De esto han hecho caudal los críticos, sobre todo Ricardo Palma, su más entusiasta divulgador, para sacar la consecuencia de que Caviedes padeció de lúes y fue víctima de lavativas y menjurges. No obstante, la última composición que de él se conoce, publicada en 1694, contiene el elogio de un médico, el doctor Bermejo. Se supone que Caviedes murió en 1692; pero el hecho de esa publicación en 1694, puede indicar sencillamente un error más de sus espontáneos e indocumentados biógrafos, a lo que se añade la inclusión de su nombre en un

---

M. de Odriozola, *Documentos literarios del Perú*, tomo V, Lima, 1873; J. T. Medina, *La Imprenta en Lima*, Santiago de Chile, 1904, tomo II; L. A. Sánchez, *Los Poetas de la Colonia*, Lima, 1921 y Lima, 1947; idem, *La literatura Peruana*, Buenos Aires, Guarania, 1951, tomo IV, página 45 y sigs.

documento sobre minas de Huancavelica, fechado el 26 de marzo de 1695.

La vida de un autor es memorable cuando ofrece episodios dignos de recuerdo o cuando, por ignorados, convidan a la curiosidad. Pudiera ocurrir esto en el caso de Caviedes, pero desaparece al punto la duda, dada la simplicidad del esquema vital y literario. Podríamos, en realidad, reducirlo a muy pocas líneas. El hombre hizo vida común, pero no se atuvo a resignaciones, sino que se alzó rebeldemente. Quizá su inquina contra los médicos provenga, según he dicho, de propias desventuras o porque los tales no lograron salvar a su mujer, cuya desaparición deplora en conceptuosos versos. Lo cierto es que Caviedes se alza como representante de la oposición a los médicos y se convierte, por ende, en su más vehemente detractor, verdad que usando un verso gracioso, con ribetes quevedescos como debe ser todo buen sarcástico en nuestra lengua.

Mientras sus contemporáneos seguían las huellas gongorinas, Caviedes se mantiene inalterable en la de Quevedo. No le agrega muchos méritos. Quevedo se entronca con el conceptismo por medio de Gracián, y le sobrepuja tocante a dificultades expresivas. Caviedes no se inclina ante el torrente verbal del *Lunarejo,* su contemporáneo y sin duda el representativo de la afición al culteranismo. La travesura no puede ser elocuente, salvo cuando arma su voluntario galimatías. Y Caviedes no cayó en eso.

Ha tenido Caviedes la mala suerte de ser pasto de eruditos y de impresionistas. Nadie le estudió como escritor, sino como personaje raro. Este infortunio resulta en lamentables resonancias literarias. A Caviedes, por eso, se le divide como un comestible: no se le analiza ni integra como un escritor. El P. Vargas Ugarte, coleccionador de muchas de sus composiciones, nos lo presenta en series diversas: la del jocoso, la del religioso, la del autor dramático, etc. Todo ello, un dislate literario, contra el que debemos levantar estandartes de buen sentido y mejor gusto.

Un poeta es un todo. Sus matices o facetas no alteran la unidad de su ser humano y estético, sino que, al contrario, lo robustecen. Cuando se habla del Quevedo moralista y del Quevedo satírico, ambos expresados fundamentalmente en prosa, no se hace sino contribuir o tratar de contribuir a que, dentro de un ambiente escolar, poco zahorí, puedan analizarse con mayor facilidad, que no propiedad, sus ingredientes. Pero, dentro de un examen crítico de más rigor y más alto nivel, Quevedo es Quevedo sin provincias, como Estado natural. Es lo que ocurre con Caviedes, adolecido de peor fortuna, pues, habiéndose expresado sólo en verso, no falta quien le divida y subdivida como si una personalidad de hombre y escritor, deba pagar la suerte de los artículos comestibles, sujetos a la dura, pero inevitable ley del cuchillo del abacero o el ama de casa.

Para mí, Caviedes fue siempre un conceptista más o menos vergonzante. Si algo le redujo y atenuó esa tendencia fue el contacto con el pueblo, su oficio de tendero o lo que fuese, ejercido ahí en uno de los tales "cajones de la Ribera", a que ha dado fama.

De principio a fin, el temple de Caviedes es el de conceptista. Basta examinar su sintaxis, hasta en las polémicas y difamaciones como las dedicadas al Doctor Jorobado, para caer en la cuenta de que ahí se halla su definición. Desde luego, concede mucho a la facilidad, cometiendo deslices pueriles como el de este ingenuo retruécano:

En mis penas inmortales,
sin esperanzas padezco,
por ser un achaque amor
que se cura con él mesmo;

o este otro:

Cuando sanar solicito,
procuro estar más enfermo,
porque los remedios matan,
y me mato por Remedios.

Esta última cuarteta tiene el corte de una ofrenda repentista a alguna muchacha de nombre Remedios o es una improvisación de café. Mas, en la primera cuarteta hay elementos de otra categoría, sobre todo, los dos primeros versos, cuya limpieza y altura es realmente impecable. ¿Que esto suena a imitación del autor de *Las zahurdas de Plutón*? Posiblemente. No olvidemos, sin embargo, que la picaresca castellana con o sin Quevedo, antes o después de él, lucía los mismos elementos: el romance, la cuarteta, el retruécano, cierta galantería gacha, la invocación seriocómica de lo alto para describir lo bajo. Donde se advierte con indudable claridad el trasfondo cultista de Caviedes, es precisamente cuando trata de ser procaz y hasta lo consigue, pues entonces, pese al tema (o acaso por esa causa) contrasta la ordinariez del asunto con cierto empaque y hasta pompa de la expresión: tal aparece del empleo del esdrújulo en las terribles saetas contra el doctor Corcovado.

Caviedes tuvo la buena y mala suerte de destacarse por sus ataques a los médicos, de lo que arranca su celebridad. Considero ese costado de su poesía nada más que pintoresco. El Caviedes entrañable, el que hacía versos *pro domo sua*, es decir, para fatigar sus penas, aliviar su tedios, o acariciar sus ilusiones, ése se encuentra en las denominadas *Poesías diversas*. Ahí está en su vigor y elegancia, recorriendo diversos tonos, de esos que, para ciertos críticos, constituyen prueba plena de ausencia de originalidad o confesión inequívoca de imitación servil.

Veamos esta reminiscencia de Lope, o del romancista Góngora:

Un arroyo fugitivo
de la cárcel del Diciembre,
cadenas de cristal rompe
y lima grillos de nieve.
Indultos del sol que nace
goza en su prisión alegre,
que no hay embargos de hielo
cuando nace Febo ardiente.

Siempre aficionado al retruécano, insiste en galanterías de tal guisa:

Catalina de mis ojos
yo no sé cómo te diga
que eres mi muerte, y te quiero
como si fueras mi vida.

Tales rasgos, múltiples a lo largo de la obra de Caviedes[2] revelan no sólo a un ironista, sino, al par, a un elegíaco. La personalidad del juglar se mueve entre ambos extremos: la alusión cercana y la ilusión remota. Camina por la difícil orilla de la auténtica poesía y el auténtico sarcasmo, mezclando amargores a dulzuras, carcajadas a suspiros, por lo que sin lugar a dudas ofrece el conmovedor espectáculo, de un hombre contra sí mismo, es decir, una evidencia de humorista.

Aquí es donde debería enfocar su atención la crítica. Un humorista resulta, sólo después de maduro proceso, de larga maceración individual y a menudo colectiva. Creo que Caviedes, fue, si no un humorista cabal, mucho más que un rimador satírico, chistoso o mordaz. De ahí que rectificando algún juicio juvenil, le haya tildado más tarde, un "Villon criollo"[3].

Distinguieron a François Villon varias excelsas cualidades: humano contrapeso de sus notorios vicios. Fue un hombre sensibilísimo, creyente, adorador de la Virgen, con fe en la vida, y, al par, atrabiliario, dipsómano, tormentoso y creyente en el placer. Caviedes combinó ambas facetas. De ahí el tono de su poesía sin precedentes en la América del setecientos; y de ahí el tenaz propósito de compararlo con Quevedo. Desde luego, Caviedes fue un lector constante del autor de *Los Sueños*, lo

---

2 Caviedes, Juan del Valle y, *Obras de...*, Lima, 1947, ed. cit., passim.

3 Sánchez, L. A., "Un Villon Criollo", en la revista *Atenea*, órgano de la Universidad de Concepción, Chile, núm. 175, pág. 132, etc., Santiago, noviembre 1939. Reproducido en *Nosotros*, Buenos Aires, 1939.

cual se debió, no sólo a predilección literaria, sino también a coincidencia de temperamento.

> *Tengo de perder el juicio*
> *con este amor o este emplasto,*

dice Caviedes, retratando en dos líneas sus dos principales temores y aficiones: la mujer y el médico, el amor y el emplasto. Lo uno para el alma; para el cuerpo lo otro. Mujeres lo enfermaron de melancolías; médicos, de quién sabe qué mal, por cuyo efecto suele quejarse muy donosamente, cierto, pero con tanta pertinacia que llama la atención su desespero.

En medio de esa doble incitación, dubitando entre el desgano y la ironía, pasa ante él la vida, personificada en la mujer, a quien rinde pleitesía del más relamido y fino modo barroco:

> *Cuando voy a declararme,*
> *mudo me hace tu respeto.*
> *¡Oh, quién tuviera unas voces*
> *que hablaran con el silencio!*
> *Yo no quisiera querer*
> *y cuando en no querer pienso,*
> *en no querer quiero tanto*
> *por querer lo que no quiero.*

Al final del discutido soneto manuscrito que publiqué por vez primera en 1921, se registra este retruécano:

> *pues sólo es mi temor considerar*
> *que si más padecer es el amar,*
> *hoy me quita el morir más padecer.*

De todo ello fluye que Caviedes, lector impenitente de Quevedo, de todo Quevedo, merodeó con frecuencia los cotos gongorinos, y aprendió del *Polifemo* y las *Soledades*, pases y esguinces, cuya circulación en el Perú había sido acelerada por *El Apologético* de Espinosa Medrano (1662).

Con todo, lo que más preocupa e inspira a Caviedes, quizá aún más que sus propios contradictorios sentimientos, es la calle. Se trata de un poeta extravertido. De un poeta en riña con la Academia. Si no se publicaron entonces sus versos, sino tal cual aisladísimamente, según se ha dicho, no cabe duda de que, empero, su poesía circulaba; de otro modo no se explicaría por qué ni cómo aludieron a su obra los redactores del primer *Mercurio Peruano* (1791-1794). A ratos parece como que se tratase de un periodista, tal es la influencia que sobre él ejercitan los sucesos cotidianos. Una de sus composiciones se titula: "Pasaba un chivato capitaneando unos corderos", y dice:

Siguen los corderos inocentes
al cabrón que los lleva al matadero,
de éste fían feliz su paradero
y dan con mil verdugos inclementes;

así los hombres, brutos incipientes,
que teólogos son su derrotero,
rinden sus almas, como aquí el carnero,
con falsas opiniones aparentes.

Tres linajes de hombres he notado
que guían al suplicio a la criatura,
que al rastro de su vida va abreviado,

el que a médicos sigue en sepultura
y el que su hacienda fía de letrado
al matadero va de desventura.

Soneto imperfecto, manco de sílabas el primer verso, confuso de términos muchos otros, pero que trasluce la intención mordaz y alusiva de Caviedes.

En otro soneto comentando la muerte del Duque de la Palata "a quién mató su médico en Portobelo con sangría de tobillo", Caviedes concede evidentemente mayor atención a la incidencia del médico y su sangría que a la propia muerte del exvirrey, o sea, que se inspira en hablillas callejeras. Otras composiciones son dedicadas a Pedro de Utrillo "por el hijo que le ha nacido", "Al muelle acabado", "Al terremoto que asoló esta ciudad", "A una dama sumamente pedilona", "En el sepulcro de la mujer de Pico de Oro", apodo de un médico: en esta última composición se respiran, claramente, aires quevedescos:

Muerta dos veces sin tener censuras
por "Pico de Oro", yace una matrona,
de quién él era mono y ella mona,
y la mató de amores y de curas.

Reconoced en ambas mataduras,
lo que en ella le dio la socarrona,
y, por su muerte, le adornó Belona
la golilla con pobres zurciduras.

¿Para qué la curaste, majadero,
si casado con ella estabas rico?
¿Hasta tu dicha arrojas al carnero?

Has probado muy bien que eres borrico,
porque diste en matarla por entero,
y pobre quedas de oro, *aunque con* pico.

Cuando entró en Lima el Virrey Conde de la Monclova, Caviedes colaboró con unas sabrosas quintillas al "Certamen" convocado para tal efecto por la Universidad. Pues bien: las quintillas del poeta recogen un supuesto diálogo callejero, entre dos pordioseros famosos en la Lima de aquel tiempo: el "Portugués" y "Bachán", "capitanes del pobrismo", según los califica el autor en acertado giro. Es decir, que siempre la calle, como suprema rectora, se halla presente en cuanto escribe el poeta de la Ribera. Semejante característica aleja a Caviedes de los demás poetas de su época, y le condenó al inédito, pero no mucho, puesto que, aparte de sus aproximaciones al Virrey Conde de la Monclova, podría inferirse, del texto de su "Romance a Sor

Juana Inés de la Cruz", que ésta conocía los versos de Caviedes y hasta se los había solicitado por carta:

> *Mis obras pedís, y es cierto*
> *que a mí me hacéis muchas malas,*
> *que no es bueno el que sepáis*
> *por extenso mi ignorancia.*

Pese a cierta acritud invívita en todo cuanto Caviedes compuso, se advierte en él clara tendencia a la fiesta, a la alegría. El sentido del ridículo no abandona a Caviedes en ningún instante, de donde brotan admirables pinturas y divertidas alusiones.

Hay un tema central en la obra de Caviedes, en torno del cual se ha escrito demasiado, al punto de querer convertir al autor de "El Diente del Parnaso" en poeta monocorde: me refiero a los médicos. Ello es tan exacto que no existe historia de la medicina peruana, en que no se mencione el nombre del poeta [4].

Nadie como Caviedes ha sido tan acucioso en nombrar y describir a los médicos limeños de fines del siglo XVII. Nadie tampoco, en retratarlos con perfiles más crueles. Parece, como hemos dicho, que a determinada altura de su vida, Caviedes sufrió graves dolencias, y la medicina erró en curárselas, lo que motivó la irrestañable iracundia del versificador. Puede haber influido en ello, también, el hecho de que, como autodidacta, Caviedes tuviese la explicable inclinación de zaherir a los doctos, o seudo-doctos, y también la visible impronta de Quevedo. Me inclina a pensarlo así un rasgo autobiográfico del "romance" o "carta" a Sor Juana Inés de la Cruz, composición en que no

---

4 Valdizán, Hermilio, *Historia de la Facultad de Medicina,* Lima, 1911; idem, *Diccionario de la Medicina Peruana,* tomo II, Lima, 1940; *Locos de la Colonia,* Lima, 1920; Valdizán-Maldonado, *Medicina Popular Peruana,* 3 vols., Lima, 1922; Lastres, Juan B., *Historia de la Facultad de Medicina,* Lima, Universidad, 1951, vol. I.

alude siquiera a los médicos, pero en donde sí menciona directamente su condición de autodidacta:

De España pasé al Perú
tan pequeño que la infancia
no sabiendo de mis musas
ignoraba mi desgracia...
Heme criado entre penas
de minas, para mí avaras,
mas ¿cuándo no se complican
venas de ingenio y de plata?
Con este divertimiento
no aprendí ciencia estudiada,
ni a las puertas de la lengua
latina, llegué a llamarla
y así doy frutos silvestres
de árbol de inculta montaña,
que la ciencia del cultivo,
no aprendió en lengua la azada.
Sólo la razón ha sido
doctísima Salamanca
que entró dentro de mi ingenio,
ya que él no ha entrado en sus aulas,
la inclinación de saber,
viéndome sin letras, traza
para haber de conseguirlas,
hacerlas para estudiarlas;
en cada hombre tengo un libro,
en quien reparo enseñanza,
estudiando la hoja buena
que en el más malo señalan;
en el ignorante aprendo
ayuda y docta ignorancia
que hay cosas donde es más ciencia
que saberlas, ignorarlas...

Resalta en esta confidencia, cierto explicable orgullo de su autodidactismo; cierta comprensible sorna ante la "docticidad" —si pudiera decirse— de los universitarios. En todo caso, ninguna inclinación a deificar la ciencia togada ni el saber con borlas. Hasta cuando elogia al doctor Bermejo, contra quien en otra parte descarga sus calamorrazos literarios, Caviedes lo hace tan enrevesadamente que, en contraste con el resto de su obra, se trasluce el desgano o la mala intención:

Créditos de Avicena (gran Bermejo),
récipes de tu sciencia te están dando
en tus raros discursos, si indagando
accidentes, los sana tu consejo.

Naciste sabio, niño fuiste viejo
médico, que advertido especulando
en ti Phisica curia adelantando
de los modernos quitas lo perplejo.

Excelsas sciencias, obra sin segunda,
vocea en el tratado peregrino,
en lo agudo, en lo docto, si fecunda.

Rinde la pestilencia en lo maligno
así en fin tu doctitud profunda
San Roque de los médicos benigno.

Si el soneto traduce ánimo encomiástico para el doctor Bermejo y Roldán, el último verso pudiera interpretarse, a poco de escarbar sus propósitos, en diatriba implícita contra el resto del gremio. "San Roque de los médicos benigno", o sea, "benigno San Roque de los médicos", es expresión de doble filo.

En cuantas partes dijere
doctor el libro, está atento,
porque allí has de leer verdugo
aunque éste es un poco menos,

exclama Caviedes en la composición intitulada "Fe de erratas" En otra parte llama a los galenos de distinta pero siempre poc piadosa manera: "rayos en calesa", "asesinos graduados", "fra caso con borlas", "veneno con guantes".

Morir es destino del hombre, pero morir rodeado de médi cos se le antoja a Caviedes, antesala del Infierno.

No seas desconocida,
ni contigo uses rigores,
pues la muerte sin doctores
no es muerte, que es media vida.

De todo lo visto, saldría una consecuencia: su condición de amantísimo marido, lo cual no sería extraño si se considera la sincera devoción que a su mujer profesó, visible en los versos dedicados a su muerte:

Muerte sin médico es llano
que será, por lo que infiero,
mosquete sin mosquetero,
espada o puñal sin mano.

Hubo en Lima, entonces, un famoso médico jorobado o corcovado, contra quien se estrella implacablemente el poeta, en una de sus más fieras invectivas, de mucho corte quevedesco:

Mojiganga de la física,
tuerto en derechos de párroco,
fue tu concepción incógnita
semen de flojos espárragos;
que corcoba tan acérrima
no la concibieron rábanos...
....
Basta, retrato del diablo,
odre hidrópico de viento,
tan jibado de talento
como eres de revegido,

no te des por entendido,
que jamás lo es un jumento.

A otro doctor, de apellido Machuca, también le embiste el sagitario del Cajón de la Ribera:

Ya los Autos de Fe
se han acabado sin duda,
porque de la Inquisición
médico han hecho a Machuca.
Relajados en estatua
saldrán judíos y brujas,
no en persona, que estarán
ya relajados con purgas.

En otra parte, jugando con los vocablos, exclama el poeta:

Ya a mi prima machucaste,
Machuca...

Su ira contra los Sangreros empuja a Caviedes a toda clase de extremos verbales: entre los más benignos figura aquel donde les acusa de que le

...mondaron la carne,
sacándome de este siglo
treinta años antes que yo
por mis pies me hubiera ido.

En la "Dedicatoria a la muerte", alcanza plenitud este odio, a veces un poco formal, buscador de hipérboles por afán de zaherimiento y literatura.

Lo más característico de Caviedes respecto a la muerte no se halla, sin embargo, en dicha "Dedicatoria", sino en el varias veces mentado soneto manuscrito, si fue realmente original de este poeta y que yo descubrí. No encuentro razones en contra de mi juicio, pese a que el P. Vargas Ugarte afirma sin fundamento, lo contrario. He aquí dicho soneto, con la ortografía del manuscrito que leí en 1921 :

Oy no el morir, Señor, llego a temer
pues sé que es numerado el respirar;
desde el nazer me pude reselar,
porque el morir empieza del nazer.

Mı temor más glorioso viene a ser,
pues sólo es mi temor considerar
que si más padecer es (¿el?) amar
oy me quita el morir más padecer.

Sólo de amor, Señor, quiero morir:
divino amor, las flechas aprestad,
ya os presento por blanco el corazón.

Y es que el tiro no ha de deslucir,
que del blanco, Señor, la indignidad
no desaira el asierto (sic) *del harpón* [5].

No existe en este soneto, que adolece de cojera en algunos versos como suele ocurrir en casi toda la obra de Caviedes, bien por negligencia de los copistas, bien por atropellamiento del improvisador o del copista, ningún elemento que no se encuentre ya en otras composiciones suyas sobre temas conexos.

La elegancia del hipérbaton, muy atenuado, corresponde a la de sus endechas, sonetos, coplas, etc., a lo largo de todo su trabajo literario.

Campea la misma desconcertante mezcla de fe y escepticismo, de religiosidad y profanidad, y una resignación servil ante

---

[5] Sánchez, L. A., *Los Poetas de la Colonia,* Lima, 1921, reproducido en la segunda edición, pág. 182, Lima, 1947; Vargas Ugarte lo inserta también en sus *Manuscritos peruanos en la Biblioteca Nacional de Lima,* Lima, 1937. Discute su autenticidad en el prólogo de la mencionada edición de *Obras* de Caviedes, 1947.

el destino, rasgo típico en todo cuanto de Caviedes conocemos. Otro soneto suyo, el que empieza:

Tanto siento el haberos ofendido...,

refleja idéntica actitud. Desde luego, sería apresurado incluir por ello, a Caviedes entre los "místicos", como lo hace sin causa Ventura García Calderón [6]. Bastaría considerarlo, si acaso, entre los filosóficos, cuando se liberta de su invencible proclividad al chiste y el sarcasmo.

Por otra parte, el lenguaje del soneto "A Dios sacramentado" (donde utiliza también el vocablo "harpón"), inclina a admitir que el desconocido viejo copista que inscribió el nombre de Caviedes en el soneto inserto en el tomo 319 de los *Manuscritos* de la antigua Biblioteca Nacional de Lima, tuvo razón y razones para proceder como procedió.

Se encuentra el mismo pensamiento del primer cuarteto del soneto trascrito, en otra composición de Caviedes, titulada "Definición de la muerte":

La muerte viene a ser cumplirse un plazo,
un saber lo que el hombre en vida ignora,
un instante postrero de la hora,
susurro que al tocarla deja el mazo...

Contrastan estas y otras notas de Caviedes acerca del último trance, con las insertas en la "Dedicatoria a la muerte", en donde aparecen varias alusiones a los médicos, que constituyen una especie de permanente vínculo entre el poeta y la Parca. Esta composición acusa innegable huella quevedesca:

Muy poderoso esqueleto,
en cuya guadaña corva
está cifrado el poder

---

[6] García Calderón, *Los místicos*, cit., en la Biblioteca de Cultura Peruana, tomo VI, París, Brouwer, 1938.

del imperio de las sombras,
tú, que atropellas tiaras,
tú, que diademas destrozas
y a todo el globo del mundo
le da tu furia en la bola;
tú, que para quitar vidas
tantos fracasos te sobran,
y que, para más lograrlo.
fatalidades emboscas
de médicos...

En la "Respuesta de la muerte" que sigue a esta composición, los principales doctores de Lima son exhibidos como aliados de aquélla.

Sin embargo, de tan sarcásticas alusiones, Caviedes considera a la muerte como algo trascendental, ligado al amor, como se ve en las estrofas dedicadas al deceso de su esposa, hecho que, al parecer, influyó de manera considerable en la vida y la poesía de Caviedes. Lo expresa con nitidez el soneto "Catorce definiciones del amor":

Amor es nombre sin deidad alguna;
un agente del ser en cuantos nacen;
un abreviar la vida a los que yacen;
un oculto querer a otra criatura.

Una fantasma, asombro de hermosura;
una falsa opinión que al mundo esparcen;
un destino de errar en cuanto hacen;
un delirio que el gusto hace cordura.

Fuego es de pedernal, si está encubierto;
aire es, si a todos baña sin ser visto;
agua es, por ser (¿un?) vicio de la espuma.

Una verdad, mentira de lo cierto;
un traidor que, adulando, está bien quisto;
él es enigma y laberinto, en suma[7].

Naturalmente, un poeta devoto del amor, respetuoso de la muerte, al par que zaheridor de ésta en cuanto a sus relaciones con los médicos, o, mejor, de éstos por causar aquélla en vez de impedirla o dilatarla, tenía que ser, y lo fue sin duda, creyente en Dios.

Además, como suele ocurrir en todo creyente y, sobre todo, en todo creyente que trata de no parecerlo por vanidosas razones muy humanas, flota sobre toda la poesía de Caviedes, incluso la festiva, una nube de melancolía. No se la encontrará en "El diente del Parnaso"; pero sí, muy visible en el resto.

Penas, sed más rigurosas
para alivio del que os pasa;
que el cuchillo que más corta,
menos aflije al que mata.

No andéis conmigo piadosas,
que os preciáis de más tiranas,
y hace más cruel al verdugo
la piedad en lo que tarda.

Sucesivamente quiero
teneros siempre en el alma,
porque se engaña a sí propio
el que a las penas engaña.

El adverbio "sucesivamente" encierra un claro significado. No abrumaron a Caviedes todas las penas de consuno, sino que vinieron una tras otra, quebrantando su voluntad, su alegría,

---

[7] He alterado ligeramente la puntuación del texto que aparece en la mencionada edición de *Obras* de Caviedes, pág. 94, para hacer más claro su sentido; dicha alteración consiste en el empleo de punto y coma (;) en lugar de punto (.) como se usa en dicha edición.

hasta hacerle melancólico y empujarle a los brazos de Dios. Por eso mezcla tan sagazmente goces a tristezas:

A llorar, selvas, mis males,
alegre y contento vengo,
pues si el remedio es llorar
no hay tristeza, si hay remedio.

Dulcemente, Caviedes va encaminando sus pasos a Dios. El "Romance a Jesucristo" es preludio de otro más significativo intitulado "Acto de contricción", y de las estrofas "Lamentaciones sobre la vida en pecado". Se advierte en estos versos, indudable desencanto. El poeta solfea su *Miserere*. Cierto, que salpican la obra rasgos irreverentes, como "Descubrimiento" en que se burla de la Inquisición. Cierto también que "A mi muerte próxima" revela el aire pagano con que encara su final de vida:

Que no moriré de viejo,
que no llego a los cuarenta,
pronosticado me tiene
de físicos la caterva.

Que una entraña hecha jigote
al otro mundo me lleva,
y el día menos pensado
tronaré como harpa vieja:

Nada me dice de nuevo;
sé que la muerte me espera,
y pronto; pero no piensen
que he de cambiar de bandera.

No podría afirmarse si en el aspecto trascendental cambió o no de bandera. No la arrió, sí, tocante a los médicos, a quienes continuó zahiriendo, aunque, a juzgar por el soneto al doctor Bermejo, publicado en 1694, parece que se reconcilió con él poco antes de morir, después de haberle atacado duramente.

En todo caso, Caviedes se entregó, con "una entraña hecha jigote" (que pudo ser el hígado a causa de los excesos de bebida que se le atribuyen y que se explican a tenor de su testamento), se entregó a Dios, contrito y humillado.

Mucho habría que decir comentando diversos aspectos de Caviedes. Vale la pena subrayar uno más: su popularidad. El hecho de que dispongamos de siete códices o manuscritos de su obra [8], indica el interés reinante acerca del autor. Como, a juicio de los peritos, la letra de estos códices corresponde a la última parte del siglo XVIII o la primera del XIX, salvo el de Duke que corresponde al primer tercio del siglo XVIII, es decir, casi contemporáneo de Caviedes, se infiere que la mayor popularidad del poeta se produjo a raíz de la noticia que sobre él diera el primer *Mercurio Peruano*, esto es, a fines del virreinato. Pero, la prueba concluyente respecto a la difusión que el prestigio de Caviedes tuvo, pese a que la imprenta no se encargó de propagarla, está en su composición titulada: "Carta que escribió el autor a la monja de México, habiéndole ésta enviado a pedir algunas obras de sus versos, siendo ella en esto y en todo el mayor injenio de estos siglos". Tal título excusa toda glosa. Implica expreso homenaje a la "monja de México", o sea, a Sor Juana Inés de la Cruz, y revela que ésta sintió algún interés por los versos del lejano satírico perulero. Lo corrobora el siguiente trozo de dicha composición:

Mis obras pedís, y es cierto
que a mí me hacéis muchas malas,
que no es bueno el que sepáis
por extenso mi ignorancia.

---

[8] Los textos manuscritos existentes, o descubiertos hasta hoy, son los de la Universidad de Duke; Biblioteca Nacional de Madrid; Biblioteca Valdizán (hoy en la Nacional de Lima); Convento de San Francisco de Ayacucho, del doctor Valdez (después del coronel Odriozola); de Zegarra y de don Ricardo Palma. Véase la introducción del P. Vargas a su edición de *Obras* de Caviedes, cit.

Ahí las envío, y yo quedo
dando a la cinta lanzadas
como niño que, temblando,
llega a corregir la plana;

porque como en el ingenio
sois el Morante de España,
más que no firmas por premios,
temo guarismos por tachas

y porque vuestra sentencia
sea piadosa, en mi causa,
quiero dar de mis errores
disculpas anticipadas.

De este texto se desprende la exactitud de una referencia de don Ricardo Palma en su edición de "El diente del Parnaso": aquella en donde asegura que en México se hallaba o halla una copia de las obras del "poeta de la Ribera". Fue, seguramente, el texto enviado por Caviedes a Sor Juana Inés de la Cruz. Si hasta el Anáhuac llegaba el renombre de aquel ingenio, no cabe discutir ya la popularidad que, no obstante haber circulado sus poesías clandestinamente, alcanzó en Lima, y la consiguiente influencia que ejerciera su agonizante autor en la literatura peruana.

III

ANTONIO JOSÉ DE IRISARRI

(Guatemala, 7 febrero 1786 — Brooklyn, Nueva York, 10 de junio de 1868)

He aquí el más grande pícaro de América.

Digo, "pícaro" en el sentido literario, desprovisto de todo alcance peyorativo. "Pícaro" por su desenfado, su andarinaje, su sarcasmo, su perenne entrega a lo provisional, su desasimiento de prejuicios, su congénita necesidad de movimiento y aventura. Irisarri es el aristócrata de la picardía clásica. De la picardía verdadera, que equivale a tomar la vida por asalto. Irisarri se lanzó al abordaje de la libertad, y la condujo a su manera, sin ruta de navegación, con irregular cuaderno de bitácora, a cualquier rada de emergencia, siempre con la idea de zarpar de nuevo, hasta que lo obligó a anclar la Muerte, muy viejo ya, pero ni desiluso ni cansado, simplemente desprevenido.

La vida de Antonio José de Irisarri, el más dinámico de los guatemaltecos, gran postcolonial y gran protorrepublicano, abarca un lapso que se inicia en Guatemala, en 1786 y concluye en 1868, exactamente a los ochenta y dos años. Estudiar su obra implica analizar su vida. Ambas se funden, se confunden, se identifican como la carne y el hueso, como el viajero y su sombra. Imposible separarlas.

* * *

Comenzó la vida de don Antonio José de triste manera. Había iniciado estudios universitarios, a los 19 años, cuando murió su padre, don Juan Bautista Irisarri. En busca de porvenir, se dirigió el muchacho a México, donde se desarrollaba intenso movimiento intelectual. Permaneció allí más de un año, hasta fines de 1806. Colaboró en el famoso *Diario de México*, con el seudónimo de Dionisio Irasta Rejón, calzando versos satíricos. Enamorado ya de su propio nombre, usaba anagramas que disfrazaran a medias su verdadera personalidad. La megalomanía fue su fiel compañera hasta la muerte.

Había oído decir que en Perú la riqueza era fácil. No vaciló: arriesgándolo todo, emprendió la travesía, la dura travesía de Nueva España a El Callao, previa una larga parada en Quito. El ambiente limeño estaba sobresaturado de principios. Dominaban la aristocracia peninsular y la criolla. No quedaba mucho campo para los extranjeros, máxime si llegaban sin blanca.

La biografía de Irisarri no es muy clara sobre aquella primera visita al Perú, pues él mismo la confunde en *El Cristiano errante*. Abandonó ese país en 1809, rumbo a Chile. El virrey Abascal tenía cara de espanta-huéspedes, e Irisarri, alma de evita-peligros. Parece que hacia 1811 tornó fugazmente a Lima.

En Chile no reinaban las mismas suspicacias que en Perú. Poco después de llegado Irisarri a Santiago, se produjo la declaración de autonomía hecha por la Junta, el 18 de septiembre de 1810. Ya estaba el guatemalteco en su salsa. Cuando arribó el fraile Camilo Henríquez, educado en Lima, portador de ideas extremistas, es decir, republicanas, Irisarri se le unió entusiastamente: tal vez se conocieron antes en la capital peruana. Henríquez combatió a la Junta, y publicó el primer periódico del país, titulado *La Aurora* (1812): sus páginas contaron con la colaboración de Irisarri. Al año siguiente, se incorpora éste a la redacción del *Semanario republicano*. Ahí dio a la estampa sus discutidas "Reflexiones sobre la política de los gobiernos de América" (7 de julio de 1813), cuyo lenguaje no brilla por lo moderado, como que llama "gavilla" al séquito de Fernando VII, quien "pretende mandarnos como a unos míseros esclavos". Irisarri era partidario de la guerra a muerte [1].

En otro artículo "Sobre la justicia de la Revolución de América", el audaz guatemalteco censura a Cortés y a Pizarro, porque "a fuerza de asesinatos ganaron para España las Américas", y alaba a Belgrano, el patriota argentino.

Llegan los amargos días de la Reconquista, a raíz del desastre de Rancagua. Irisarri, como venteando la desgracia, se marcha a Europa, estudia, vaga, espera. Volverá a Chile a raíz de la victoria de Chacabuco y Maipú. En 1818, edita *El duende de Santiago* para defender la política de O'Higgins, quien le nombra Ministro de Relaciones Exteriores.

El año 1820 encuentra a Irisarri en Londres, como agente diplomático chileno ante diversas cortes europeas, para obtener un empréstito. Le acompaña don Mariano Egaña. Conoce a don Andrés Bello, cuyos trabajos anima y comparte. Publica *El censor americano,* revista polémica como todo lo suyo. Son de entonces su *Carta al "Observador" de Londres* (sobre la Independencia); su *Memoria sobre el estado presente de Chile,* su *Carta de un americano a un diputado de la Corte extraordinaria de España* [2].

El empréstito chileno fue colocado en Inglaterra, por la suma de £ 1,000,000.00, en condiciones muy discutidas, según se verá más adelante. Irisarri cobró comisiones ordinarias y extraordinarias; en todo caso se lucró con aquella operación. Y tanta fue la grita en torno del asunto, que el desaprensivo agente no regresó de inmediato a Chile; hasta diez años más tarde, se alzarían amargas discusiones al respecto.

Decepcionado y temeroso vuelve los ojos a su patria, de que estaba olvidado. Él niega tal olvido: "Hijo de Guatemala", se llama en su *Memoria sobre los obstáculos que han impedido la*

---

[1] Irisarri, *Escritos polémicos,* prólogo y notas de Ricardo Donoso, Imp. Universitaria, Santiago de Chile, 1934.

[2] Londres, 1821, reimpresa en Lima, 1823 y firmada por *José Isidro Irana y Torre,* ¡otro anagrama!

realización de las Compañías proyectadas para la América Central (Nueva York, 1826), se opuso a todo lo que se pretendió hacer contra la libertad de su tierra, lo cual indicaría que anduvo mezclado en otros oscuros manejos de traficantes. Él mismo lo señala: trató de lucrar a propósito de ciertas inversiones para la América Central, pero los agiotistas ingleses inflaron tanto su codicia que fue imposible apoyar tales pretensiones.

Pero ya estaba Irisarri dirigiendo sus baterías sobre Guatemala. Después de la publicación de Nueva York, el Gobierno Federal de América Central, corroído por las facciones, había provocado con su desorganización el fracaso de las espectativas pecuniarias de su inquieto hijo. Ocurrió del siguiente modo: para finiquitar sus arreglos, precisaba Irisarri credenciales. Le debieron ser entregadas en 1825, mas la burocracia y la incuria nativas las retrasaron desde el 28 de julio de ese año hasta el 17 de febrero del siguiente. Llegaron tarde. La *Memoria* explica el fracaso, cargándoselo a la cuenta del gobierno centro-americano y a la codicia de los negociantes británicos. Por entonces, Guatemala, libre de las ataduras del pacto confederativo, le designa Comandante General interino de las Armas del Estado (22 de mayo de 1827). Irisarri va a iniciarse en una nueva función: la guerra.

Acababa de perderse la última esperanza de llevar a cabo el pacto confederal hispanoamericano planteado en Panamá por los agentes de Bolívar. Irisarri empieza a actuar en su propio medio, muy antibolivaristamente. Pero..., el general Morazán se alza pretendiendo rehacer la rota Confederación centroamericana. Irisarri, al saber que el prócer salvadoreño ha invadido Guatemala, lanza una vibrante protesta contra él (1827). Sin embargo, aunque el momento es grave, el polemista se pierde en escaramuzas de menor cuantía. Anda publicando un periódico travieso: *El Guatemalteco*. Se enreda en absurdos dimes y diretes contra el coronel británico Guillermo Perks, su propio jefe de Estado Mayor, quien antes había servido en el ejército francés y había atacado a la Confederación de Centroamérica. Para saciar su odio publica las *Betlemíticas*, impresas en El Salvador y escritas durante el encarcelamiento a que allí se le sometiera. Se titulan quevedescamente *Las Betlemíticas de Fr. Adrián de San José a los confederados sin saberlo* [3], Irisarri arremete con su habitual mordacidad contra los redactores de *La Centella*, adversarios de "su" constitución federal, cuya reforma no admite. El folleto consta de dos partes, escritas en bella forma, reveladoras de los altos quilates de satírico, propios de don Antonio José.

La aventura centroamericana termina de mala manera. Irisarri vuelve los ojos a Chile. Allá quizá hayan olvidado sus trapisondas de financiero habilidoso. Calcula mal. Chile se halla conmovido por terribles pasiones. No han trepidado en sacrificar al mismísimo O'Higgins. Irisarri lo comprueba con angustia; por eso, apenas arriba a Santiago, en mayo de 1830, procura alejarse, valiéndose de la circunstancia de que le encargan defender los bienes del mayorazgo Trucios y Salas, su pariente, para lo cual se dirige a Bolivia e instala allí sus reales.

Pero el incansable folletinista no puede estar sin oler tinta de imprenta. Le agobia la bulimia de publicidad. En noviembre de aquel año da a la estampa su *Memoria* sobre el caso que defiende; y, como se la contradicen, edita (1832) un nuevo escrito *Al refutador de mi Memoria*. Esto despierta a sus enemigos. Desde Chile empiezan a lloverle pullas; Irisarri reside entonces en Chuquisaca, ciudad colonial, blanca, asomada al río Pilcomayo, a cerca de 2.500 metros de altura. Como no sabe morderse la lengua, entretiene sus ocios en redactar una sátira agria titulada *La pajarotada*, donde salen a relucir, de cualquier modo, los Carreras, los Larraínes y muchas otras familias chilenas.

Ha empezado la parte más combativa de su existencia.

Don Carlos Rodríguez, hermano del heroico Manuel, caudillo de la independencia chilena, publica en Lima (1833) una carta dirigida a *El Mercurio* de Valparaíso, llena de denuestos contra O'Higgins, ya refugiado en Perú, y contra Irisarri, a quien acusa

---

[3] San Salvador, 18 de octubre de 1829, Imp. Mayor.

de lucro y dolo en la negociación del empréstito de 1822. El guatemalteco no se achica. En julio de 1822, ya desde Santiago, fecha una carta a O'Higgins y otra "A los editores de *El Mercurio* de Valparaíso". En ellas hace la historia de su gestión financiera. Oigámosla.

Irisarri —cuenta él mimo— viajó a Londres el año de 1822, premunido de un poder que depositó en el Banco de Inglaterra, poder firmado por el Supremo Director O'Higgins, y por el Ministro de Relaciones Exteriores, don Joaquín de Echeverría. Niega que percibiera 500.000 pesos en metálico más un tanto por ciento "arbitrario" a cambio de sus servicios. Admite, sí, que cobró "alguna comisión". Rechaza las imputaciones sobre maniobras suyas con políticos peruanos: "yo no he estado en Lima desde el año 1811 (dice), ni he conocido al General La Fuente, sino en Chuquisaca, el año pasado". Agrega: "Volví a Chile, como dice don Carlos (Rodríguez), después de la batalla de Chacabuco; pero le ha faltado añadir que, antes de llegar a esta ciudad de Santiago, estaba yo nombrado Ministro de Interior y de Relaciones Exteriores. Creo que soy el único que haya sido nombrado para este destino, estando ausente" (Carta de 27 de junio de 1833). Luego lanza su folleto *El empréstito de Chile* (Santiago, 1833), el cual, según Barros Arana, "a pesar de su mérito literario no justifica al negociador del empréstito" [4].

Irisarri disimula su actitud defensiva, pero afirma con orgullo: "Mis enemigos, que los tengo, porque es preciso tenerlos cuando se ha hecho algún papel en la administración de un país". Sin embargo de tan gallardo aserto, se sabe que, a pesar de las bellas alegaciones del negociador, las obligaciones de aquel empréstito se vendieron al 67 1/2 por ciento... es decir, con un castigo de 26 1/2 por ciento... ¡Lindo negocio!

No obstante, Irisarri sale adelante. En enero de 1835, el gobierno chileno de la "paz portaliana" le designa Gobernador de la Provincia de Curicó, de lo que aprovecha para editar un Pro-

---

[4] Barros Arana, *Historia General de Chile*, tomo XIII, Santiago, páginas 762-763.

yecto de reglamento de la Administración Interior del Estado. Diego Portales, "el estanquero", que ama a los hombres de acción, sin parar muchas mientes en otras calidades, le traslada a la Intendencia de Colchagua (noviembre de 1886), precisamente cuando preparaba la flota contra la Confederación Peruboliviana. Irisarri, haciendo honor a la confianza del Ministro, manda ejecutar a tres vecinos de su jurisdicción por el delito de conspirar (7 de abril de 1837). Poco después, en junio, asesinan a Portales. No obstante, la flota contra la Confederación se hace a la mar.

Como Irisarri conocía el pensamiento íntimo de Portales, el gobierno de Chile lo destaca a Lima, precediendo a los expedicionarios a fin de que secunde a su jefe el almirante Blanco Encalada. El guatemalteco recibe el nombramiento de Encargado de Negocios de Chile en Perú, el 28 de agosto. El 15 de septiembre abandona Valparaíso la flota chilena. El 12 de octubre, después de venturoso desembarco, los chilenos ocupan sin resistencia Arequipa. Pero el ejército de la Confederación opone estratégica y poderosa contraofensiva. Para evitar peores males se firma el Tratado de Paucarpata (noviembre de 1837): las tropas chilenas convienen en reembarcarse, y las confederadas en olvidar el ataque.

¿Qué parte desempeñó Irisarri en aquella negociación, que el congreso de Chile se negó a ratificar? Cualquiera que fuese, la prensa chilena atacó duramente al "extranjero" y hasta se rumoreó con insistencia que el propio don Andrés Bello fue el inspirador de los terribles artículos publicados por *El Araucano* contra el guatemalteco.

Irisarri se defiende... desde el Perú. Como siempre, desarrolla astucia y fineza. Dice: "Yo no voy a defender a ningún Gobierno, ni a ningún partido, sino los intereses de Chile, que son también los de todos los pueblos de la tierra" (Arequipa, 20 enero de 1838). Los acuerdos de Paucarpata, agrega, "salvaron al Ejército chileno de una derrota segura". Se confiesa enemigo de la expedición, a la que sin embargo alentó. Niega que Bello pudiera estar contra él.

La historia sigue su curso. Chile y los desterrados peruanos organizan una nueva expedición que triunfa en Yungay (1839). Irisarri se dirige al Ecuador, donde también se refugia el derrotado Santa Cruz. Incapaz de contener sus pasiones, Don Antonio José apela a las columnas de *La Balanza* para arrojar espantosos denuestos contra Perú, Chile y Bolivia. Escribe hasta dormido. Anima *El correo semanal de Guayaquil, La Verdad desnuda* y, ya en Quito, *La Concordia* (1844). Entretanto, Santa Cruz ha viajado a Chile, buscando la ocasión de volver a Bolivia. El gobierno chileno le relega a la ciudad de Chillán, cuna de O'Higgins. Irisarri defiende al relegado con su acostumbrada vehemencia.

Siempre había sido el guatemalteco hombre capaz de jugarse por su caudillo del día. Santa Cruz lo era en aquel momento, lo cual mueve a dudar si fue Irisarri siempre leal a Chile, o si, asesinado Portales, su protector y amigo, no se sintió ya ligado a ideas que naturalmente vinieron a rectificar las del difunto Ministro.

A los sesenta años, Irisarri comienza a serenarse, a mirar su propio recorrido. ¿Serenarse? Hasta cierto punto. Publica entonces, desde Bogotá, la *Historia crítica del asesinato cometido en la persona del Gran Mariscal de Ayacucho*. Lo hace por interés histórico tanto como por pasión política. Con ello va a recrudecer la polémica entre ovandistas y mosqueristas acerca del horroroso crimen de Berruecos.

Irisarri ha revuelto la política colombiana. Para esclarecer su posición, funda un periódico, *Nosotros, Orden y Libertad,* en cuyas páginas empieza a publicar *El cristiano errante,* especie de novela quevedesca, absolutamente autobiográfica, llena de picardía y virulencia, escrita en el más hermoso y ágil estilo clásico. *El cristiano errante* saldrá en forma de libro en 1847.

El nombre de Irisarri merecía respeto como escritor; desconfianza como financista y político. Las facciones colombianas le miran mal. No sorprendió eso al aventurero. Pero, posiblemente a consecuencia de lo mismo, abandona Bogotá y se dirige a Venezuela, donde pensaba encontrar nuevos datos sobre Sucre. La vida se le hace dura, hostil. Sus muchos enemigos le atacan sañudamente, en tropel. Irisarri pasa a la isla de Curazao, y, claro, inaugura otro periódico: *El Revisor de la política y literatura americana,* en que defiende a Páez.

Continuaba así su línea antibolivariana. También en Curazao edita la respuesta a sus detractores, titulándola: *Defensa de la Historia crítica del asesinato cometido en la persona del Gran Mariscal de Ayacucho* [5].

El polemista va de bajada. En 1854, residiendo en Nueva York, continúa publicando el periódico fundado durante su permanencia en Curazao. No cesa de imprimir hojas polémicas. Tiene la manía del folleto. No sabe callar. Le complace decir la última palabra. En eso ofrece todos los caracteres de un adolescente. De 1854 data su *Biografía del Arzobispo Mosquera,* de Nueva Granada. Irisarri parece ya tranquilo. Ha cumplido 70 años. Guatemala y El Salvador le designan delegado en Washington. Mal momento. La guerra civil norteamericana avanza a pasos agigantados. Ocupa la presidencia de la Unión Abraham Lincoln. Irisarri, publica sus *Cuestiones filológicas* (1861), monumento de sabiduría y buen gusto. Ese mismo año se inicia la guerra de Secesión.

¿Qué fatalidad persigue a este hombre a quien —hasta en la senectud—, rodearán estampidos y disensiones? Mientras las tropas de Lee y Grant luchan encarnizadamente, Irisarri, un poco indiferente a cuanto le rodea, revertido sobre sus propios actos, se entretiene en polemizar con los chilenos. Benjamín Vicuña Mackenna acaba de publicar su *Ostracismo de O'Higgins.* Irisarri lo ataja con su violento y pintoresco folleto: *El charlatanismo de Vicuña* (1863). Dispara certeros cohetes contra el diario *El Ferrocarril,* de Santiago, acaso los más cargados de insidia que brotaran de su pluma. Como descanso y alarde de pericia lexicográfica, al par que desahogo de sus amarguras colom-

---

[5] Hay una segunda tirada en Quito, 1922, por Alfredo Flórez Caamaño, nieto del general Flores, el pintoresco caudillo venezolano que fundó el Ecuador.

bianas, da a la estampa una picaresca novela-biográfico-satírica sobre don Simón Rodríguez: *Historia del Perínclito Epaminondas del Cauca* (1863).

Los chilenos no le dejan disfrutar de aquella tardía satisfacción.

El novelista Daniel Barros Grez, quien no demorará en rubricar la novela *Pipiolos y Pelucones* (1874), ocupa puesto principal en la campaña contra el discutido aventurero: su contribución se titula *La Irrizada,* subnombrada "poema elegíaco", contra el incansable y ya muy anciano autor de *El cristiano errante.* No pesan sobre éste los años. Su respuesta es instantánea. No será el suyo un poema "Elegíaco", sino que se llamará "El ajíaco", aludiendo a este popular plato chileno y a la mezcolanza que, según él, constituye el fondo de la literatura de Barros Grez y sus amigos. Y como la incidencia le recuerda sus humos de poeta, sus juveniles arrestos rimados, reúne (1867) un tomo de *Poesías satíricas y burlescas,* hecho lo cual, no bien transcurre un año, se refugia en la paz del Señor, en Brooklyn, el 10 de junio de 1868, siendo decano del cuerpo diplomático en los Estados Unidos.

* * *

Irisarri manejó con igual soltura prosa y verso. En ambas le arrastró el humor acridulce del satírico. En ambas, polemizó. Hombre de presa, parecía gozar creándose enemigos y tundiéndolos a los mandobles de su pluma, igual se tratara de políticos que de literatos. Oigámosle en este último aspecto:

¿En qué consiste, mi señora Musa,
que todos puedan hoy ser escritores?
¿Será éste el siglo de la ciencia infusa?
¿será que los talentos son mejores
o será que el orgullo y la ignorancia
nos dan la presunción y petulancia?
En los tiempos oscuros de mi abuelo

eran pocos los hombres que escribían,
y aquellos estudiaban con desvelo;
hoy escribe cualquiera su folleto
cuando apenas conoce el alfabeto...

....

La Imprenta ha sido tentación impía
de muchos ignorantes infelices. (Sátira.)

Bien se ve al purista y aristócrata. Se le encuentra en otra composición de parecido corte: "El bochinche":

¿Qué cosa es el bochinche? Un alboroto,
el buen Salvá responde. Mas no es esto;
es cosa muy distinta. ¿Salvá, acaso
voto pudo tener en tal materia
sin ser autoridad? ¿En dónde ha visto
el filólogo aquel lo que define?...

....

(el bochinche) es un cierto sistema de política
es una forma de gobierno raro,
que mejor se llamara desgobierno,
a pesar de que en él hay despotismo
y la fuerza a la ley se sobrepone.

....

Invención de Colombia es el bochinche
y el nombre es colombiano: estos son hechos.

....

Soberano bochinche omnipotente,
regulador supremo de Colombia...

Como se ve, Irisarri sale de cada lugar en donde mora, con a sorna o la diatriba a flor de labio. Para expresarse, igual usa a estrofa de Fray Luis ("Oda a un tribuno") que fáciles letrillas. La forma es lo de menos, digo, escoger la forma, pues su perección no se discute; lo esencial es el ataque. De Chile se aleja naldiciente. De Colombia, burlesco. De Venezuela, pendenciero.

De El Salvador, malhumorado. A Guatemala, su patria, vuelve en los días peores a refugiarse en su regazo. A pedir su maternal estímulo, para olvidarlo no bien llegue la ocasión.

Pero las patrias son tercas, como todas las madres, Guatemala reclama al hijo pródigo, y él le ofrece su ancianidad jamás vencida. Le brinda las pintorescas y perfectas páginas de su *El cristiano errante,* el tesoro de su experiencia lingüística, el relato ameno de sus andanzas de financista y de político.

* * *

Veamos ahora al Irisarri prosista. Él está patente en *El cristiano errante* y en el *Perínclito Don Epaminondas del Cauca.*

La primera obra fue publicada bajo el seudónimo de Romualdo de Villapedrosa; la segunda, que según dijimos, es una biografía arbitraria de don Simón Rodríguez, bajo el de "Bachiller Hilario de Altagumea, antiguo jefe de Ingenieros, Artillería y Bombardas de S. M. C." (Nueva York, 1863).

De *El cristiano errante* se hizo una edición de 63 ejemplares, conforme recuerda Feliú Cruz, en su prólogo a la también corta reedición de 1929 (pág. XXI). Grandes dificultades tuvieron los estudiosos para hallar ejemplar válido. Parece, por ejemplo, que a Chile sólo llegó uno para doña Mercedes Trucios Larrain, esposa de Irisarri...

El cristiano errante pone de manifiesto las cualidades y defectos de su autor: gran egolatría; muchos pujos de corrección estilística; amenidad de asunto, sin forzar a la fantasía. No se limita a aventuras; Irisarri, es decir, Romualdo, divaga sobre asuntos menos circunstanciales. Ora escribe que "el arcaísmo es del idioma, y el neologismo no es sino de la invención de un majadero que quiere hacer una jerigonza de lo que es una lengua" (íd., 1929, págs. XXXIX y XL); ora trata de disfrazar su megalomanía tras de fáciles argumentos como el que sigue:

> No debes llamarme vano y presuntuoso por lo que te voy contando de mí, porque si yo no te digo quién

soy, ¿quién quieres que te lo diga? Si me refiero a mis amigos dirás que son sospechosos. Si a mis enemigos, los empolvados, yo los recuso y tú debes darlos por rechazados, si entiendes algo de jurisprudencia. Imparciales no hay en este tiempo de parcialidades.

Irisarri va refiriendo los acontecimientos de su vida, mezclados a demasiadas filosofías. No es un relato novelesco en su prístino sentido. Son memorias que no se atreven a confesarse tales. Ora habla de ortografía; ora de política. Siempre con un profundo amor a Guatemala, de cuyas bellezas naturales se erige cantor. Cierto que habla de su propio nacimiento y exalta las glorias de su casa, no muy ostensibles, que no requiriesen un exégeta acucioso y parcial (Capítulo I). Su realismo lo impulsa a distinguir entre las obras y sus autores en el afán de librarse de cualquier subjetivismo. Analiza a sus contemporáneos Valle (a quien elogia), Molina y Gávez, apenas disfrazados tras las caretas de Leval, Milona y Glevaz. A Molina llega a calificarlo de "nuevo Sansón americano", y a Gálvez, de "filósofo". Sus pujos filológicos conducen a Irisarri a corregir ciertos modismos quiteños que lo son chilenos de hoy, como v. gr.: el "vengo comiendo" por "acabo de comer" y otros. Pero, sin embargo, de su afición a su propia patria, donde alcanza mayor altura su fervor es cuando describe a Puebla y a Ciudad de México, para él superiores a muchas ciudades europeas. ¡Qué ardiente panegírico el que le arranca la ruta de los Altos, o sea, por Quezaltenango, Sololá y Tolonicapán, y de qué manera se encandila ante las fuentes, los manantiales que entusiasmaban a Bernal Díaz y a Landívar!; aquellas pilas públicas, "con buenos acueductos cubiertos, que conducían el agua limpia y cristalina desde larga distancia, y en no pocas partes tuvo que admirar nuestro viajero la hermosura de los lavaderos públicos, que podía lucir cualquiera ciudad del mundo civilizado". Los albañiles de Guatemala le parecían "más inteligentes que los mulatos, zambos y españoles de las otras partes, pues ellos eran infinitamente más hábiles alarifes que los maestros de arquitectura que había visto en la América Meridional... "excepto en Buenos Aires". Alguna vez se enamora Romualdo, digo Irisarri, y es en Oaxaca y de Dorila, en cuyo altar quema su ausencia, es decir, por quien se sacrifica pensando recuperarla algún día.

La obra termina con la llegada de Irisarri a Valparaíso, después de haber residido, a contrapelo, en Quito y Lima. Prometía un segundo volumen que no llegó a aparecer jamás. *El cristiano errante* o el "vagamundo", como gustaba al autor denominarse, naufragó en el báratro de sus aventuras, dejándonos el ejemplo de sus contradicciones y vaivenes.

Sería difícil reconstruir sistemáticamente el resto de sus días. Tengo para mí que Irisarri no quiso mirar cara a cara sus propias andanzas. Prefirió que por él hablasen los hechos. Se perdió en el enredijo de sus infinitas contradicciones. Se perfiló más errante que nunca: no tan cristiano como hubiese querido presentarse.

Así nos pasa a muchos. Sería injusto enrostrárselo a Irisarri.

Irisarri es el anti-Landívar. Los dos vivieron de ausencias; pero el uno ardiente de nostalgia y el otro de ingratitudes; perro y gato del patrio solar. Para Landívar, Guatemala es una estrella; para Irisarri, un salvavidas; para Landívar, Guatemala es el paisaje; para Irisarri, la política; para Landívar, patria es ternura; para Irisarri, trampolín. Pero como sea, se debe a ambos, perfectos postcoloniales, que el nombre de Guatemala ingrese con afirmado paso en el campo de la literatura castellana: con el pie del elegíaco y el del polemista, con dulzura y acritud, con la abnegación y el egoísmo, con el Ángel y el Demonio.

IV

JOSÉ MILLA Y VIDAURRE

(Guatemala, 4 agosto 1822 — 30 septiembre 1882)

Cuando José Milla y Vidaurre empezó su vida literaria en 1846, hacía dos años de la muerte de José Batres Montúfar, el famoso "Pepe Batres" de las magníficas y traviesas *Tradiciones guatemaltecas*. No habría podido negar jamás el primero la influencia que sobre su estilo ejerció el joven e irónico autor de *Don Pablo*.

Batres Montúfar representaba la negación de la pesada losa colonial; Milla, que al principio trató de seguir el modo de su maestro, acabó sometiéndose a la rutina y siendo uno de los responsables de que dicha losa siguiera gravitando sobre la cultura de su pueblo. La reacción que en 1887 dirigiera contra Milla, aunque sin fruto, el adolescente Enrique Gómez Carrillo, fue natural efecto del choque de dos antagónicas actitudes mentales: el tradicionalismo y el modernismo, la Colonia y el Progreso, el yugo y el trampolín.

La vida de don José Milla y Vidaurre guarda armonía con su obra. Careció de arrugas... hasta que envejeció. Interesa, como las consejas domésticas, por el cardumen de su anecdotario, no por su significación. Los lectores se sientan parsimoniosamente en torno al autor a escuchar chismes, enredos, episodios, sin participar en ellos. Si el autor corta el hilo del relato, se lo puede continuar al día o al mes siguiente. Basta un rápido recuento de lo referido para que se restablezca la continuidad. Cuando el hilo unificante es interno, sería herético interrumpir el relato; tanto valdría introducir una tregua en medio de un acto mágico. Las Potestades cuando se alejan no vuelven o tardan en volver. La cuestión es que las Potestades entren en juego. Si no, los cuentos son cháchara más que literatura.

No es así de deprimente el caso de don José Milla y Vidaurre. Ni se podría decir, puesto que aún quedan muchos descendientes suyos, los cuales, como suele ocurrir, no están dispuestos a permitir la menor rebaja en la estatura de su epónimo.

De todos modos, correremos el azar de encararnos con esta Esfinge sin misterios que fue la obra de don José Milla y Vidaurre. Como se acostumbra a considerarla definitoria de un país y una época, urge averiguar lo que lleva adentro para encauzar nuestros pasos hacia ella o desviarlos definitivamente.

* * *

Nació don José Milla y Vidaurre, el 4 de agosto de 1822. Murió a los sesenta, el 30 de septiembre de 1882. Caracterizando con nitidez el abismo que separaba su vida de su obra, usó para esta última el seudónimo de *Salomé Jil,* anagrama de sus dos primeros nombres. Seguía una muy difundida costumbre de la época.

Fue conservador en política. Los guatemaltecos de aquel tiempo lo eran todos en mayor o menor grado. Como hace notar Carlos Wyld Ospina en su apasionado ensayo *El autócrata,* las diferencias entre liberales y conservadores eran muy pequeñas. Los más afortunados solían ser conservadores por lujo y otros por clericalismo; los liberales solían ser menos ricos o menos clericales. Entre el caudillo conservador Rafael Carrera, el tigre antiunitario y el liberal don Rufino Barrios, adalid del unionismo, habría que echar a la suerte tratándose de principios doctrinales. El dictador liberal realizó muchas iniciativas de progreso, pero corrompió al país bajo su egolátrica tiranía, tan semejante a ratos a la del venezolano Guzmán Blanco, "El ilustre americano".

No es ésta, sin embargo, la época de auge de don José Milla. Más bien corresponde a la de su ocaso. Su éxito está ligado al régimen del general Rafael Carrera, quien imperó omnímodamente sobre Guatemala desde 1847 hasta 1869 en que murió. Carrera venció e hizo fusilar al general Morazán, campeón del unionismo. Sus consejeros eran su propio interés, su crueldad, el cura Durán y los "cachurecos", pintoresco nombre con que se conoce a los conservadores en la tierra del Quetzal. José Milla inició su obra literaria el año anterior al triunfo de Carrera. Se desarrolló bajo su gobierno.

Los primeros tanteos de Milla fueron, naturalmente, en verso. No tuvo fortuna. Le faltaban sentido de la armonía, imaginación y quizás capacidad de abreviar. Milla demostró siempre incontinencia verbal y escrita. Ponía punto final cuando no quedaba rastro que seguir, incógnita que aclarar, personaje que matar. Era la moda de su tiempo. Ningún protagonista recibía de su autor el don de la libertad hasta que se quedaba quietecito en la huesa.

En el prólogo que el periodista Federico Hernández de León escribió para la edición de 1935 de *El Visitador,* aporta algunos datos esclarecedores sobre la psicología de Milla.

Se educó éste en el Seminario, en donde estuvo hasta 1842, es decir, hasta los 20 años. Desde los 10 era huérfano, lo que explica tan dilatada clausura, así como su carácter más bien tímido y secreto, que audaz y extravertido. Durante el gobierno del doctor Gálvez, el joven seminarista estudió las doctrinas "liberales". Solía reunirse con el famoso Batres Montúfar, mayor en 14 años que él, y formaba parte del grupo que rodeó al ingenioso y zumbón autor de *Don Pablo*. Alentado por esta compañía, Milla se atrevió a editar sus versos el año 45. Al siguiente, 1846, apareció su firma calzando varios ensayos en la *Revista de la Sociedad Económica de Amigos*. Así comenzó su verdadera tarea literaria.

El gobierno de Carrera, según he dicho, le tuvo como cercano colaborador. Muchos fueron los honores que recibió Milla bajo ese régimen, pero ninguno quizá tan valioso para él, como su misión en los Estados Unidos, sobre todo porque entonces le fue posible cooperar con el caprichoso, genial y erudito Irisarri, cuya vejez fue tan sazonada como su edad adulta. Si existe en Guatemala algún tipo singular, inconfundible, mezcla de Rinconete y el Obispo Tostado, de revolucionario y académico, de golfo y erudito, fue Irisarri. ¿Qué efecto causó su presencia en el encogido espíritu del novel burócrata don José Milla? Se ignora. Mas no sería locura ver en la afición a la historia de éste algún eco de las enseñanzas de aquél.

Milla era de una familia pobre. Ingresó como redactor de *La Gaceta de Guatemala*. Su carrera burocrática fue relativamente rápida. Ya Oficial Mayor de Relaciones Exteriores, le designaron como Comisionado Especial en Washington. Más tarde fue Subsecretario General de Gobierno. Después pasó a desempeñar el alto cargo de Consejero de Estado.

Desde luego se casó y tuvo prole. Entre 1864 y 1870 conquistó sus mayores triunfos. La Academia de la Lengua de Madrid le nombró Miembro Correspondiente. Lo propio haría la Academia de Bellas Letras de Santiago de Chile. Pero él admiraba a Batres Montúfar, y Batres se reía de los pujos constitucionalistas de sus gobernantes...

Cuando después de la muerte de Carrera y de un corto interregno caótico ascendió el régimen "liberal" del General Rufino Barrios, Milla tuvo que experimentar la necesaria lección de un breve ostracismo. Para entonces se hallaba en el decisivo filo de los 50 años. Un hombre del trópico a esa edad suele haber dado ya todo su jugo.

El ascenso de Rufino Barrios fue una amenaza para todos los que habían compartido las responsabilidades del poder con los conservadores. Milla había sobresalido más de la cuenta para permanecer en la oscuridad.

Con toda prudencia resolvió poner tierra de por medio. Se exiló el año de 1871 ya novelista famoso. Dos años después comprendió que el nuevo amo nada tenía contra él, y hasta tal vez recibió alguna insinuación favorable y decidió repatriarse. Barrios, hombre cazurro, muy respetuoso de la inteligencia, aunque muy poco de la libertad, le recibió con beneplácito. Eso mismo atizó chismes y reticencias, de suerte que Milla tropezó con un ambiente receloso en el cual no tardaron en hervir inconfesables apetitos y pasiones que le hicieron su víctima. Fue una prueba execrable. El egregio escritor deambuló muchas veces por las calles de Guatemala, deseando hallar el espíritu del Adelantado don Pedro de Alvarado, o el de la novelesca doña Beatriz, o el de sus legendarios personajes para contarles su irrestañable cuita. De nada valía su acrisolada probidad. La orfandad física de su niñez se tornaba ahora orfandad moral, tan aullante y laceradora como la otra.

Don Rufino impuso un régimen "liberal" *sui generis,* o mejor dicho, *pro domo sua.* Cuando quiso disponer de una constitución *ad hoc* llamó a Lorenzo Montúfar, pero como aquélla no le satisfizo la hizo anular desde la cuna (1876). Más tarde se forjó un instrumento constitucional más elástico por donde Barrios podía discurrir a su antojo, y Leopoldo Montúfar fue su sicofante. Así se inició la asendereada Carta de 1879. La vida era tan azarosa bajo el imperio de la constitución, que el impertinente nicaragüense Enrique Guzmán escribe en su *Diario íntimo* (Wyld Ospina lo reproduce en parte): "La discreción es obligatoria en la República de Guatemala. Imposible hallar gente más reservada que los chapines. Hasta los borrachos son prudentes aquí".

Cuando un país vive en tan absoluta y permanente "discresión", los escritores o se expatrian o se dedican a la historia. José Milla vivía entregado a la novela histórica. Barrios sobrevivió a Milla. Halló la muerte en 1885 cuando intentaba recomponer el unionismo de Morazán, pero desde Guatemala...

* * *

La primera obra de Milla se titula *Don Bonifacio,* y es una leyenda en verso. ¿Sería propio llamarla "novela en verso"?

Dedicada a Juan Diéguez el 18 de febrero de 1862, consta de ocho partes en octavas reales. Los hechos ocurren hacia 1681 en pleno siglo XVII. No había riesgos a tanta distancia. En prosaico tono empieza:

> *Ciento y treinta años hace que vivía*
> *en la Antigua Ciudad de Guatemala*
> *un abogado, cuya biografía*
> *la más rara novela no la iguala.*
> *Trasegando una vieja librería,*
> *en una oscura y empolvada sala,*
> *un anticuario la encontró. Se ignora*
> *porque había estado inédita hasta ahora.*

Desde luego así habría escrito José Batres Montúfar. Bastará cotejar el tono de ambos para confirmarlo.

Don Bonifacio Manso y Bobadilla era un criollo descendiente de antigua familia castellana. ("Lo trato como a un amigo de colegio / por ajustarme al metro, un largo espacio..."). Don Bonifacio es un personaje truculento. Ataca con ánimo asesino a Juan de Arana, Don Bonifacio se casa con Lola, hija de don Serafín. Luego ahorca a Lola, e intenta matar a Cecilia para apoderarse de un collar de perlas de la finada. Una bruja, "La Tatuana", consigue con sus artes librar de la cárcel al asesino, pero... ocurre el terremoto que destruye la ciudad, y Bonifacio perece tal como había perecido Lola.

Tantas muertes y tragedias diferencian la concepción de Batres de la de Milla. Mientras aquél es irónico y placentero y se ríe a las calladas del Coloniaje, Milla lo utiliza para dar rienda suelta a su afán dramático. No se compagina con todo ello el caudal de extrañas citas que por amor de burlas mecha la leyenda de Milla. Hasta donde se me alcanza, ni Proudhon, ni Kant, ni Schelling ahí mencionados, tienen nada que ver con Guatemala, con la colonia ni con la tragedia. Es probable que tales citas traten de relievar el humor satírico del autor, y también sus deseos de ser tenido por hombre de lecturas.

Parece que la moda de entonces, extendida desde el Perú por don Ricardo Palma, consistía en describir episodios coloniales con cierto sentido humorístico. Desde Europa llegaban los imperativos románticos de la novela histórica de Walter Scott, las leyendas de Bécquer, las caprichosas tramas de Dumas (padre) y de Manzoni. En América no florecía aún el género, contra lo que ha aseverado, me parece, Amado Alonso. Milla fue uno de los escampavías de la novela histórica americana. Es justo reconocerle tan precioso mérito.

El dominicano Galván (1834-1910) publicó su famoso *Enriquillo,* entre 1879 y 1882. Milla lanzó su primera novela histórica en 1866 (dejando de lado *Don Bonifacio*). Esa primera novela histórica del guatemalteco se tituló *La hija del Adelantado.*

Como ocurriría en adelante, la trama se desenvuelve en la Antigua (Antigua Guatemala), ciudad destruida por un seísmo, y adonde la curiosidad turística acude llena de emoción ahora. No abona esto el mote de "Tácito guatemalteco" con que don Ramón Salazar saluda a Milla en el prólogo a la edición de 1897 de la *Historia de un Pepe.* Conviene no exagerar. Bástenos asentir en que, hasta Milla, la novela histórica no se cultivaba sistemáticamente en nuestro Continente. Muchos fueron los llamados, pero pocos los... elegidos por sí mismos.

Hasta donde yo sé, el caudal novelístico de Milla lo constituyen: *La hija del Adelantado, Memorias de un abogado, El Visitador, Los Nazarenos, El canasto del sastre, Cuadros de costumbres, El viaje a otro mundo* (3 vols.), *Historia de un Pepe;* agregaré la sustanciosa y bella *Historia de Centroamérica.* No conozco más.

He leído *La hija del Adelantado,* 1866, en su tercera edición de 1935.

Trata de los desdichados amores de doña Leonor de Alvarado Jicotencal, hija del Adelantado y de una princesa tlascalteca, con don Pedro de Portocarrero, noble capitán. Contra aquel idilio, cuyo escenario fue la Antigua, conspiran con mil intrigas y malas artes don Francisco de la Cueva, cuñado del Adelantado; el inescrupuloso médico Peraza, y el torcido secretario Robledo. Desde luego, *Salomé Jil,* igual que Dumas, elimina la historia cuando no conviene a sus propósitos imaginativos. Así, no menciona el hecho de que doña Leonor estuviera casada con don Francisco de la Cueva, matrimonio que procreó varios hijos. Habría sido anticipar innecesarias verdades, frustrando la invención. *Salomé Jil* describe con minuciosidad de notario los detalles de las intrigas en la pequeña corte del Palacio de los Capitanes. La figura de doña Beatriz de la Cueva (segunda esposa de Alvarado, pues la primera fue doña Francisca, también de apellido De la Cueva), adquiere contornos poemáticos. En ausencia y muerte de su esposo ella toma las riendas del gobierno. Mas en una de las peripecias del relato, cuando doña Beatriz debe intervenir definitivamente, se produce la trágica erupción del volcán de agua que hierve en las proximidades de la ciudad de Santiago de los Caballeros de Goathemala, y la gobernadora perece entre la lava el 11 de septiembre de 1541, al par que la mayor parte de sus camareras y súbditos. La ciudad fue arrasada. Como en los relatos bíblicos, "no quedó piedra sobre piedra". De tan dramática y cómoda manera terminaron las cuitas de los protagonistas de la novela.

Como Dumas y Fernández y González, como Sué y el Duque de Rivas, el autor de *La hija del Adelantado* maneja un registro psicológico muy pobre. Sus descripciones son animadas y hasta puntillistas por el exceso de pormenores; mas sus personajes carecen de variedad. Un alma no es un disco de un solo lado. Un diálogo tampoco consiste en una sucesión de alternos discursos. Por tremendo que sea el propósito de venganza, no todo en la vida de un vengativo ha de ser tan negro y torcido como en la del médico Peraza o del secretario Robledo. Almas de un solo sentimiento: traidores-traidores, vengativos-vengativos, generosos-generosos: ¿acaso no son esas las características de lo que con tanta propiedad ha denominado Jean Epstein, "subliteratura"?. Sin embargo, lo que el autor de *La poesía, nuevo estado de inteligencia* vitupera ahora, hacía las delicias de nuestros abuelos. Cada edad tiene sus preferencias. "A nuevos tiempos, nuevas canciones", dice un refrán ruso. Por lo mismo: "a viejos tiempos, viejas canciones". Lo erróneo sería aplicar a un hombre de 1866 la técnica y los conocimientos de uno de 1950.

Memorias de un abogado presenta otra época: el siglo XVIII. Cambia el escenario. La Corte tiene poco que ver aquí; más bien, la Universidad, la Audiencia, los togados, los rábulas. Guatemala poseía ya entonces una afamada Universidad. En ella se dedica a estudiar Derecho cierto individuo salvado de la horca, quien consagra su existencia y sus conocimientos a ayudar gratuitamente a los condenados a muerte. Su experiencia difícilmente podía ser superada.

Quien desee enterarse de los usos de fines del siglo XVIII y principios del siglo XIX —como que se habla de "Buonaparte" al final—, sobre todo en asuntos universitarios y de teatro, debe acudir a esta obra. Pintoresca, aunque pesada, ofrece cuadros insuperados sobre el ambiente guatemalteco, en la nueva capital. Se trata de un alarde costumbrista, desprovisto lamentablemente de la indispensable ironía y cinismo que dieron fama a Concolorcorvo (Perú, 1773), a Lizardi (México, 1816), a Irisarri (Guatemala y Bogotá, 1847); *Salomé Jil* se atiene a su objetivo inmediato. Cuenta, no comenta. Parece como que invisible autoridad le tuviera prohibido sobrepasar impalpables límites de inoportuno decoro. El abogado de *Salomé Jil* resulta así una especie de Pimpinela Escarlata sin humor, o con el humor un tanto torcido. La Colonia impera.

Retrocedamos al siglo XVII. Este devanar de centurias, avanzando y retrocediendo como lanzadera, alivia de todo pedestrismo.

El Visitador[1] trata de un misterio de ámbito internacional. En 1581, en el puerto de San José, Guatemala, el herrero Andrés Molinos halla y recoge a un niñito de pelo rojo, desvalido, junto a su madre muerta. Se trata de un desconocido hijo del corsario Sir Francis Drake. El herrero tiene un hermano, Basilio, de oficio barbero, y por tanto el reverso de aquél: Andrés es francote, impetuoso, leal; Basilio, intrigante, chismoso, lleno de co-

[1] 1.ª edición, 1867; 2.ª, 1896; 3.ª, Guatemala, 1935.

dicia. En 1623 toca a las puertas del Convento de La Merced en México un desconocido, quien, después de hablar con las autoridades monacales, pide y consigue que se respete su incógnito. Después sabremos que se trata de don Juan de Ibarra, cuyo ardor en la venganza le empuja a disparates, causa de su derrota. Gobierna Guatemala el Conde de la Gomera, que había sido autoridad en Chucuito del Perú. La descripción de las fiestas en homenaje al Rey Felipe IV está admirablemente hecha, con cierto sabor a primitivo que caracteriza a Milla. Sin embargo... ese Juan de Ibarra resulta identificado con otro extraño personaje, y sus rencores le convierten en una especie de Conde de Montecristo del trópico, incapaz de dar cuartel ni entregarse al olvido cuando de alguna ofensa vieja se trata. El papel del barbero es semejante al del médico de *La hija del Adelantado*. Como siempre, los malos de Milla son malos hasta en el respirar, y de añadidura, feos; los buenos son buenos hasta en sus pesadillas, y de contera, bellos.

No cambia mucho el tono en *Los Nazarenos* [2]. El tema del libro se refiere al odio implacable de dos familias: los Padilla y los Carranza, suerte de Montescos y Capuletos de Centroamérica. Entre paréntesis, figura en el capítulo V cierto Marcos Dávalos y Rivera, que me trae a las mientes a don Juan Dávalos y Rivera, insigne limeño alabado por Cervantes en *La Galatea* (1585). Los Padilla constituyeron hacia 1654 una sociedad secreta, llamada "Los Nazarenos", cuyo distintivo era una "N". Su objeto principal consistía en reparar injusticias y... atacar a los Carranza. Era una especie de Klu Klux Klan colonial; algo semejante a las organizaciones de Potosí en el siglo XVII. Era jefe de los Nazarenos don Silvestre Alarcón. La conspiración de los Nazarenos es el asunto central. Advierto al paso, que Milla incurre en algunos galicismos, inaparentes en tan eximio clasicista: "haced vuestro deber", "una noticia hizo sensación", etc., son expresiones nada plausibles en boca de un académico, y además adicto al sabor de lo viejo.

---

2 Primera edición, 1867; tengo a la vista la 5.ª que es de Guatemala, 1935.

La *Historia de un Pepe* presenta otro aspecto de la literatura de *Salomé Jil*. En Guatemala se dice "pepenado" al "levantado del suelo", al "nacido de la nada", "al expósito". Un "Pepe" es un don Nadie. Trata el libro sobre los amores del "pepe" Gabriel Fernández de Córdova con Rosalía Matamoros, hija de un pintoresco maestro de armas, y capitán del ejército de S. M., y de la noble guatemalteca Matilde Espinosa de los Monteros, apellido que solía abundar en el Perú. Como siempre, figura en la novela un abogado intrigante, Diego de Atocha. Actúan unos bandoleros. El amor triunfa, pero la muerte puede más que el amor. La acción ocurre entre 1792 y 1823. Aunque el estilo sigue siendo el de Dumas (padre) se advierte que Milla ha perdido fuerza y no ha ganado vivacidad.

La técnica novelesca de *Salomé Jil* carece de complicaciones psicológicas, a cambio de notorios enredos de trama. Es el folletín histórico clásico. Ameno, divertido, bien documentado, pero poco profundo.

* * *

Don José Milla firma la dedicatoria de su *Historia de Centroamérica* el 15 de septiembre de 1879 en Quesada (Juriapa). Deja claramente establecido que si algún mérito se encontrare en su obra correspondería "a la confianza que su gobierno" había depositado en él. El gobierno era, repito, el del "liberal" unionista Rufino Barrios. Milla, también lo repito, había crecido al amparo del caudillo "conservador" y antiunionista Rafael Carrera. Se explican los sinsabores que su acercamiento a Barrios le atrajo. A pesar de que no tuvo ninguna intervención política, y que su *Historia* es un monumento de sabiduría y buen gusto, las pasiones le mordieron. No repararon ni siquiera en su edad, ya próxima a los sesenta. *Salomé Jil,* según los iracundos y mendaces, "se había vendido" al tirano. Repito así mismo que, al igual que más tarde al tirano Estrada Cabrera, a Barrios le halagaba verse rodeado de intelectuales.

La *Historia de Centroamérica,* en que Milla abarca la vida de Guatemala desde el *Popol Vuh* hasta 1686 es una de las mejores. No obstante haber sido escrita en una época ayuna del sentido de la crítica histórica, adicta al modo narrativo, entregada al pintoresquismo, Milla guarda una severidad que, por ejemplo, no se encuentra en Prescott. Las fuentes de que se vale son las precisas. Sin embargo de que aún no se habían llevado a cabo los descubrimientos arqueológicos que harían famoso a Morley (*La civilización maya,* 1946), Milla avanza con firme paso por entre la maraña de documentos y deducciones, por mucho que a veces acepta demasiado la exactitud de los asertos del Abate Brasseur de Bourbourg, entonces en plena boga. Milla no es de los que atribuyen determinado autor al *Popol Vuh,* sino que asienta su anonimia, y aunque no parece muy seguro de su remota antigüedad, le da el valor que se requiere. Como Milla es escritor, acierta en las narraciones, por ejemplo, la emigración de los Toltecas rumbo a Honduras, a consecuencia de una peste.

Claro está que Milla prefiere narrar a discutir. Por lo general, da por seguro lo que afirma. Pero ¿es acaso esto motivo de reproche cuando Lafuente, Prescott, Ticknor, Michelet, Quintana hacían lo propio? Los relatos de Milla sobre la rebelión de Atitlán cuando llegó Alvarado; la liturgia en Guatemala y Nicaragua; sus apuntes sobre la prostitución legal en esta última región; la vida del plebeyo o macehual; el lujo que significaban el chocolate y el tabaco; la institución del nahuatl (compañero) y el nagualismo; el funcionamiento perfecto del calendario de 18 meses (entre quichés y cakchiqueles); la división del mes en 29 días; la adición de 5 días sin nombre cada año, la institución del año de un día más cada cuatrenio, etc., son de un atractivo incuestionable. Igualmente seductoras son sus páginas sobre el proceso contra Alvarado en 1529; las crueldades del mismo contra la joven princesa Xuchil, etc.

Milla se revela en su *Historia* tal como aparece en sus novelas: narrador fácil y pormenorizado de episodios pintorescos. La verdad es que uno titubea entre darle el mote de historiador, cuando escribe novelas, o el de novelista cuando se erige historiador. Su tiempo era así.

De ahí que cuando refiera sus andanzas a raíz de su autodestierro de 1871, e inventa a ese imperecedero personaje que es Juan Chapín, famoso hasta hoy, mezcle también las fantasías a las verdades, creando una atmósfera de ilusión, de fantasmagoría, absolutamente adecuada a quien fue antes que nada el novelista de la Antigua Guatemala. Desde entonces, el destino de José Milla y *Salomé Jil*, se confunde con el de Juan Chapín el andariego. Cuando poco después vino la muerte a llevárselo, el pueblo comprendió con certeza que había fallecido el señor Milla Vidaurre, pero que seguía deambulando por las dormidas calles de la vieja ciudad, el ingenioso y descorazonado Juan Chapín.

* * *

Gómez Carrillo, saturado de literatura francesa y de adolescencia ambiciosa la emprendió contra *Salomé Jil* allá por 1889. El público letrado rechazó la "ofensa". Gómez Carrillo hubo de salir entre policías una noche en que se presentó al teatro, y el auditorio le rechifló sin ahorros.

¿Quién tuvo razón entonces? Nadie.

Era absurdo que comparara a Milla, cargado de historiografía y de tradiciones, con Teófilo Gautier, mero incursionador de la historia por mor de distraerse. Era ocioso y cobarde zaherir a un adolescente lleno de sagrada codicia, por haberse mostrado arrogante. Era necio endiosar a Milla y colocarlo en el sitial de los intangibles, cuando nadie puede pretender tal inmunidad.

Gómez Carrillo tenía derecho a expresar el punto de vista de su generación harta de colonialismo, ávida de exotismo, urgida de renovación. Milla había hecho bien en invertir sus forzadas holganzas de intelectual atado a la incomprensión suspicaz, en relatos inocuos, pero pintorescos.

Que no se llame a omnisapiencia nadie, si es que hay humildad humana en su corazón. Los dos fallaron, los dos acertaron, pero el único que no acertó nada fue el público, inepto juez de una causa que no entendía. Hay sutilezas que no se compadecen con el ruido.

Hacía siete años entonces de la muerte de *Salomé Jil.* Las aguas de la Antigua, esas aguas numerosas e incansables en cristalino e inacabable coro, seguían fluyendo de los surtidores. Rotos arcos, truncas columnas, campanarios mochos, bóvedas trizadas atestiguaban la majestad del tiempo ido. Otra ciudad había crecido en otro lugar, huyendo de la amenaza del volcán y el terremoto. Juan Chapín, como Ashaverus, proseguía su peregrinaje más allá de la vida...

V

NICANOR ANTONIO DELLA ROCCA DE VERGALO

(Lima, enero 1846 — ¿Orán, 1924?)

La figura y la influencia de este poeta están rodeadas de una aureola de misterio y aventura como pocas. Posiblemente ningún escritor sudamericano del siglo XIX recibió homenajes de los grandes literatos franceses cual los que él recibió. No creo que haya alguno por quien se interesaran en forma tan directa y fehaciente hombres de la talla de Víctor Hugo, Stephane Mallarmé, François Coppée, Leconte de Lisle, Leon Dierx, Joseph María de Heredia, Catulle Mendés y Theodore de Banville. Cualquiera que sea el juicio acerca de la obra poética (casi toda en francés) y dramática (toda en castellano) de Della Rocca de Vergalo, es indudable que ejerció una extraña influencia en su contorno, y que el nacimiento del simbolismo y el parnasianismo estuvo íntimamente ligado a su intervención al parecer personalmente contagiosa y avasalladora.

Los datos que sobre él tenemos emanan de su propia obra y de algunos artículos y comentarios dispersos, no todos al alcance de mis posibilidades hasta hoy. Lo cual no excluye que ofrezca una reseña bastante pormenorizada al respecto [1].

---

[1] Vid.: Rafael A. Soto y A. L. Roosebrock, *Un olvidado precursor del Modernismo francés Della Rocca de Vergalo*, Institut des Etudes fran-

Según lo que alcanzamos a averiguar, Della Rocca de Vergalo nació en Lima, no en 1847, como dice Gálvez, ni en 1848, como se desprendería de algunos de sus versos autobiográficos, sino en enero de 1846, a juzgar por la partida de bautismo exhumada por Cúneo-Vidal. Dicha partida establece que Antonio Nicanor, hijo legítimo de D. Vicente Rocca y de D.ª María Gennaro de Rocca, fue bautizado en la Iglesia del Sagrario de la Catedral de Lima el 11 de enero de 1846 [2].

El padre era natural de Chiavari, cerca de Génova, y la madre de la misma Génova. Tenían linaje veneciano y genovés. Parece que el apellido de Vergalo proviene de la ciudad de Bergallo. Los Rocca fueron acaudalados y azarosos. El padre del poeta tuvo larga fortuna; un tío, también rico, se suicidó al arruinarse. Antonio Nicanor, más conocido sólo como Nicanor, tuvo al menos un hermano y una hermana. Fue enviado de niño a Francia para educarse. Allí cursó sus humanidades y se rela-

---

çaises, Columbia University, New York, 1928, *passim;* R. Cúneo-Vidal, "Nicanor della Rocca de Vergalo, el poeta innovador de la métrica francesa en 1870, etc.", en *El Comercio,* Lima, 2 de febrero de 1930; E. Gómez Carrillo, *En plena bohemia,* Madrid, Mundo Latino, 1922; Alberto Ulloa Sotomayor, "Una gloriosa página de la literatura nacional", en *Colónida,* Lima, año I, núm. 1, febrero de 1916, págs. 5-9; Clemente Palma, artículo en *El Perú Ilustrado,* Lima, 1896; José Gálvez, artículo en *Variedades,* núm. 287, Lima, 1913; L. A. Sánchez, artículo en *Hogar,* Lima, 1920. Hay información importante en artículos en *El Nacional,* Lima, sábado 2 de enero de 1869, y en ediciones de 4 y 5 setiembre de 1884, artículo de Oswaldo Carreño, fechado en París, defendiendo a Della Rocca, en francés: *La Presse,* 24 mai 1880; *L'Union littéraire et artistique,* juin 1880; *Le Journal de Valence,* 18 juin 1880; *La Revue des poètes et des auteurs dramatiques,* 1 juillet 1880; *Gil Blas,* París, 22 aout 1880; *L'Independant Tunisien,* 1885; *Le midi littéraire,* 4 avril 1886; *El Comercio,* Lima, 5 setiembre 1890; *Le Phare du litoral,* Nice, 12 octobre 1891; *El Diario de Las Palmas,* Gran Canaria, 8 agosto 1896 (el poeta dice: "qui me croit mexicain sans doute a cause de mon etude sur Lucien de Marny"), etc. Hay una libreta de apuntes inéditos en la Biblioteca Nacional de Lima, sobre los que me propongo trabajar algún día.

[2] Iglesia del Sagrario. Libro de Bautizos correspondiente, 1841-46, tomo II, f. 218, cit. por Cúneo-Vidal, art. cit.

cionó, ya adolescente, con los nuevos poetas. Su padre le ordenó regresar al Perú. Eran los días en que la flota de Méndez Núñez se había apoderado de las Islas de Chincha y el Ministro peruano Vivanco se allanaba a las condiciones de arreglo impuestas por el almirante español Pareja. Rocca de Vergalo se alistó como Subteniente de artillería en la Batería Abtao, en el Puerto del Callao; combatió contra la escuadra española el 2 de mayo de 1866. Tenía veinte años. Residió en Perú, mezclándose en las tertulias literarias de la época hasta 1872. En ese entretanto, probablemente en 1869, casó con una muchacha llamada Benita, probablemente Benita Vargas, de quien tuvo un hijo llamado Julián, que sería su Lazarillo en su nueva y definitiva estada en Europa. Benita le fue infiel. El poeta, después de proclamar a todo verso su conyugal infortunio, resolvió volverse a Francia: hacia allá zarpó en septiembre de 1872. Para entonces ya se habían producido la caída del General Prado (1886), vencedor del Dos de Mayo, el fusilamiento de su sucesor, el coronel Balta (1872) y el alzamiento y hecatombe de los Gutiérrez (julio del mismo 72). Había ascendido a la Presidencia Manuel Pardo.

Rocca de Vergalo había escrito o publicado en 1870, y en francés, los volúmenes titulados *La mort d'Atahoualpe* (Lima, 1870) y *Les Meridionales* (Lima, 1871).

También había producido varios dramas en castellano. No tenemos noticias de su representación. El nuevo viaje a Europa se lleva a cabo a bordo del vapor *Panamá,* que lo condujo de El Callao hasta el puerto de Panamá. Precisando: zarpó el 8 de septiembre de 1872. En el Istmo enfermó de fiebre amarilla. Son de imaginarse las penurias de ese trance, sobre todo, yendo como iba acompañado de su pequeño hijo, de apenas dos años. Después de un corto periplo por las Antillas siguió a Francia. Llegó a París el 12 de noviembre de 1872. Parece que en julio del año siguiente, sus muchos amigos de Lima obtuvieron para el ausente el nombramiento de Secretario de la Legación del Perú en Francia. Si obtuvo tal nombramiento, parece que lo perdió poco después. Es entonces cuando inicia una amarga romería por las provincias francesas, especialmente por las meridionales, siguiendo las huellas de su precursora y semicompatriota Flora Tristán, la Paria. En 1877, estando en la ciudad de Pau, Della Rocca de Vergalo escribe estos significativos y un poco risibles versos:

Hélas! Je vais mourir quand le ciel est si beau,
Quand j'ai tant des chansons et des livres!
Dans mon cércueil je ne péserait que vingt livres,
Car dépuis cinq ans je vis dans l'austerité!
Combien vais-je péser dans la posterité!

Lamento deliciosamente trivial, pero nos permite imaginar a un poeta convertido en trasgo, errando por los caminos de Francia con un chiquillo de seis años de la mano. Duro destino. Empero le sostiene el orgullo de su estirpe:

Rien ne surnâge plus du nom de Vergaló.
Loin de ses beaux palais de Gênes et de Vénise!

("Nada sobrenada ya del nombre de los Vergalo / lejos de sus bellos palacios de Génova y Venecia.")

La vida se había vuelto tan áspera para el poeta, que el 30 de abril de 1879, veinticinco días después de que Chile declarara la guerra al Perú, lo cual parece que no representó nada para el desubicado artista, un numeroso grupo de escritores franceses se dirige a las Cámaras Legislativas peruanas para solicitar una pensión a favor del poeta. Aparte del grupo, en solidaridad magnífica, Víctor Hugo reforzará el petitorio con diecisiete líneas de su puño y letra que dicen:

> Messieurs les Sénateurs et / Messieurs les Députés: / Permettez moi d'appeler votre / attention sur les démandes et-jointes / Elles sont signées des noms les plus / honorables de notre littérature, et / elles recommendent votre interêt / et elles éveillent votre patriotisme / en faveur d'un proscrit peruvien / qui nous considérons aujourd'hui / comme un poète fran-

çais, M. Della / Rocca de Vergalo. Ce que vous ferez / pour lui sera regardé par nous / comme fait pour toute la littérature / aussi bien de notre pays que le vôtre / Votre ami / VICTOR HUGO.

Naturalmente en esos momentos críticos, ningún legislador se curó de las peticiones a favor de Rocca de Vergalo. Éste acababa de publicar dos de sus libros. Poco después, el 15 de enero de 1881, uno de sus parientes más cercanos, Clivio della Rocca de Vergalo, rendía su vida en la batalla de Miraflores. Nicanor, ignorante de todo, proseguía su embriagador *vía crucis,* entre vagares, versos, tertulias y hambrunas; llevando siempre consigo, trágica estampa, a su desamparado hijo Julián [3].

La sangrante realidad del Perú no significaba nada para el hipnotizado poeta. Su propio drama y sus propias ambiciones son lo único que cuentan. Que perezca su pariente Clivio en el campo de batalla, pero que él, Nicanor Antonio, gane los laureles correspondientes a quien inventa la "estrofa nicarina" *(nicarina,* de Nicanor) y la "cesura vergaliana". Seguro de su maestría lanza un nuevo código para los poetas: *La poétique nouvelle.* En el prefacio desnuda su inmenso orgullo, tan inmenso como su puerilidad. Oigámosle:

---

[3] En *Le livre des Incas,* publicado en París, 1879, encontramos una enumeración real o supuesta de las obras éditas e inéditas del autor, a saber: *La mort d'Atahoualpe,* Lima, 1870 (¿?); *Les Meridionales,* Lima, 1871 (¿?), *Feuilles du Coeur,* Paris, ed. D. Jouanot, 1877; *Le livre des Incas,* Paris, A. Lemerre, 1879. (Contiene *Les grandes miséres,* 1877; *Les revolutionnaires et les chansons de l'exil, Yaravis, Les estivales,* 1878; *Les derniéres rapsodies,* 1878. *Bebita-Les larmes du feu,* 1879); *La poétique nouvelle,* Paris, Lemerre, 1880. (Contiene: Cartas de varios escritores franceses y el Memorial de 1879, encabezado por Víctor Hugo y Armand Silvestre a favor de Rocca de Vergalo). Como inéditos se mencionan: *Teatro completo,* que comprende: *Los misterios de Lima,* en 5 actos y en prosa; *José Olaya,* en 2 actos y en verso; *Olivier de Clisson,* en 5 actos y en prosa; *Les visions,* poema épico; *Les vergaliennes.*

> Yo soy un Poeta innovador. / ¿Por qué? / Porque yo no quiero imitar a nadie. / Porque soy un observador, un hijo del siglo XIX. / Porque sé a dónde marcha la Humanidad. / Porque compruebo que el artista que no pertenece a su tiempo, es un desdichado e inútil. / Yo no estudio lo que pasa; yo preveo lo que pasará mañana. / En suma, yo soy un temperamento, y yo aporto un método. / Yo hago una Poética nueva, una Prosodia nueva, es decir, un "golpe de arte", una reforma, una revolución. / Y se dirá ¡este extranjero pretende ser jefe de Escuela! ¡Sus fórmulas no están conformes al genio de la lengua francesa! / Y el público en masa se pondrá en contra mía [4].

Pese a la explosión de genio embotellado que revelan estos párrafos, no se puede negar la originalidad de algunas innovaciones vergalianas, a saber: la supresión de las mayúsculas al comienzo del verso, salvo cuando éste inicia cláusula u oración nueva; la "estrofa nicarina"; la "cesura vergaliana", de acuerdo estricto con el concepto, o sea, con la unidad conceptual del verso; la incorporación del lenguaje cotidiano a la poesía, y a la vez, la musicalidad primordial del lenguaje poético. Para ese entonces se ha producido el petitorio de los grandes escritores de Francia a favor de su colega (poeta y soldado), oriundo del Perú, el cual lleva a cuestas "un hijo de veintiséis meses", lo que, de ser cierto, nos haría fijar el nacimiento de Julián en no más allá de fines de 1876, dato absolutamente falso, salvo que se trate de otro hijo, distinto al supuestamente habido en la infiel Benita. El Memorial está suscrito en París el 30 de abril de 1879, y se limita a solicitar el sueldo de subteniente de artillería para el desamparado Vergalo [5].

---

4 Della Rocca de Vergalo, N. A., *La poétique nouvelle*, Paris, Lemerre, 1880. La dedicatoria es a Goyeneche y a Iturregui; está fechada en París, 2 de mayo 1880.

5 Los firmantes del Memorial son Armand Silvestre, Paul Foucher, Theodore de Banville, Jules Clarétie, Charles Grandmongue, J. M. de

Entretanto circula la obra lírica propia del poeta. Acaso de algo le valieron sus amistades sudamericanas: el pintor Ignacio Merino, el orador Luciano Benjamín Cisneros, los acaudalados amigos de Flora Tristán, don José Manuel de Goyeneche y el comerciante Juan Manuel de Iturregui, de Burdeos.

Los cuatro eran peruanos e influyentes. La amistad con ellos está probada. Con Cisneros, que había ganado ingentes sumas como abogado del famoso Henry Meiggs [6], le unía un lazo de parentesco espiritual, por ser su compadre. Con el pintor Merino, una amistad traducida en versos elogiosos. Con los dos capitanes de comercio restantes, el cordón umbilical de algunos petitorios y la dedicatoria de *La poétique nouvelle*. No obstante lo cual, el infortunio de Vergalo iba *in crescendo*.

A fines del siglo, después de 1892, llega a París un joven guatemalteco, gallardo, audaz y pendenciero: tenía veinte años: se llamaba Enrique Gómez Carrillo. Con él hizo buenas migas Vergalo, tan buenas que Gómez Carrillo le recordará en una página de sus Memorias.

Es una de las pocas huellas que deja Vergalo. No sabemos más de él, sino lo que Gómez Carrillo dice: que se había dirigido al África, de lo que tenemos algunos testimonios en los periódicos norteafricanos y sudfranceses que hemos mencionado en una nota. Más tarde, en 1920, circuló la noticia de que Vergalo había fallecido en Orán. Se rectificó la noticia, desmintiéndose el deceso. Cuatro años después volvió a circular la nueva de su fallecimiento. Parece que esta segunda vez no resucitó.

* * *

Heredia, Aurelien Scholl, Alejandro Dumas (hijo). (De la Academia Francesa), Henry Crisafille, Catulle Mendés, Louis Verbuggueber, Alphonse Daudet, Camile Douat (secretario perpetuo de la Academia Francesa), Stéphane Mallarmé, Henry de Bornier, J. M. Torres Caicedo, Maurice Bauchon, Josephine Soulary, Leon Dierx, Leconte de Lisle, François Coppée, Oscar Comettant y Albert Delpit.

6 Ver: Harry Stewart, *Henry Meiggs, a Yankee Pizarro*, Durham, University of North Carolina Press, 1947, trad. al castellano, Santiago de Chile, Universidad, 1955.

La poesía de Rocca de Vergalo contiene algunos elementos interesantes, sobre todo para el país en cuyo idioma escribió todas sus composiciones, menos dos: el exotismo. Hay que pensar ¡qué intenso atractivo tendría para los franceses de 1880 oir algo sobre aquel lejano y fantástico imperio de los Incas, entonces sumido en las tinieblas del misterio prehistórico! Rocca de Vergalo utilizaba además una estrofa en cierto modo desusada en francés, aunque en castellano tiene la magnífica heráldica de las *Coplas* de Jorge Manrique. Esa fue la "estrofa nicarina". La encontramos en una de las dos composiciones en nuestro idioma, publicadas por Vergalo: la "Serenata a una limeña":

Niña, canto mis pesares;
Niña, lloro mis amores;
Dame besos, dame flores,
A millares.

¿Qué es la mujer sin olores
y sin ricos atavíos?
¿Qué los ríos y los mares
sin navíos?

La nota autobiográfica es permanente, hasta reiterativa en la obra de Vergalo. A menudo se refugia en ella como lienzo enjugador de sus lágrimas.

Ami, l'Europe a le sein dur;
L'artiste vient voir son ciel pur:
Il est noirâtre et non d'azur

dice en una composición dedicada "A José Ignacio Merino", el gran pintor peruano [7].

Hay aquí una explícita expresión de desencanto: "Amigo, Europa tiene el pecho duro; / el artista viene a contemplar su

[7] Rocca de Vergalo, *Le livre des Incas*, pág. 14.

puro cielo; / mas éste es negruzco y no azul". ¡Su experiencia!

La Patria lejana se le presenta llena de encantos, los mismos acaso de que rodea a su infiel Benita:

> *O toi, qui m'as vu naître, et qui m'as vu martyr!*
> *Sol béni, vierge sol riant de ma patrie.*
> *Toi, le premier objet de moin idolatrie,*
> *Et qui me vois partir!*

(1875)

("Oh, tú que me viste nacer y conociste mi martirio; / suelo bendito, virginal y riente suelo de mi patria; / Tú, el principal objeto de mi idolatría, / y que me viste partir".)

Et maintenant balloté par les flots, je vais
Cacher loin du pays le souvenir mauvais
De mes jeunes amours car c'est ma destinée
De fuir d'ici devant la douleur obstinée...
...Pour l'enfant et pour moi quel malheur, quel affront!
Ah! montons rafraîchir au vent du soir ce front...
...Prens-bien soin de mon frère et veille sur ma soeur,
Qui jeune encore, m'apprit la première prière...
....
Et console ma mère, et recueille ses larmes...
...(Benita) est plus qu'une adultère, et plus qu'une infame...

La deprecación es larga, lacrimosa y un poco ridícula, pero rigurosamente autobiográfica:

> (Y ahora, sacudido por las olas, marcho / a esconder lejos de la patria el mal recuerdo / de mis amores juveniles, ya que es mi destino / huir de aquí, frente a un obstinado dolor / ...Para el niño y para mí, qué desdicha y qué afrenta / Oh, subamos a refrescar al viento de la tarde nuestra frente. / ... Cuida de mi hermano y vela por mi hermana... / que siendo aún

joven me enseñó mi primer rezo. / ... Y consuela a mi madre y enjuga sus lágrimas / ... [Benita] es más que una adúltera y peor que una infame.)

Lo cual no impide que este rítmico "cocu" añore con delicia a la lejana "adúltera e infame". Así resulta de la composición "Cheveux coupés", escrita en Guayaquil. Lo repetirá en otra estrofa fechada en Trinidad, durante el viaje, el 15 de octubre, suponemos que de 1872:

Depuis notre départ, ma chère soeur, ma vie
Est un enfer. Je pense à Benita.

("Después de nuestra partida, querida hermana, mi vida / es un infierno. Yo pienso en Benita.")

Junto a estas quejas surgen los versos juguetones de "Las lamentaciones del Inca Tupac refugiado en los Andes":

Quand l'espagnol barbu (15,5)
A bu
Dans ma coupe d'argent
Changeant
Mes femmes, mes trésors,
Mes ors,
Sur ses chars insolents
Et lents...

No importa, junto a este diestro alarde musical, que en otro poema, Hernando Pizarro, indignado ante el ídolo Pachacamac, contradiga el relato de los cronistas para dar gusto a una rima:

il lui donna un grand coup de poing à l'estomac
Et le dieu se brisa. C'était Pachacamac.

Sincero o no en el pensamiento, pero sí en la poesía, Rocca de Vergalo se rige por la añoranza del Perú. También entonces, sin duda por su miseria, alguien le dio por muerto, como volvería a ocurrir en 1920. Rocca de Vergalo responde con una composición: "A ceux qui me croyaient mort":

Moi, je ne suis pas mort de faim, je suis vivant,
Et je pense à tous vous, dans mon bonheur souvent.
Me voici devenu comme jadis un homme
D'importance et je suis très bien portant en somme...
...Depuis que je suis secrétaire d'ambassade...
...Et trouve qu'une femme est un fier débarras
Du moins quand elle fuit son époux, l'adultère.

Tiene esta confesión fecha de julio de 1873 en París. Según su testimonio es "secretario de Embajada". No la tenía el Perú entonces en Francia. Debe ser algún hipérbaton factual del impenitente bohemio.

Hay varios escritores latinoamericanos que han escrito en francés tanto o más que en castellano; algunos prácticamente sólo en francés, entre éstos, Jules Supervielle y Della Rocca de Vergalo. No es un mérito literario. Podría ser una singularidad biográfica. Temo que haya demasiado de esto en el excombatiente del 2 de mayo de 1866 y deplorable lamentador de la veleidosa Benita. Con todo —hay que repetirlo— ningún escritor sudamericano recibió en esos tiempos de incomunicación y de orgulloso aislamiento europeo el testimonio de afecto que Della Rocca de Vergalo en 1879. Quede aquel singular episodio como timbre de honor, como la mejor guirnalda, sobre la desconocida tumba del poeta. Lance inolvidable, verdadero "momento estelar", de esos que llenan una existencia y perpetúan un nombre.

VI

JUAN ANTONIO PÉREZ BONALDE

(Instantánea)

(Caracas, 30 enero 1846 — La Guaira, octubre 1892)

La figura de Pérez Bonalde es de las menos conocidas com creador, aunque sí mucho como traductor. Sus admirables ver siones de Heine *(El cancionero* o *Buch der Lieder)* y de Po (en especial la de "El cuervo" o "The Raven") han circulad abrumando la personalidad del poeta original que había en Pé rez Bonalde. Los venezolanos subrayan sólo una de sus compo siciones, "La vuelta a la patria", aunque a decir verdad, est tan rodeada de elementos localistas que entre ellos se pierde s auténtica valía lírica.

Sin embargo, por su intensidad y limpieza, es Pérez Bonald el mayor de los poetas venezolanos del siglo XIX, aun pensan do en Lozano y Maitín. De parca labor, alcanza en cada un de sus poemas impresionante nivel. Culpa será de los apresura dos y olvidadizos el no haber leído o recordado a conciencia l obra bonaldiana, sin otra superficial exculpación que el hech del largo exilio a que se condenó el poeta.

En efecto, Pérez Bonalde, nacido en Caracas el 30 de ener de 1846, tuvo que pasar su adolescencia en la vecina Isla d Puerto Rico, a raíz de la persecución desatada contra su padr con motivo de la Guerra Federal. El padre era también hombre de letras. Su residencia en la isla de Borinquen fue señalada por el establecimiento de varias escuelas, fundadas por el empuje apostólico de aquel varón. De esa residencia en Puerto Rico nacen varias composiciones de Juan Antonio, una de ellas elogiando a José Gautier Benítez, poeta borinqueño, a quien prodiga alabanzas de rara generosidad entre literatos.

En 1870, esto es, a los veinticuatro años, se trasladó Pérez Bonalde a los Estados Unidos. No salió de ahí durante dos décadas. O sea, que coincide su permanencia con la de José Martí a quien conoció, y con la consagración de Walt Whitman, a quien también oyó y admiró. La emigración latinoamericana en Estados Unidos se componía entonces mayormente de revolucionarios cubanos, autonomistas e independentistas puertorriqueños, liberales venezolanos e inconformes colombianos. Literariamente todos sintieron el peso de la naciente gloria de Edgar Poe, y se hicieron eco de la fama de Emerson, Hawthorne, Alcott y Thoreau. Rubén Darío, quien pasa al final de ese período por Nueva York, rinde tributo al delirante vecino de Blecher-Street. ¿Cómo no lo iba a hacer Pérez Bonalde, quien, además, a semejanza de Heredia el cubano, se extasía frente a las cataratas del Niágara y les consagra un poema entero: "El poema del Niágara?".

Subrayemos: de 1870 a 1890, Pérez Bonalde discurre en Estados Unidos entre los 24 y los 44 años, y no vivirá sino 46 años y 9 meses. Su vida literaria se nutre a los pechos de los escritores norteamericanos. Quizá sea esa la causa de su extraña parquedad y su templado lirismo.

Mientras los demás poetas latinoamericanos de su tiempo, en especial los del trópico, abusan de las metáforas solares, de las escenas de selva y bosque, de los personajes simbólicos, del amor a interjección plena, Pérez Bonalde acendra sus sentimientos y contiene su expresión al punto de parecer extranjero de espíritu como lo era ya de cultura y residencia. Frente a los Pardo, los Maitín, los González y hasta frente al mismo Cecilio Acosta, resulta la de Pérez Bonalde una extraordinaria lección de pulcritud y decoro [1].

La influencia del lirismo nórdico es algo que salta ahí a la vista, sobre todo cuando se compara el estilo de las composiciones anteriores a 1870 (claro de la primera juventud) y las del período neoyorquino. En las del retorno a Venezuela se mezclan, en forma estupenda, lo uno y lo otro. De ello resultará uno de los mejores poemas de las letras latinoamericanas: *La vuelta a la patria.*

En Nueva York había publicado Pérez Bonalde "Estrofas", "Ritmos", "El poema del Niágara", "El cuervo" (traducción), *El Cancionero* (de Heine). Como ésta y otras tareas no le bastasen, y él era un artista, esencialmente un artista, se consagró a la música. De ello quedan evidencias notorias en toda su obra literaria.

También tradujo a autores latinos: dejó una versión de Lucrecio inédita. No perdió el hábito muy sudamericano del debate airado. Cuando Felipe Tejera publicó sus *Perfiles,* Pérez Bonalde le salió fieramente al paso. Fiel a sus amistades y afectos, al saber en 1880 el fallecimiento de Gautier Benítez, su amigo de Puerto Rico, le consagró un hermoso "De profundis". En realidad, Pérez Bonalde, epígono del romanticismo, se dejaba arrastrar por sus sentimientos, esclavo del corazón antes que de las ideas.

En general, el tono de la poesía de Pérez Bonalde revela a las claras su procedencia romántica. Los metros que escoge también. En "Flor", dice por ejemplo:

Flor se llamaba: flor era ella,
flor de los valles en una palma,
flor de los cielos en una estrella,
flor de mi vida, flor de mi alma.

---

[1] Tenemos a la vista la edición: J. A. Pérez Bonalde, *Poemas:* ("La vuelta a la patria", "Bendita seas Flor", "Venus Victrix", "El cuervo"), Caracas, Tip. Universal, 1929, XVI-52 págs.

Era más suave que blando aroma,
era más pura que albor de luna;
y más amante que una paloma
y más querida que la fortuna.

El último verso quiebra la estrofa. Continúa, luego, como Bécquer, mezclando los heptasílabos con los endecasílabos.

Podría significar una inclinación parnasiana el poema "Venus Victrix", dividido en varias partes, a saber: "Salve Regina", "Gratia Plena", "Innominata", "Victrix", "Urania", "Praxiteles", "Revelatrix" "Ex tripode", "Volge sua sfera e beata si gade", todo ello en torno a la Venus de Milo. Oscilando entre el clasicismo helénico, el romanticismo y el trascendentalismo, Pérez Bonalde representa un momento de vacilación, de desorbitamiento y al par de reorientación en la poesía de su tiempo.

Cuando traduce a Poe usa un lenguaje que engarza a maravilla con el modernista, pese a su sencillez y modo directo:

Una fosca media noche cuando en tristes reflexiones
sobre más de un raro infolio de olvidados cronicones
inclinaba la cabeza, soñoliento, de repente
a mi puerta oí llamar;
como si alguien suavemente, se pusiera con incierta
mano trémula a tocar.
"Es —me dije— una visita que llamando está a mi puerta:
¡eso es todo, y nada más!"

Esta octava refleja, por manera admirable, el tono, el temple del original poeiano, cuyo ritornello *Never more,* traslada con angustiosa monotonía Pérez Bonalde al final de cada verso. A ello se debe sin duda el auge del gran poeta de Manhattan sobre los modernistas a partir de la última década del siglo XIX [2].

La traducción de "El cuervo" ha sido objeto de prolijos exámenes. De ellos aparece claramente la pulcritud y el vuelo de

[2] John A. Englekirk, *Poe in Latin American Literature,* New York, 1933, passim.

Pérez Bonalde. Además ha cuidado de reproducir en castellano la misma sensación que Poe recogió en inglés, utilizando el verso peánico, pues, en verdad, no se trata de un verso decaexasilábico ni de un octosílabo simple y duplicado, sino que su base es el tetrasílabo grave o peánico, análogo al del "Nocturno (III)" de José Asunción Silva, y, por tanto, a la fábula de Iriarte: "Una mona...", etc. Lo dicho deshace una hipótesis literaria sobre cierta prioridad —¡esas eternas prioridades patrióticas que tan en demasía mechan el arte!—, que sería la siguiente: Pérez Bonalde nació cuasi veinte años antes que Silva, y su traducción de "El cuervo", o introducción de Poe en nuestras letras, se remonta a la década del 80. Para entonces Silva no ha compuesto aún dicho "Nocturno", el cual es posterior a la muerte de su hermana Elvira y no muy anterior al propio deceso del poeta ocurrido en 1896.

Aunque Englekirk ha agotado la materia, y pese a algunas sagaces atingencias de Carlos García Prada sobre la originalidad del bogotano con respecto al neoyorquino, sobre todo en la composición a "Las Campanas", conviene subrayar aquí la precedencia de Pérez Bonalde en el empleo del verso peánico como reflejo más o menos fiel del ritmo de Edgar Poe.

Pérez Bonalde regresa a Venezuela después de una vida de emigrado. Regresa para morir, aunque tal vez no lo presintiera. Utiliza para su saludo de vuelta la mezcla de heptasílabos y endecasílabos grata a Bécquer, y luego a todos los modernistas: llámense Silva, Casal, Nájera, el Darío de "Abrojos", Nervo... "La vuelta a la Patria" comienza del siguiente modo:

¡Tierra, grita en proa el navegante,
y, confusa y distante,
una línea indecisa
entre brumas y ondas se divisa...

El poeta narra sus impresiones. Penetra en su sujeto por un sistema de sucesivas exposiciones, de planos consecutivos. La presencia del pasado, y una finísima mezcla de evocación y de descripción de lo actual se combinan por curioso modo. Alude a ello sin reiteración, pero con eficacia.

> *Y unas formas extrañas va tomando,*
> *formas que he visto, cuando*
> *soñaba con la dicha en el destierro...*

"La dicha" es el retorno; por tanto, "la desdicha" es la emigración. Todo se explica dentro de tal concepto. Pérez Bonalde, como cierto tipo de poesía francesa de fines del siglo XIX, es una interesante combinación de Coppée y de Whitman, pero sobre todo, de Pérez Bonalde más Pérez Bonalde, pinta sus emociones, ya en el carruaje que lo conducirá de La Guaira a Caracas, donde se halla su hogar:

> *¡Apura, apura, postillón. Agita*
> *el látigo inclemente!*
> *¡Al hogar, al hogar, que ya palpita*
> *por él mi corazón!*
> *—Mas, no. Detente*
> *¡Oh infinita aflicción! ¡Oh desgraciado*
> *de mí, que en mi soñar hube olvidado*
> *que ya no tengo hogar!*
> *—¡Para, cochero!*
> *Tomemos cada cual nuestro camino...*
> *Tú, al techo lisonjero*
> *do te aguarda la madre, el ser divino*
> *que es de la vida centro y alegría,*
> *y yo, al cementerio,*
> *donde tengo la mía.*

Como todo romántico, mejor diríamos, como todo poeta americano, Pérez Bonalde confunde la poesía con el relato de su propia existencia. Cada canto será, pues, un trozo autobiográfico. Así "Bendito seas", dedicado a Puerto Rico, contiene entre otros algunos trozos referenciales:

Tornara hallar, oh tierra generosa,
bajo tu cielo amigo,
a la madre amorosa,
de honor dechado y de virtud modelo
que hoy en la tumba, por mi mal reposa;
al padre venerado,
a quien amparo diste
cuando en busca del pan del desterrado
llegó a tus playas errabundo y triste.

Descontemos los ripios, los versos forzados, los tópicos, cesiones a la rima, dura diosa del ochocientos, para destacar de nuevo la nota respecto al valor del destierro y la autobiografía con que se caracterizan los románticos, aunque en Pérez Bonalde, por su contacto con la literatura norteamericana y el inevitable acendramiento en la interminable proscripción, surgen otros elementos más profundos, más líricos y menos románticos, si a este vocablo se le otorga el mero sentido de sentimental y declamatorio, y se prescinde, al encuadrarlo, de eso que Dilthey llama el "eterno romántico", o sea, el predominio de la emoción sobre el raciocinio, la capacidad de desnudar el alma a flor de estilo como forma de liberarla y liberarse. En cuyo caso, considerada la frecuencia de nuestro autobiografismo (todo poeta es, en última instancia, tácita o explícitamente un autobiografista), la mayor parte de nuestra literatura está impregnada de un romanticismo esencial, aunque su envoltura métrica discrepe de esa clasificación o escuela.

Pérez Bonalde murió en el caliente puerto de La Guaira el 4 de octubre de 1892, a los cuarenta y seis de su edad. No "apuraba" en vano al postillón de la "Vuelta a la Patria", pero a pesar de su prisa llegó tarde. En esos momentos empezaba a circular la sorpresa de *Azul...* y Silva preludiaba sus "Nocturnos". Casal, después de conocer a Darío, exhalaba sus últimos cantos. Nájera envolvía de ya grisácea niebla el centelleante tropicalismo de sus predecesores. Con Pérez Bonalde, no obstante, sus concesiones al grito, se inicia el señorío del matiz, la palabra especiosa, el silencio elocuente. Descubre el balbuceo y desmonta la oratoria versificada. Se le debe mucho, muchísimo más de lo que se le reconoce.

VII

JOSÉ TORIBIO MEDINA [1]

(Santiago de Chile, 21 octubre 1852 — 11 diciembre 1930)

Me parece estarlo viendo. Yo había ido a recibirle, acompañando al erudito peruano Carlos A. Romero, su antiguo colaborador. Don José Toribio nos anunció su llegada, mejor diré, su "pasada". Decidimos rodearle de halagos, precisamente porque las relaciones entre Perú y Chile no eran entonces (1928) de las mejores. Desde a bordo, un viejecillo algo cargado de hombros, de barbilla cana y espejuelos sujetos al cuello por una cinta negra, agitó el sombrero. Ágilmente descendió la escala a saltitos. Robusto y efusivo, se lanzó Romero al abordaje. No encierra ningún propósito simbólico esta descripción: la vida empujaba ya a los dos hacia abajo, mas no su obra, que los aventaba hacia lo alto. Fue curioso: con una concisión de sargento en maniobras, don José Toribio dijo mirando de hito en hito: "¿Leguía, Porras o Sánchez?" —"Sánchez", repuse. Nos presentó en seguida a doña Mercedes Ibáñez Rondizzoni, su abnegada y tesonera esposa: los tres hombres nos metimos en una lancha y nos dirigimos a tierra.

[1] Este trabajo fue leído en una velada del Ateneo de San Juan de Puerto Rico, en homenaje a Medina, el año de 1952.

Cuando yo tenía diecisiete años —once antes de aquello—, estaba dedicado a investigar en la literatura virreinal y conocí la bibliografía mediniana. ¿Confesaré que no sólo me instruyó, sino que me entretuvo husmear, como quien se pierde adrede en un laberinto, los cuatro gruesos tomos de *La Imprenta en Lima*? Después continué mi periplo mediniano con la *Historia del Santo Oficio de la Inquisición en Lima* (2 vols., 1887), cuyos chismes y documentos me provocaron mayor interés aún que los sabrosos *Anales* de la misma institución, por don Ricardo Palma (1867). Por cierto que, a mi contacto con esta última obra, experimenté una de las más inesperadas e instructivas sorpresas de mi vida: la contaré, pues sirve para fijar ambiente.

Uno de los primeros Inquisidores llegados a Lima a fines del siglo XVI, llamóse Francisco de la Cruz, al cual enjuiciaron sus propios compañeros, quemándosele en efigie en el primer Auto de Fe celebrado en mi ciudad nativa. Medina había recogido y publicado el proceso. Resultaba de él que el cuitado habíase enamorado de cierta linajuda doña Leonor de Valenzuela, hermana de don Juan Ribera y Dávalos, poeta limeño a quien elogia Cervantes en *La Galatea* (1585). Me pareció divertido el episodio, y lo introduje, debidamente acotado, en el primer original de uno de los capítulos de *Los Poetas de la Colonia* (1921), mi primer libro. Me ofreció, y lo acepté, consejo don José de la Riva Agüero, famoso colonialista peruano, y había éste pronunciado media docena de elogios a mi denodado esfuerzo, cuando de pronto se detuvo y exclamó: "No, esto no, Sánchez". Y seguidamente me hizo una oferta: "Yo le proporciono a usted las libretas de servicios de don Juan de Ribera y Dávalos y don Sancho de Ribera y Bravo de Lagunas, inéditas ambas, con tal de que usted elimine de su texto la alusión a mi tía". —"¿A su tía?", interrogué perplejo, pues estábamos en 1919 y mi capítulo se refería a 1572. —"Sí, a mi tía doña Leonor de Valenzuela —me precisó el historiador—. No conviene remover estos asuntos de honor, aunque sea después de trescientos años." En vista de la jugosa propuesta eliminé el picante relato, limitándome a la mera cita bibliográfica. Accedió mi prócer, y así se ha conservado el secreto de tal asunto de honra —voceado por la historia documental, menos piadosa— hasta hoy, muertos ya Medina, Riva Agüero, y desde luego, doña Leonor y Fray Francisco, y estando yo por los caminos del crepúsculo, que es la hora de las confesiones y las impertinencias.

Dejamos a don José Toribio en una lancha dirigiéndonos al Callao. De allí a Lima. Nos lo llevamos —¡qué digo!—, él nos llevó al local de la Biblioteca Nacional, de que en ese momento éramos director y subdirector, respectivamente, Romero y yo. Ambos nos pusimos al servicio del erudito. Viajaba a Sevilla para imprimir las cartas de don Pedro de Valdivia, conquistador de Chile. Medina esperaba encontraría algo en la biblioteca de Lima. Los tres nos dedicamos a subir y bajar tomos, revolver papeles, buscando el dato que Medina quería. No lo halló.

Tengo para mí —y sea dicho en voz muy baja— que Romero, con su habitual travesura, lo había ocultado.

Yo miraba al viejecito —Medina tenía en esa fecha setenta y seis años— trepar escalerillas, cargar gruesos librotes, repasar páginas con vertiginosa velocidad, hacer preguntas exactas. Conocía el local y sus vericuetos. Allí había estado la Biblioteca desde su fundación en agosto de 1821, antes de los treinta días de proclamada nuestra Independencia. Allí está ahora, reconstruida, después del terrible incendio de 1943. Don José Toribio daba órdenes como un experto piloto. Hablaba abundante, pero precisamente. Era de estatura más que mediana. Ligeramente cargado de hombros. Los ojos un poco fijos, consecuencia de las muchas lecturas, brillaban tras los espejuelos, no tan gruesos como se hubiera sospechado. Una leve calvicie coronaba la cabeza de grisáceos cabellos en las sienes. Ni el bigote espeso ni la barba de candado habían encanecido del todo. Tenía unas manos ágiles, de prestidigitador. Caminaba a pasos rápidos. Se le advertía presa de constante nerviosidad. Su acento era inocultablemente chileno. Se tragaba las eses; usaba el diptongo *ie* para mencionar guerra, mujer y gente; pronunciaba la "tr" con el paladar superior, como los araucanos, y suprimía olímpicamente las sílabas finales, sobre todo en el delator "pu".

Poesía una memoria privilegiada. Sin embargo, apenas aludió a nuestras cartas. Tengo para mí que al verme le enojó haber gastado letras y argumentos para tratar de convencer en 1921, a un jovenzuelo que acababa de cumplir los 20. Pero, justamente por eso, aun cuando algo me maltratara después, en su folleto sobre *Escritores loados por Cervantes* (1924), yo le tenía mayor admiración. ¿No es acaso lo común que un hombre de elevado linaje intelectual mire con desdén y hasta sorna a los menores que se empinan por rozar siquiera las alturas?

Lo acompañamos después a la Biblioteca de la Universidad de San Marcos, a mostrarle un óleo recién descubierto, que representaba a Antonio de León Pinelo, el más grande bibliógrafo del virreinato, autor del famoso *Epítome para una Biblioteca Oriental,* e inspirador de Nicolás Antonio Hispalensi, el autor de la *Bibliotheca Hispano Nova.* Curioso espectáculo: don José Toribio se conmovió grandemente. Largos minutos se quedó contemplando el cuadro. Hizo atingencias, formuló conjeturas, zurció datos con esa pericia tan suya. Finalmente, epílogo fatal de toda mañana trashumante, erudita y varia, se encendió la charla en torno a una mesa, a una de esas inacabables, sapidas y odorantes mesas limeñas, cuyo recuerdo me acompaña no sé bien si en la memoria, el corazón, el paladar o el olfato.

Cuando nos separamos, ya adelantada la tarde, mi admiración por el gran erudito había crecido varios codos. El hombre, con ser tan vasta la sabiduría del polígrafo, atraía con prestigios de poeta o novelista. Esta reflexión, recuerdo, me persiguió durante varias semanas. ¿Cómo podía parecer un novelista, el seco autor de tanto catálogo informativo? Sin embargo, así fue. Hasta hoy sigo sin explicarme el símil, pero continúo teniéndolo por exacto.

No creí ver más a don José Toribio. La vida me iba a deparar, empero, la fortuna de un encuentro más reposado. Fue a comienzos de 1930, en el mes de abril. No en Lima, sino en Santiago.

Yo había sido invitado por la Universidad de Chile, como primer profesor universitario de intercambio, a raíz de la reanudación de las relaciones diplomáticas entre nuestras patrias. Uno de mis deseos era conversar con Medina. No tuve necesidad de buscarlo. Apenas supo mi llegada, me telegrafió convidándome a ir a San Francisco de Mostazal, donde él pasaba otoño e invierno. Le respondí que no era posible, por la serie de compromisos adquiridos y la brevedad de mi permanencia. Con eso, pensé, había cancelado lamentablemente toda posibilidad de volver a recibir lecciones de Medina. No le conocía. Estaba yo en el salón de la Rectoría esperando la hora de empezar mi cursillo cuando, quién lo dijera, apareció don José Toribio, bullicioso, envuelto en un amplio gabán, con un bastón en la mano, preguntando a voces, en tono de viejo amigo, por mí. No sólo quiso acompañarnos a una cena en un restaurante de postín y mucho ruido, atacando sin miedo a vinos y mariscos, sino que ya, con sus 78 años, nos acompañó hasta la medianoche, y al día siguiente me mostró su imprenta, su trabajo en marcha, en aquella casona llena de reliquias y recuerdos, en el núm. 49 de la calle Doce de Febrero, que hoy lleva el nombre del insigne polígrafo. Además, como ya había regalado al Estado su biblioteca y archivo, su maravillosa biblioteca, evaluada en varios millones de pesos, se allanó a guiarme él mismo por la nueva instalación y me colmó de presentes, esos estupendos presentes suyos: sus libros, sus autógrafos, su consejo y su amistad.

Quisiera aquí reembolsarle algo sobre lo mucho recibido, aunque mínimo; hacer un modesto abono en la interminable cuenta que con Medina tenemos los estudiosos de América.

La obra escrita de Medina se inició cuando cumplía él los 21 años. Comenzó comentando la *María*, de Isaac: buen principio americano. No tardaría en traducir la *Evangelina*, de Longfellow. De esta suerte (por si alguien anda buscando símbolos fáciles), se unen en sus trabajos iniciales Sud y Norteamérica. Desde luego, estoy seguro de que semejante consideración no entraba en las escogitaciones de Medina, quien se dejaría vencer por el sentimentalismo sólo a los treinta y cuatro años, en 1866, cuando casó con doña Mercedes Ibañez Rondizzoni, paciente y diligente dama, su colaboradora de cuarenta años. Antes, a los veintiséis, en 1878, vísperas de la Guerra del Pacífico, publicaba ya una obra de importancia *Historia de la Literatura colonial de Chile* (3 vols.). Falta allí lo que se llama auténtica crítica literaria; predomina la histórica. Pero ésta es ya de incuestionable calidad. Hasta aquel momento, fuera de las siluetas del venezolano Andrés Bello, los estudios de Lastarria y las monografías del argentino Juan María Gutiérrez y del chileno Benjamín Vicuña Mackenna, Chile no había hecho mucho por su historia cultural. Medina coloca los cimientos. ¡Con qué solidez!

Apenas comienza la cicatrización de las heridas causadas en Perú por aquella guerra, Medina es enviado por su gobierno a la Legación en mi país. Su primera edición compendiada de *La Imprenta en Lima* es un tomito que muchas veces tuve en las manos en la Biblioteca Nacional de mi ciudad natal. Allí se examina, escudriña, copia, ordena y analiza las publicaciones limeñas desde 1584 a 1810. Durante sus pesquisas, don José Toribio suele usar, dice alguno de sus colaboradores, un amplio gabán. A veces se distrae. Los documentos se guarecen en los amplios bolsillos. Se los puede hallar ahora en el magnífico Fondo Medina de la Biblioteca Nacional de Chile. En 1887 produce los dos tomos de la *Historia del Santo Oficio de la Inquisición en Lima*. Anteriormente, Ricardo Palma ha publicado los *Anales de la Inquisición de Lima* (1867) libro ameno, en que la documentación se acomoda a las exigencias programáticas (digamos anticlericales) y literarias del tradicionista. Medina arma una obra seca y rica. Prescinde de interpretar con tal de ofrecer material de primera mano. Desde entonces y hasta 1914, lanzará seis obras diversas sobre las diferentes Inquisiciones de América. Ya ha viajado por España y por casi todo el continente. Entre 1894 y 1912, pondrá en circulación treinta y dos tomos sobre la *Imprenta* en nuestro Hemisferio, entre ellos figuran los cuatro gruesos y riquísimos cuatro volúmenes de *La Imprenta en Lima* (1904), los ocho sobre *La Imprenta en México*, los siete sobre *Biblioteca hispanoamericana* (Santiago, 1898-1907) en que recoge los libros publicados fuera de América sobre nuestro continente. Como es hombre sin descanso, reúne en veintitrés volúmenes las *Actas del Cabildo de Santiago*, y en medio centenar o más, los *Documentos inéditos para la historia de su patria*. En 1906 lanza un *Diccionario biográfico colonial de Chile* siguiendo las aguas del peruano Manuel de Mendiburu, autor sin método de los ocho tomos de un *Diccionario histórico biográfico del Perú* (1876-1895). En 1920, Medina publica sus *Romances basados en La Araucana*; en 1928 la *Historia de la Real Universidad de San Felipe de Santiago* (2 vols.); en 1930, *Literatura femenina*. Ha incursionado también por los campos de la numismática, la filología indígena y la geografía. En 1917 da su espléndida edición de *El Arauco domado*, de Pedro de Oña. No titubea ante graves empresas como la de reconstruir la vida de Magallanes, Caboto, Ercilla, Oña, Valdivia, cuyas cartas compila, anota y prologa. Para evitar las tropelías de los impresores, adquiere un taller, la famosa imprenta Elzeviriana, y con sus propias manos y ayudado por doña Mercedes, compone, ajusta, corrige, imprime y encuaderna 185 de sus libros, o sea, casi la mitad de su bibliografía. En realidad, don José Toribio estaba hecho para escribir directamente en el plomo.

No se da caso igual.

De sus viajes ha juntado una biblioteca de manuscritos y ediciones "princeps" constante de 40.000 piezas.

No le enriquece, empero, su espantoso trabajo. El Estado chileno, comprendiendo lo que este erudito significa, le destina continuamente a diversas comisiones diplomáticas nominales: el asunto es que revise archivos, bibliotecas, museos. Porque Medina es un coleccionista inveterado. No olvidemos un dato: empezó como aficionado a la entomología, y al par que bibliógrafo se hizo numismático. Llegado a la vejez, se negó a aceptar una oferta de cincuenta mil dólares por su colección de libros y documentos. Prefirió regalársela a su gobierno, con unas cuantas condiciones: que él dirigiría la instalación en la Biblioteca Nacional de Santiago y que él designaría a un conservador *ad vitam* de la misma: es así como Guillermo Feliú Cruz se inició como director del Fondo Medina, donde actúa hasta hoy con insuperable acierto.

¿Cuál fue la filosofía de la historia de Medina?

Nos hemos formulado muchas veces la pregunta; se la hemos hecho a conspicuos historiadores, cuya objetividad no puede ser cuestionada. La respuesta fue siempre embarazosa. Y bien, si Medina se limitó a reunir, anotar y publicar materiales para la historia; si sus investigaciones son, por lo general, de hechos, compilación y análisis de datos, ¿constituye tal labor una verdadera historia? Por la variedad misma de sus tareas, por los diversos y amplios campos en que anduvo persiguiendo informes, ¿no es la de Medina la típica tarea de un polígrafo? Mas, si así fuera, ¿cuál es su acreencia o deuda con la historia en sí? ¿Cuál la posición de los historiógrafos e historiadores de Chile y América (y de España y Portugal, por ende) con respecto al incansable y certero buscador y analista?

Pensó Medina llevar a cabo una verdadera "historia", con sus correspondientes elementos eruditos, críticos, interpretativos y dilucidadores, como parece que intentó en su *Literatura colonial de Chile*. ¿Calibró, aun en esta misma, los grandes, los medianos y los pequeños datos? ¿El haber agotado los estudios sobre Alonso de Ercilla y Pedro de Oña, le confiere derecho a ser llamado "crítico literario", "historiador de la literatura" o simple y grandemente "Historiador"?

Son cuestiones que surgen ante la obra del admirable polígrafo y que no se responden fácilmente, porque la negativa total podría trascender a irrespeto, y la afirmativa cerrada a injusticia.

Chile ha tenido y tiene una sólida tradición historicista. Cuando la mayor parte de sus vecinos andaban entregados a la improvisación y el ensueño, esa República de vascos, araucanos, andaluces y sajones, y luego de germanos, se preocupaba de cuestiones pragmáticas, poco atrayentes, como por ejemplo "el método de investigación", "la objetividad en el relato", "la puntualidad en la referencia bibliográfica". Son virtudes indudables. A primera vista, no de las mayores; a la larga, de las más consistentes. Mas no se debía ello a un azar. Si no se reconoce la influencia de don Andrés Bello, el insigne venezolano, maestro de Bolívar, se tendría la mitad de la cuestión inexplicada.

Durante el Virreinato, mientras Lima fue una ciudad de ingenio y fausto, y en Chuquisaca brotaban ingenios jurídicos y de Córdoba salían teólogos y de Cuzco lingüistas, en Santiago de Chile la existencia era cuartelaria y semiburguesa. Se compraba, se vendía, se preparaba a resistir al pirata, se construían fuertes y cárceles, siempre con el ojo avizor puesto en la frontera desde donde los mapuches solían lanzar sus "malones".

La independencia se opera por contagio de Buenos Aires, eco de la Revolución Francesa, primacía del manchesterismo, decisión de los terratenientes criollos y acción de circunstancias endógenas propicias, difícilmente repetibles. Piensa mal quien niega al chileno ardor imaginativo e impulso sentimental. Bastaría citar las exquisiteces de don José Perfecto Salas, el ímpetu iluminista y cuasirromántico del fraile Henríquez, el tono hiperbólico de *La Aurora;* más tarde, la pasión avasallante de Francisco Bilbao, el tremante individualismo de Lastarria, la vehemencia torrentosa de Vicuña Mackenna, para darnos cuenta de que aquel país, sacudido, al comenzar su vida emancipada, por los más frenéticos odios a causa de los cuales marchan a patíbulo y destierro ilustres gentes como Carreras y O'Higgins, distaba mucho de ser la ordenada república donde se desarrolló Medina.

A poner concierto en tal desasosiego fue llamado Andrés Bello, el criollo inglés, cuya juventud discurrió en Londres, entre decisivos desengaños, estudiosas vigilias y lamentables privaciones. Bello se resistió a regresar a su patria, ya trémula de hirsutas incompatibilidades civi-militares. La sustitución del liberal Mora por el conservador Bello, en el magisterio de Chile; la rápida inteligencia entre el pragmático dictador Diego Portales y el pragmático profesor Bello, no son simples casualidades. Don Diego adivinaba lo que iba a encontrar en don Andrés. Y cuando éste funda la Universidad de Chile, después del asesinato de su amigo y protector, sabe lo que quiere: no será la de Santiago un centro de estudios sin objetivos prácticos: el país no tiene el hábito del ejercicio cultural pleno, ni posee una *élite* que lo guíe.

El razonamiento de Bello, en su discurso inaugural, es tan simple que, sin él no se podría entender lo que luego acontece en las diversas ramas del saber en Chile, incluyendo la historia. Mientras Sarmiento dirige la Escuela Normal y mantiene la consigna de abrir maestros primarios, Bello pregunta sobriamente: y bien, si hay necesidad de escuelas, la hay también de maestros, y ¿quién va a formar a éstos si no es la Universidad? Como es hombre de auténtica raíz cultural, no entiende la pedagogía ni la cultura sin las humanidades: y entre éstas, los idiomas muertos y vivos. Mas su modo de encarar las cosas se reduce a algo elemental: a comenzar por el comienzo; *ergo* debemos acarrear materiales y analizarlos antes de cualquier otra tarea. Como en la infancia, el mejor consejo: será "andar antes de correr y de volar": no resulta igual cuando ya se tienen alas.

No tardaría la ocasión de definir los campos. Don José Victorino Lastarria, talentoso y entusiasta discípulo de Sarmiento y Bello, auténtica alma de contraluz y claroscuro, pronuncia su famoso discurso sobre la influencia de la conquista española en América (1843). El radical y joven humanista (había nacido en 1817) censura implacablemente a la Corona, anticipando así al más severo y premeditado ataque que contra ella formulará él mismo veinticuatro años después, en la segunda parte de su libro *La América*. El Rector Bello sale al paso del Sagitario decano de Humanidades. No le censura tanto el juicio cuanto el modo de formularlo; le importan menos las conclusiones a donde arriba, que el camino por el cual las alcanza. Trata de impartir una lección de serenidad y procedimiento. Infundir el culto a la objetividad y la prolijidad. Aun para los muchos disidentes de tal lección, ésta queda.

A los epígonos de la generación de Lastarria, unido a ella más bien por un común infortunio, el del destierro de 1851, pertenece un hombre caudaloso, infatigable buscador del pasado y restallante narrador de sus grandezas y miserias: Benjamín Vicuña Mackenna (1831-1886). Es cual una fuerza de la naturaleza, otro Sarmiento, hijo de la misma familia de los grandes paridores, los Lope de Vega, los Goethe, los Hugo, los Balzac, los Galdós, hombres de incansable y vibrante producción. Vicuña Mackenna cubre todos los campos del pasado chileno y americano; durante su permanencia en Lima descubre y coordina desconocidos pasajes de la Revolución de la Independencia (1860); cuando suena la hora de la guerra no vacila en escribir al compás de los sucesos, nuevo Ercilla, sacudido como aquél de ira y amor. La historia de Chile —y América— avanza considerablemente con tan inusitado profeta. Pero la sombra de don Andrés Bello, cuyo fallecimiento ocurre en 1867, toca el hombro de sus discípulos y uno de ellos, el barbado y prosaico don Diego Barros Arana iniciará una sistemática, fría, erudita y noblemente rastrera historia del país, sin variar el tono monótono y tenaz a lo largo de veinte volúmenes. Monumento frente a monumento, sería difícil decidir hoy por cuál tomar partido.

Cuando aún vibraban las ululantes páginas de Vicuña Mackenna, al cual hacía eco una incipiente escuela de románticos del relato, conatos de Michelet y Lafuente, aparece en el escenario historiográfico americano don José Toribio Medina. Con finísimo "flair" de cazador, ventea la colonia, y la encuentra inexplorada, desierta. Las polémicas históricas, igual en la Argentina, entre Mitre y López, que en Perú, entre Paz Soldán y Mariátegui, tienen por objeto la época de la conquista o de la independencia: sin embargo, median entre ambos sucesos trescientos años de virreinato o coloniaje. ¿Por qué no tratar de penetrar en su secreto? ¿Acaso se encuentra agotada la materia? ¿Cuál es la razón de que no se explore la vida cultural?, ¿por qué no se juzga con serenidad a ciertas instituciones discutidísimas, como la Inquisición?, ¿cuáles son los puntos flacos de las narraciones de Vicuña Mackenna, de las monótonas rapsodias de Barros Arana, de los doctrinales ensayos de Lastarria, de las frías aseveraciones de Bello?

Tal vez éstas fuesen algunas de las cuestiones que el joven Medina se planteara. Quizás habría otras: por ejemplo, ¿por qué los investigadores extranjeros, tales como los Ticknor y Prescott habían logrado organizar relatos, que sin perder su belleza y lógica lucían un sólido aparato documental? Había surgido además la ciencia histórica alemana. Se batían en retirada por el momento los historiadores amenos y generalizadores como los Thierry, Michelet. A Chile habían llegado numerosos maestros alemanes, a raíz de la inmigración iniciada por Pérez Rosales. Estos hombres representaban un tipo cultural distinto al hispanofrancés en boga. La eurística ganaba adeptos. Medina pensó en las flaquezas del edificio levantado por sus compatriotas. Decidió probar fortuna iniciando una investigación de esas que hoy llamamos "factual". Tengo para mí que a poco el objeto se apoderó del sujeto, y lo volvió su propio objeto. La fábula de Pigmalión y Galatea sucedió, pero al revés: no cobró vida la estatua, sino que se monumentalizó el escultor. Medina cayó en los ávidos brazos de su Musa, Clío, una Musa un poco yerta, Musa de papeles viejos y arcaico perfume a tinta. Desde entonces anda buscando quien lo interprete y cante, cierto Mito: el del ser humano que se volvió papel de imprimir para honra y provecho —sí, para muchísimo provecho de tanto usurpador de los innumerables hallazgos de tan formidable erudito—, de cuya mesa (cual la parábola de un nuevo rico epulón) caen migajas como para alimentar a gigantes.

Si uno examina la tarea de Medina se da cuenta de que las cuatro quintas partes de sus libros son colecciones de títulos y apuntes descriptivos de papeles: el quinto adicional es, sin embargo, suficiente para llenar de orgullo, muy justificado desde luego, a cualquier investigador y analista de cualquier tiempo.

Toda esta inmensa tarea se resuelve, repito, en la de acumulación y análisis de documentos. A veces, presidida más que por un sentido interpretativo, por el de cierta explicable y hasta inevitable jactancia de descubridor y coleccionista. ¡*Laus Deo* que, al fin, la colección, lejos de servir de objeto lucrativo, fue a parar a manos del gobierno chileno, por decisión expresa y oportuna de Medina!

Mas, volviendo a lo anterior, ¿y la filosofía de la historia de José Toribio Medina?

Muchas veces pensando en el tema, leí y releí sus prólogos, sus notas, y reflexioné sobre el sentido de algunas de sus investigaciones colaterales, por ejemplo, la de *La Tía Fingida,* las *Cartas* de Valdivia, la *Vida de Ercilla.* No me valió de nada. La actitud de Medina es la de un permanente "bandeirante" de la historiografía continental. Hace sus "entradas" en los archivos y regresa cargado de botín: es la suya la conducta no de un oidor ni un catequista, cuyas manos, si a veces tornan vacías de dones materiales, en cambio, el alma vuelve llena de iluminaciones.

¿Prioridad del erudito sobre el analista? De ningún modo. Si bien es verdad que las interpretaciones sólo pueden ser completamente válidas a base de extensos y depurados materiales, no es menos exacto que con todos los materiales del mundo no se inventa un genio interpretativo y sintetizador. Como en cualquier juego humano, debemos resignarnos a admitir a veces aquello que los escolásticos llamaban "facultades del alma". Vicuña Mackenna, sin la documentación de Medina, adivina e intuye rumbos históricos que los materiales han comprobado en gran parte después. A su turno, a base de pacientes buscas, Medina surge como un interpretador, cual en sus trabajos sobre Inquisición e Imprenta. Empero, y aquí surge un ejemplo cabal: los documentos oficiales impresos, si bien decisivos, no lo son todo en la historia. Queda un ancho margen de documentación inédita y de aportación oral y epistolar, que complementa y rectifica a la primera. En el caso de la Imprenta, las investigaciones de Torres Revello y Leonard, basadas radicalmente en Medina, rectifican a éste cuando exponen cómo las leyes impresas sobre tráfico de libros no se cumplían y cómo obras de enjundia quedaban inéditas para dar paso a centones y cedularios, carteles de certamen y sermonarios, utensilios de cocina intelectual.

Hay un grupo de obras de Medina que me es familiar, sobre el cual podría ser más explícito. Me refiero a las que tratan del Perú.

Usé *La Imprenta en Lima* durante muchos años, casi como breviario; igualmente la *Biblioteca Hispanoamericana,* la *Historia del Santo Oficio de la Inquisición en Lima,* los *Escritores loados por Cervantes* y otro folleto sobre los *Escritores loados por Lope en el Laurel de Apolo,* la *Historia de la Literatura Colonial de Chile,* etc., en todo dieciséis volúmenes y dos folletos —casi nada entre la inmensa obra de Medina—. Si lo reducimos a términos estadísticos, ello representaría la veinteava parte de su producción total, o sea, el 3,5 por ciento. Mi trato con *La Imprenta en México,* los documentos para la historia de Chile y demás obras fue menos frecuente. Hay un sector amplio, alrededor de un 40 por ciento de la producción de Medina que sólo conozco de vistas y oídas. Aunque un cuarenta por ciento es mucho, si pensamos que el 60 por ciento conocido significa alrededor de 250 libros y folletos, creo que ello bastará para caracterizar a un escritor.

Medina vivió sofrenándose. Que tenía imaginación, no cabe duda. En *La Tía Fingida* y en sus polémicas sobre los escritores loados por Cervantes y Lope, en que me hizo a mí, entonces cuasi adolescente, el insigne honor de rectificarme, se advierte un temperamento vivaz y un estilo claro, conciso, poco elegante, pero nada sobrecargado por la tartamudez de los gerundios y el relativo "que", tan frecuente en nuestros historiadores.

Medina escribía con soltura y fluidez. Como Menéndez y Pelayo mantenía tersa la prosa, verdad que sin llegar a los sonoros arrebatos de elocuencia propios de un sincero creyente, y por tanto un iluminado como fue don Marcelino. Medina era voluntariamente seco en su forma escrita; pero en la oral o coloquial era fluido, gracioso y pintoresco: agnóstico al fin. Rehuía el chisme histórico impreso, quizás como reacción contra Ricardo Palma, Vicuña Mackenna, José Milla Vidaurre, etc., pero en su charla salía a relucir el gran mentidero del ayer que no le era ignorado, sino simplemente ingrato.

Aunque parezca ingenuo, yo soy, repito, de los creyentes en algo, a lo cual puede llamarse sentido del oficio, intuición, olfato, propio de ciertos seres privilegiados, hechos para cumplir una misión, o, en este caso, una función. La velocidad para leer de Menéndez y Pelayo, la formidable potencia para convertir lo cotidiano en materia oratoria y poética que tuvo Hugo; en el adjetivo de Flaubert, pertenecen a una esfera más allá de la ordinaria. Así la terrible puntería en la busca y la seguridad en la memoria que caracterizaron a don José Toribio. Monstruo de la documentación, se justifica lo que don Rafael Altamira dijera de él: "No se puede dar un paso en la historia americana sin acudir a las publicaciones del señor Medina". Chile o Venezuela, México o Perú, Bolivia o Puerto Rico, Ecuador o Curazao, Cuba o Argentina; los coloniales y los conquistadores, los navegantes y los fundadores, los escritores y los truhanes, todos tienen un sitio, algo que deber, algo que dejar, algo que extraer de la galería monumental constituida por los cuatrocientos ocho libros y folletos de don José Toribio Medina.

Infatigable como pocos, vivió medio siglo y más, yendo de un lado a otro. Viajaba a Madrid, pasaba a Sevilla, recalaba en Cádiz, se entretenía en México, deambulaba por Veracruz, visitaba Puebla, se allegaba a La Habana, daba un vistazo a Santiago de Cuba, se afanaba en Panamá, discutía en Bogotá, rebuscaba archivos conventuales en Quito, revisaba colecciones en Guayaquil, gozaba períodos enteros en Lima, acezaba en La Paz, descansaba en Sucre, se asomaba a Buenos Aires, indagaba en Montevideo y nuevamente tornaba a su casita de la calle Doce de Febrero, 49, cargado de maletas, las cuales no rebalsaban de ropas, sino de papeles. En seguida, marido y mujer, gloriosa pareja, se dedicaba a componer en plomo uno, dos, tres, nuevos libros con el resultado de la maravillosa pesca. Nada de eso le hizo perder el sentido de la vida. Trabajó, escribió y gozó. Natural es que ahora le prolonguemos el trabajo y goce, haciéndole oir nuestra gratitud y nuestros elogios en la inmortalidad donde ha de seguir reuniendo fichas y papeletas de sus convecinos.

Se ha hablado, y con razón, de "la crueldad de los hispanoamericanos". Consiste sobre todo en negar todo valor al viviente, y casi toda censura al difunto. La muerte, sol de invierno, dora apaciblemente a genios, ingenios, pergenios y disgenios, una vez quietos para siempre. El caso de Medina constituye la necesaria excepción. Se le rindieron homenajes en vida, pese a que jamás ostentó poder político. No se le discutió dentro de la pugna partidaria: se le miró un poco de lejos, ya que siempre ha sido y continúa siendo difícil asomarse al insondable piélago de su erudición a menudo tan recóndita.

Mas si de bibliografía y documentalidad se trata, no se cargue el acento sólo en él, haciendo abstracción de sus legítimos antecesores ni de sus meritorios secuaces. En el linaje de Medina figuran nombres eminentes: aquel don Pedro de Peralta Barnuevo, Rocha y Benavides, del Perú (1664-1743), cuya bibliografía ostenta tantos títulos, y más que su largo nombre completo, el cual sostenía correspondencia con La Condamine, el eminente naturalista francés, y con el Padre Feijóo, el iluminista del Teatro crítico español, es otro insigne y descoyuntado polígrafo que se mezcló con los enciclopedistas de Madrid, don José Eusebio Llano Zapata; el metódico y frío venezolano Bello, hombre de análisis y dogmas intelectuales; el incansable y heroico William Prescott, de corta producción, pero de infinitas lecturas, a quien la ceguera física no impidió alumbrar con vivos lampos la historia de los Reyes Católicos y de la conquista de México y Perú; el estupendo Joaquín García Icazbalceta, de México (1825-1894), cuya *Historia del Obispo Zumárraga* y cuya *Bibliografía mexicana del siglo XVI,* ambas publicadas en 1881, o sea, cuando Medina contaba 29 años, son ejemplo de método, acuciosidad y diligencia; el fecundo, elocuente, erudito y arrebatado chileno Vicuña Mackenna; el belicoso y laborioso boliviano Gabriel René Moreno (1836-1908), en quien hay que buscar más de una valiosa y olvidada fuente de la sabiduría americana; el desmañado, erudito y trabajador peruano, Manuel de Mendiburu, cuyo *Diccionario histórico biográfico del Perú,* inspiró alguno de los libros del gran polígrafo chileno; el magnífico don Marcelino Menéndez y Pelayo, flor de la ciencia española (1853-1912), con quien se entrecruzan los caminos de Medina, ya que cuando aquél publica su estupenda *Antología de la poesía hispanoamericana* (3 volúmenes, 1892-1894), de tan magnífica información y vigorosos juicios, no siempre exentos de pasión ni tampoco del todo exactos, Medina estaba ya en plena obra ocupado en desentrañar la historia del Santo Oficio, labor tanto más necesaria cuanto que, precisamente, a través de la *Historia de los Heterodoxos* de don Marcelino, se estaba deslizando una peligrosa teoría acerca de la influencia del iluminismo, al cual, no por inocente ardid, llamaron siempre "enciclopedismo" los escritores españoles de mente ortodoxa o conservadora.

El polígrafo de Chile encontró en aquellos predecesores inspiración y rumbo. Comprendió que la tarea cumplida por la Biblioteca de Rivadeneyra y la de Sancho Rayón, es decir, la de autores clásicos y la de Documentos inéditos para la historia de España y América necesitaban urgentes *addendas* y *corrigendas*. Y cargó sobre sus hombros, sólo sobre ellos, con audacia y energía impares la misión, porque misión fue, de completarlos, corregirlos y rehacerlos.

Tras de las huellas de Medina siguieron numerosos historiógrafos, a veces demasiado apegados a su modo estrictamente erudito. Carlos Romero agregó numerosas papeletas, más de dos mil a *La Imprenta en Lima,* obra que nunca ha sido publicada y que yo conocí hace veinte años. El P. Guillermo Furlong ha reunido tres volúmenes sobre *La Imprenta en El Río de la Plata;* Eduardo Posada, dos sobre Colombia; Manuel Segundo Sánchez, uno sobre Venezuela; Antonio Pedreira, dos sobre Puerto Rico. Por la ruta de Medina toda labor investigatoria era llevadera. Sin embargo, no está coronada aún. La nueva generación continúa, sobre todo en las dos últimas décadas, aportando más y más informaciones y estudios sobre la vida colonial que fue el objetivo básico de la investigación de Medina. Paúl Rivet acaba de consagrar cuatro volúmenes de vocabularios indígenas, a la memoria del polígrafo. El argentino Torres Revello y el norteamericano Irving A. Leonard, han rectificado fundamentalmente las conclusiones acerca de nuestra vida intelectual en aquel período. El norteamericano Clarence Haring, ha revelado desconocidos aspectos del comercio marítimo. Carlos A. Romero adicionó la bibliografía del Perú; Silvio Zavala, de México, ha rehecho los conocimientos sobre el régimen de trabajo. La historia económica está siendo objeto de constantes y profundas revaluaciones. Se han escrito las historias locales de las diversas literaturas hispanoamericanas. El tema de la Iglesia y el de las Universidades ha recibido nuevos aportes. Mas todo ello, aun las negaciones —y Nietzsche decía que allí residía el signo del verdadero discípulo— deben recurrir a Medina para partir, para orientarse, para llegar. Estación obligada de nuestra información histórica; ancha, honda y viva fuente de nuestra bibliografía, la descomunal obra de José Toribio Medina se yergue ante la atención de todo estudioso de nuestro pasado obligándolo a detenerse y acudir a ella.

Nuevas gentes en el sistemático olvido del pasado a que suelen condenarlas un perezoso y unilateral "progresismo" pedagógico, tal vez ignoraban del todo o empezaban a olvidar la estupenda contribución que José Toribio Medina prestó y sigue prestando al conocimiento de nuestro ser histórico. La celebración de este centenario, del centenario de este héroe, llamémoslo así con todo derecho, sirva de ocasión para corregir tan inexplicable anomalía. Ya el gobierno chileno, que pese a su conocido pragmatismo, jamás olvidó sus deberes para con el espíritu, ha dedicado cincuenta millones de pesos, moneda del país (alrededor de 800.000 dólares al cambio legal de hoy) para reimprimir las obras agotadas y publicar las inéditas de Medina. En Santiago de Chile, en Lima, en Buenos Aires, en Montevideo, en Bogotá, en Caracas, en París, en Washington, en Oslo, en Madrid, celebran todos los centros de cultura el acontecimiento. Un homenaje mundial rodea a la frágil y dinámica figura del erudito. A mí se me antoja redivivo. Le veo como aquella última vez, en una fresca noche de abril de 1930, en Santiago, su ciudad natal donde tanto he vivido. Me dijo: "Véngase conmigo a San Francisco del Mostazal, la pasaremos bien, habrá mucho tiempo de pasear, algo para leer y más para conversar, comer y beber; véngase; descanse, descanse". Ocho meses más tarde, hallábame yo descansando por fuerza y a seguro, cuando recibí la noticia del fallecimiento de mi ilustre maestro y amigo. Lo que escribí entonces, no lo recuerdo bien. Estoy seguro de que no difiere en esencia de lo que ahora siento y expreso. De lo que ahora sienten y expresan eminentes investigadores en todos los idiomas. De lo que siente y expresa, por mis labios, el reverente y comprensivo auditorio que ha querido reunirse aquí para rendir su homenaje a una de las indudables glorias de la cultura americana.

VIII

VARGAS VILA

(Bogotá, 23 julio 1860 — Barcelona, 23 mayo 1933)

Comenzaré por una cita de Manuel Ugarte, cuasi contemporáneo de Vargas Vila "el Divino":

> No hay ejemplo en ninguna literatura, de vanidad tan estruendosa como la de José María Vargas Vila. El inventor de la prosa sin mayúsculas, del libro en un solo lingote, hecho para ser devorado —esperanza falaz— de un tirón y sin tomar aliento, hablaba exclusivamente de sí mismo y en tercera persona; perdida la noción de las posibilidades se entregaba, ciego, a la egolatría [1].

Juicio cruel, y además insustancial. Nada contiene, sino palabras y apreciaciones de apariencias. Sin embargo, se ajusta al criterio vigente sobre Vargas Vila. Los escritores envidiaban la acogida que le dispensaba el gran público, no siempre —o casi nunca— de mediano gusto siquiera. Ugarte mismo le reprocha el no haber querido escribir crónicas, cuando las fabricaban todos los literatos de su tiempo. Vargas Vila prefirió dedicarse

---

[1] Manuel Ugarte, *Escritores Iberoamericanos de 1900*, Santiago, Orbe, 1943, págs. 231 y siguientes.

a sus novelas, que publicaba la Editorial Sopena de Barcelona, pagándole cincuenta y sesenta mil pesetas por año: una verdadera fortuna entonces. Los colegas tampoco le excusaban su evidente cursilería cuando, refiriéndose a sí mismo, usaba la tercera persona llamándose "Genio". Por otro lado, a los miembros de la generación arielista les preocupaba demasiado el acercarse a la genialidad: efecto de las mediciones psicológicas y de las teorías lombrosianas sobre seres predestinados fisiológicamente a la gloria o al fracaso. Mas, el propio Ugarte que, cuando publicó el libro de donde extraigo estas citas, llegaba a los setenta, atempera su censura y dice:

> Marca (Vargas Vila), dentro de su tiempo, una de las realizaciones más completas. Pese a los arabescos de mal gusto y a algunas reminiscencias incómodas, contiene elementos sólidos y durables.

Agrega (y tal vez en ello esté una de las explicaciones de personalidad tan brillante, contradictoria y controvertible) que a Vargas Vila le dolían "la repulsa y el olvido de su tierra colombiana": Psicología de proscrito perenne, fuente de lamentables y a veces altos extravíos. Esto se acentúa más en el pasaje en que Alcides Arguedas refiere una de las últimas entrevistas con el discutido maestro de *Aura o las violetas, Ibis, Flor de Fango* y *Los césares de la decadencia*:

> ¿No desea regresar a Colombia? —Repuso con vehemencia lanzando aquella frase: "Nunca, Colombia no me perdona que yo la haya llenado de gloria; en cambio, yo le perdono las vergüenzas que me hace pasar como colombiano"[2].

---

[2] Alcides Arguedas, *La danza de las sombras*, Barcelona, López Roberts, 1934, tomo I, pág. 345.

Este diálogo fue sostenido, según Arguedas, con el novelista y periodista chileno Joaquín Edwards Bello.

El poeta colombiano Porfirio Barba Jacob como que da razón a la diatriba de Vargas Vila contra sus compatriotas, al escribir en 1933:

> ¿Y sus ideas? No tiene ninguna propia, pues todas son resúmenes del capricho, de la más triste mesocracia intelectual. ¡Ha publicado cincuenta o sesenta obras! ¿Qué surco han abierto ellas en la historia del pensamiento original? Reflejo de reflejos, calco de calcos en pésimo lenguaje, he aquí todo lo que queda de este escritor.

Rubén Darío, con quien Vargas Vila mantuvo larga amistad, es más generoso. Tiene la particularidad su comentario de haber sido escrito en 1896, al difundirse la falsa noticia del suicidio de Vargas Vila en un supuesto drama amoroso ocurrido en Grecia. Extracto párrafos reveladores de la generosidad inextinguible de Darío:

> Era José María Vargas Vila un joven colombiano de gran talento, al cual obligaron a salir de su país las cosas de la política... Éste era un corazón llameante y una mente violenta. Había nacido con dotes de verdadero artista, pero la política se las vició, cosa que en aquellos países latinos del Norte de América, sucede con mucha frecuencia... Hugo, que tanto mal ha hecho con la atracción de su abismo, le poseyó. Vargas Vila hugueaba, ¡ay! hermosamente... Enemigo mío fue aquel hombre de tanto talento, porque hice una visita en su retiro de Cartagena, al Presidente Núñez, y éste tuvo a bien ofrecerme, "por no haber vacante en el cuerpo diplomático", el Consulado General de Colombia en Buenos Aires...

En sus recientes producciones tenía la obsesión de los *nuevos*, a quienes atacara apasionadamente él también; y a pesar suyo era uno de los *nuevos*... [3].

Lo cierto es que Darío dejó de ser "enemigo" para Vargas Vila, probablemente a raíz de esta crónica, pues en el epistolario de Rubén se muestran una tierna amistad, y Vargas Vila dedicó un libro entero a la muerte del nicaragüense (1916) [4].

A través de las anteriores transcripciones se advierte la apasionada polémica en torno de Vargas Vila. Por lo general, se la solucionó de la manera más fácil: negándolo. Sin embargo, ahora, al cabo de más de veinte años de su muerte, aun se reeditan sus obras y, para el centenario de su nacimiento, se ha operado una verdadera revisión, todavía en agraz. Trataré, por eso, de precisar más la silueta vital y literaria del conflictivo sagitario.

* * *

Nació José María Vargas Vila, en Bogotá, el 23 de julio de 1860, esto es, siete años antes que Darío y quince antes que Chocano. Sus padres fueron don José María Vargas Vila y doña Elvira Bonilla. Tuvo tres hermanos; dos varones, Antonio y José Ignacio, y una hembra, Cecilia. José Ignacio también sería escritor. Para diferenciarse, José María optó por el mote de "el Divino"; José Ignacio sería solamente "el Humano"; había nacido en Bogotá el 29 de julio de 1867; era pues, bastante menor que "el Divino".

La familia gozaba de fama de liberal, pero católica: el mayor de la prole sería diferente. Sabemos que los Vargas Vila se educaron en un colegio religioso de Bogotá, y que José María fue amigo y compañero de José Asunción Silva. Se ha dicho

---

3 Rubén Darío, *Obras completas*, Madrid, Aguado, 1950, tomo II, págs. 891-895.

4 Alberto Ghiraldo, *El Archivo de Rubén Darío*, Buenos Aires, Losada, 1943.

que, en aquella etapa, se le atribuían ya costumbres alcibiadescas. No olvidemos que la celebridad de Oscar Wilde cubría a los escritores de fines de siglo, y que sobre Silva cayó también la injusta tacha de que le defiende con acerbia y razón Baldomero Sanin Cano. La verdad es que Vargas Vila tuvo un incidente a causa de sus ideas ácratas y ateas con el Padre Escobar, director de un plantel educativo, y que un escritor usó el incidente para difamar al sacerdote. A eso se añadieron razones políticas. Vargas Vila había entrado, desde 1884, a la guerra civil en Bocayá, del lado liberal; participó en la batalla de Humareda y en el sitio de Cúcuta. Actuó como secretario del Jefe de la Revolución, General Daniel Hernández. A la muerte de éste, Vargas Vila, que le había prometido escribir la historia de la revolución, se refugió en la casa "del viejo héroe liberal Gabriel Vargas Santos" y allí cumplió su promesa. Perseguido de cerca, y en riesgo de ser ejecutado si lo apresaban, Vargas Vila huyó a Venezuela en 1886. Los tres compañeros que con él pasaron a la ciudad de Rubio en el Estado de Táchira, en la frontera venezolana, fueron Ezequiel Cuartas Madrid, fusilado poco después por los conservadores colombianos; Avelino Rosas, que se enganchó en las fuerzas de la liberación de Cuba y volvió a Colombia "a morir en otra guerra", y Emiliano Herrera. Por cartas familiares sabemos que Vargas Vila era hombre sociable; que pasó a Nueva York, donde residía en 1895; que volvió fugazmente a Coro, Venezuela, a visitar a su hermano recién casado y que, cuando nació su primer sobrino, hijo de "el Humano," "el Divino" aceptó apadrinarlo y pidió que le llamasen Darío [5]. Vargas Vila se hallaba en plena tarea publicitaria. El diario *Federación,* que fundó en 1886 en Venezuela, hubo de suspenderse a pedido de las autoridades colombianas, quienes además exigieron, sin éxito, la entrega del periodista. Desde luego, no lograron su objeto. Vargas Vila publica entonces su libro titulado *De la guerra* (1885) (Maracaibo, 1886)

---

[5] Carta de doña Lulu Vargas Vila de Lee al autor, fechada en México, 26 de mayo de 1960.

que costearon los liberales de Cúcuta. Poco después, siempre en Maracaibo, aparecerá *La regeneración de Colombia ante el tribunal de la historia.* Con ambos formará, más tarde, el volumen titulado *Pretéritas* (1921).

Hay en la vida sentimental de Vargas Vila (y fue un gran sentimental) un doloroso episodio que no perdonó jamás a los gobiernos conservadores de su país: el no haber podido asistir a los últimos momentos de su madre, fallecida en 1887. A ella le consagró su primer libro, y en verso.

Atraído por la vecindad de Venezuela y por las vicisitudes de su política, Vargas Vila regresó de Nueva York a Caracas. En 1897 actúa como secretario del Presidente General Joaquín Crespo. Al caer éste, abatido en la guerra civil que provocó el General José Hernández, Vargas Vila se dirigió otra vez a Nueva York y fundó su famosa revista *Némesis:* título elocuente y amenazador. El "asesinato" de Crespo abrió el camino de Cipriano Castro, con quien se iniciaría una luctuosa etapa de la vida venezolana, Vargas Vila dijo sonoramente, comentando el suceso, en su prosa huguesca:

> Para que Castro apareciera, era necesario que Crespo sucumbiera...
>
> y Crespo sucumbió;
>
> vilmente asesinado en la Mata *Carmelera,* caído en la emboscado de la Traición;
>
> aquel héroe, hecho para morir en un campo de batalla;
>
> y, el sortilegio del respeto y del Temor fue roto;
>
> y, Cipriano Castro apareció en la frontera...
>
> acariciando las crines de su corcel de guerra, que no había de tener ya reposo;
>
> hasta apagar su sed en las aguas pacíficas del Guarie.

La etapa venezolana (sudamericana, diríamos mejor), de Vargas Vila queda así cancelada. Se inicia, a los treinta y ocho años de edad, la del publicista continental, o sea la del publicista del

dioma. Es justamente cuando Darío alcanza la plenitud de su
enombre, y se anuncia el de Rodó, joven maestro, menor que
Vargas Vila, pero dueño ya de una prosa deslumbrante de me-
:áforas[6]. Como de costumbre, Rubén Darío muestra su profun-
lo sentido crítico al señalar que, pese a sí mismo, Vargas Vila
ra uno de "los nuevos". "Nuevo" quería decir modernista, según
érmino empleado por Rodó en su folleto *Los tiempos Nuevos*
(1898). En verdad, el colombiano coincidía con el movimiento
modernista con más grandilocuencia, acaso, pero no mucha más
que Díaz Mirón, que cierto Lugones y que Chocano, aunque éstos usaran del verso más que de la prosa. Ciertamente, la impronta de Víctor Hugo era más visible en Vargas Vila, quien, al decir de Darío, "hugueaba" desaforadamente, pero el propio Rubén
rinde pleitesía a Hugo en uno de los *Medallones* de su *Azul* y

[6] Principales obras de Vargas Vila: *Aura o las Violetas*, Maracaibo, 1887; *Pasionarias, álbum para mi madre muerta*, San Cristóbal, 1887; *Emma o lo irreparable*, Maracaibo, 1889; *Flor de Fango*, 1895; *Ibis*, Roma, 1900; *Alba roja*, París, 1901; *Copos de espuma*, París, 1902; *El yanki, he allí el enemigo*, París, 1902; *Los divinos y los humanos*, París, 1904; *Laureles rojos*, París, 1906; *Los césares de la decadencia*, París, 1907; *El camino del triunfo*, La Habana, 1908; *La república romana*, París, 1909; *Poemas sinfónicos*, París-México, 1913; *En las zarzas de Horeb*, París-México-Bouret, 1913; *El alma de los lirios*, Bouret, 1914; *El rosal pensante*, París, 1914; *La muerte del cóndor*, Barcelona, 1914; *Verbo de admonición y de combate*, París, 1914; *Clépsidra roja*, 3.ª ed., Barcelona, 1916; *La demencia de Job*, Madrid, 1916; *Los discípulos de Emaús*, Novela de la vida intelectual, Barcelona, 1917; *Rubén Darío*, Madrid, 1917; *Horario reflexivo*, Barcelona, 1917; *Mi viaje a la Argentina: odisea romántica*, Madrid, s./f., 1919; *Sobre las viñas muertas*, Barcelona, 1930; *José Martí apóstol libertador*, París, 1938; *Obras completas*, México, ed. latinoamericana, 1957, 2 vols. (sólo las novelas).

Sobre Vargas Vila: Alejandro Andrade Coello, *Vargas Vila: ojeada crítica de sus obras: de "Aura o las violetas" a "El ritmo de la vida"*, Quito, 1912; Victorio Luis Basseiro, *Un hombre libre: Vargas Vila*, Buenos Aires, 1924; Arturo Torres Ríoseco, "Francisco Contreras y Vargas Vila", en *Hispania*, California, Stanford University, vol. XVI, Número 4, nov.-dic. 1933; J. Arango Ferrer, *La Literatura de Colombia*, Buenos Aires, Facultad de Letras, 1940; Manuel Ugarte, *Escritores Iberoamericanos de 1900*, Santiago, Orbe, 1943; Max Henríquez Ureña, *Breve historia del modernismo*, México, Fondo de Cultura, 1954.

en varias composiciones en prosa y verso. Lo propio harían todos los modernistas sin excluir a Nervo ni a Rodó.

De ahí que, cuando a raíz de la reedición de las obras de Vargas Vila, se pretenda establecer zonas separadas y fijas dentro de su personalidad, distinguiendo como seres diversos, al romántico de *Aura o las violetas* y al realista de *Flor de Fango*, debamos reparar en que naturalismo (no realismo) y romanticismo no fueron nunca sino caras opuestas de la misma moneda, que el modernismo, al absorber o fundir el simbolismo y el parnasianismo, rindió implícito homenaje a ambos, ya que este y aquél representan y a fines del siglo XIX, traducidos en términos poéticos, lo que el romanticismo y el naturalismo respectivamente, a mediados de dicha centuria.

El período comprendido entre 1900 y 1902, en que Vargas Vila visitó Europa y trabó amistad con Enrique Gómez Carrillo, Rufino Blanco Fombona y Rubén Darío, define su vocación literaria. Cuando de nuevo regresa a Nueva York, prosigue su tarea de *Némesis* y encara el problema de la "yanquización" de América Latina, con la misma unilateralidad y vehemencia que Manuel Ugarte, José Enrique Rodó, Rubén Darío, Alfredo Palacios, Alberto Ghiraldo y, más tarde, José Vasconcelos y el propio Chocano. La tónica antiyanqui caracteriza a la generación de Vargas Vila. No tanto por la expansión económica cuanto por la tergiversación espiritual. La repulsa a Calibán, en nombre de Ariel, inspira el famoso folleto de Rodó, propagado a partir de 1900.

La mayor parte de la vida de Vargas Vila se desenvuelve luego, en Europa, principalmente en Venecia, Roma, Madrid y Barcelona. En 1906 es él quien refiere a Darío el triunfo literario de Chocano en el Ateneo matritense. Cierto que se le atribuyen aventuras fantásticas con duquesas venecianas y con lustrabotas barceloneses. Nada de ello está verificado. En cambio, sí es seguro que su actividad literaria no conoció el reposo, y que, como él mismo asevera en una de tantas entrevistas periodísticas, rechazaba el alcohol y el tabaco y huye de las charlas de café, a cambio de permanecer sólo, en una soledad sin dios, ni otra jerarquía que el talento. Pertenece Vargas Vila a una especie fundamentalmente ácrata, y, por tanto, confiada nada más que en su propio yo, ese Yo que escribía con mayúscula.

Conviene destacar algunos hechos de la vida externa del escritor. Por ejemplo, que, en 1898, fue Ministro del Ecuador en Roma, debido a su amistad con Eloy Alfaro, gran colaborador de Juan Montalvo y jefe de los radicales y laicistas ecuatorianos a que era adepto Vargas Vila. Como Ministro del Ecuador, Vargas Vila, según varios de sus exégetas, tuvo que visitar al Papa León XIII, y no hincó la rodilla ante él porque, dejando de lado su indudable falta de cortesía, decía que no le era posible hinojarse ante ningún mortal. Más tarde, en 1905, siendo Cónsul de Nicaragua en Madrid, formó parte de un tribunal internacional, integrado por Rubén Darío, para resolver un conflicto entre Nicaragua y Honduras. Por entonces le invade una aguda neurastenia. Una neurosis realmente avasalladora. No le curan viajes ni medicamentos. Su antigua tendencia a la soledad recrudece. Sus viejas pasiones se agravan. Se aisla, se agria, se exaspera. Será así hasta su muerte [7]. De Madrid, donde se aposenta en 1909, pasa en 1914 a Barcelona. Nueve años más tarde, en 1923, emprende un viaje de reposo a Sudamérica. Río de Janeiro, Buenos Aires y México son sus principales paradas. Le reciben de modo diverso: con entusiasmo allá, con escepticismo acullá, con frialdad aquí. De ello extrae Vargas Vila un libro que se menciona en la bibliografía anexa. No es muy optimista. Tampoco muy modesto. Mucho menos, insonoro. En 1929 publica su última obra *Polen y Odisea romántica*. En una entrevista que concedió, en Barcelona, el 25 de febrero de 1932, al doctor Marcelino Valencia, colombiano, Vargas Vila expone sus desencantadas teorías sobre la vida. Fallece, el año siguiente. Le entierran en el Cementerio de las Cortes de Barcelona, departamento 5, nicho 7417, en la bóveda de su raro, ambiguo y caprichoso secretario, el venezolano Ramón Palacio Viso. Aunque

---

7 Arturo Escobar Uribe, "Vargas Vila, el trashumante atormentado", en *El Tiempo* de Bogotá, 31 julio 1960.

según confesara al doctor Valencia, Vargas Vila había publicado dos largas series de Obras completas, con un total de setenta y cinco títulos cada una, ya para 1933 los escritores de cierto postín hacían gala de su desdén por Vargas Vila, desdén no siempre sincero.

Las obras del ardoroso y sonoro colombiano encontraban cada día mayor eco. Eco popular. Se lo puede calificar de "eco de dudoso gusto", pero eco de todas maneras, y eco vasto como ninguno. Vargas Vila ganaba más dinero que los demás escritores del idioma, publicando novelas y vendiendo odio político en frases latigueantes, de impresionante melodía, engarfiadas de vocablos raros, de giros exóticos, cosechados en las más raras fuentes. No es un hecho nuevo que el vulgo se enamore de lo que no entiende y se aturda con las rarezas. Ello supone varias condiciones, entre otras las de sortilegio y brujerío en quien las vierte. Así fue. Rodeaba a las obras de Vargas Vila un halo de exorcizante, de hechicero, no necesariamente comprendido ni comprensible. En cierto modo, había en su estilo un elemento mágico, de alta, mediana o baja estofa, pero mágico, como ocurre en las onomatopeyas de la poesía antillana de hoy, onomatopeyas que se sienten y adivinan sin que se pueda razonarlas, pues se hallan al margen de las previsiones lógicas. Vargas Vila, para su daño, pretendía moverse dentro del más estricto racionalismo; no era, empero, sino un emotivo elocuente. Sus argumentos destilaban sensiblería. Para atemperar la ñoñez de sus tramas novelísticas, acudía no a ideas, sino a palabras, sobre todo, a sustantivos colectivos, a nombres abstractos, a todo lo que al amparo de una vaguedad sonora puede producir efectos hipnóticos sobre el lector desprevenido o de escasa preparación cultural.

Carlos García Prada no vacila en calificar a Vargas Vila de "romántico". Cierto. Sus pujos racionalistas y cientificistas no pasan de meros alardes verbales, para ocultar el grueso contrabando de imprecaciones y sólidas blasfemias con que trata de disimular su acuosa emoción [8].

---

[8] C. G. P. (Carlos García Prada) artículo sobre Vargas Vila en *Dic-*

En cambio, cuando se enfrenta a temas políticos, la forma como combina los elementos históricos con las exclamaciones o desfogues rítmicos, alcanza un nivel superior, algo semejante a un nuevo estilo de libelo (libelista fue, sin duda). El odio, la arrogancia herida, un vistoso orgullo de héroe chafado, de caudillo sin causa inmediata, estremece aquella prosa, a ratos epiléptica. Veamos: el libro a que acudimos reúne violentas y oratorias siluetas de Rafael Núñez, Miguel Antonio Caro, José A. Páez, Guzmán Blanco, en total hasta once personajes políticos de Colombia y Venezuela, bajo el título de *Los césares de la decadencia.*

He aquí algunos párrafos que conservo en su original estructura tipográfica:

> Porque fui un Sagitario —Solitario;
>
> y, nadie lidió conmigo los rudos combates que yo lidié...
>
> y, las piedras de mi honda, y las flechas de mi carcaj, cogidas fueron en los desiertos de la Soledad;
>
> y, talladas en ramas arrancadas a los árboles de la Soledad;
>
> —porque solo viví;
>
> y, solo combatí;
>
> por eso tengo el derecho de llevar solo, el peso de mis derrotas;
>
> y, sólo debo llevar el Orgullo de mis Victorias.
>
> Orgullo...
>
> Victoria...
>
> ¿qué sentido tienen estas palabras inánimes, cuando se ha pasado ya el meridiano de la Vida, más allá del cual, los vocablos más atrevidos pierden toda sonoridad, y no son sino débiles voces de un Ensueño, que van a morir en las entrañas de otro Ensueño?...

---

cionario de la literatura latinoamericana "Colombia", Washington, Unión Panamericana, 1959, pág. 128.

El ejemplo es ilustrativo. Se destaca la arbitraria forma con que usa la "coma" después de la conjunción copulativa "y"; el énfasis con que emplea los sustantivos propios o abstractos, usando mayúscula como en el alemán; la petulancia infantil con que destaca su soledad y su autocalificada condición de *Sagitario - Solitario*. Todo esto es divinamente pueril; mas no se puede negar que, bajo esa gran fuerza retórica, circula una certeza enfática, contagiosa, la seducción de un verbo inesperado y atractivo a causa de su imprecisión sólo en apariencia definitoria. Además surge allí la confesión de la supuesta desconfianza del autor en "la sonoridad", perdida como consecuencia del arribo del "meridiano de la vida". La madurez desconfía de las expresiones lapidarias.

En el mismo preámbulo Vargas Vila trata de explicar el daño que la pasión política causó a su obra literaria. Escribe:

> La pasión política devoró mi juventud;
> la devoró como una lepra;
> la consumió como una llama;
> ella se extendió hasta lo más fuerte de mi edad madura, siendo, según unos, una lamentable desviación de mis energías, y según otros, una admirable centuplicación de ellas.

Más adelante precisa su credo:

> la influencia de un Escritor sobre su época, marca, no los grados de su talento, sino los grados de su virtud.

Este constructor de frases rimbombantes, se encara a Miguel Antonio Caro, el insigne poeta y hablista, y combatido presidente colombiano; al hacerlo usa giros espléndidos: por ejemplo, dice de Caro:

> fue un Sátiro de las rimas;
> la Gramática no era en él una profesión, era una

> *Pasión;* para él un adverbio era más importante que un hombre [9].

En cambio, cualquiera sea el criterio con que se consideren las novelas de Vargas Vila, es indudable que la vena romántica de *Aura o las violetas* trae reminiscencias de la *María* de Isaacs, otra novela colombiana, evocativa, idílica, soñadora. Empieza Vargas Vila:

> Descorrer el velo tembloroso con que el tiempo oculta a nuestros ojos los parajes encantados de la niñez;
> aspirar las brisas embalsamadas de las playas de la adolescencia;
> recorrer con el alma aquella senda de flores, iluminada primero por los ojos cariñosos de la madre, y luego por las miradas ardientes de la mujer amada... [10].

No se trascriben estos párrafos por antológicos, sino como muestras de estilo. Pese al punto y como acápite, y a las minúsculas con que se inician los renglones, el tono es definitivamente sentimentaloide. No luce todavía concesiones a la música modernista, como se advierte después en *Los césares de la decadencia* y más aún en la novela *La simiente,* que recoge la experiencia vargasvilesca en Venecia, con un atavío renacentista expresado a lo tropical. El vocabulario ha sintonizado con los giros modernistas. No cabe duda: el romántico se deleita ahora con el lenguaje antes que con los sentimientos, o tanto como con ellos.

No sabría decir por qué a Vargas Vila se le ha presentado como paradigma de corrupción, erotismo pornográfico, blasfemia. Lo justo sería lamentar que hombre tan bien dotado se abaratase tanto en aras de un público creciente, o de un demonio o comején indomeñable que le impelía a escribir y escribir sin autocrítica

---

9 Vargas Vila, *Los césares de la decadencia,* ed. definitiva, Barcelona, Sopena, 1936, pág. 65.

10 Vargas Vila, *Obras completas,* cit., 1957, tomo I, pág. 27.

a causa de la egolatría. Que no fuese creyente religioso es algo ajeno a su valor literario. Con todo, blasfema menos que Baudelaire y Guerra Junqueiro, e impreca menos que Díaz Mirón y que José Zorrilla. Para mí, lo deplorable es que, cegado por el prurito de ser un renovador en lo morfológico y prosódico, sintáctico y ortográfico, sacrificara la agudeza de un juicio y la riqueza de una imaginación, sin duda eminentes, a nimiedades de mera forma.

Existe una falsa idea sobre Vargas Vila, fundada en la inverosímil y aturdidora exuberancia de su yoísmo. No obstante, si uno olvida este aspecto enojoso, encuentra, como decía Darío, no sólo el "talento", sino la finura crítica y la ancha veta cordial del escritor, a más de su capacidad metafórica. Lo demuestra en una página puesta como proemio a la edición definitiva de *Salomé*. La trascribo a fragmentos, copiados en la forma corriente de su prosa:

> Lo que hay de Poeta en el Hombre, no muere nunca;
>
> y tal vez es lo que hay de Poeta en el hombre, lo único que ama en él...
>
> ¿qué Hombre no ha vivido en su Vida un instante de Poema?
>
> ¿quién no ha besado unos labios vírgenes llenos del divino temblor de las cosas inconfesadas?
>
> en *Flor de Fango* se ha creído ver, encarnado en una Mujer, el Mito de mis Rebeldías;
>
> absurdo;
>
> la Heroína de ese libro vivió;
>
> y su Tragedia, yo la vi vivir;
>
> ¿en dónde?
>
> la vetusta ciudad que la albergó lo sabe bien...
>
> ella repite diariamente esa Tragedia bajo otras formas;
>
> sus manos lapidadoras, no se cansan de santiguarse y de matar;

Ibis, aquel libro de Fatalidad, por el cual, es público, que se han suicidado diecisiete personas, siendo por eso apellidado la Biblia del Suicidio; que ha disuelto tantos matrimonios, roto tantos idilios, ajado tantos gérmenes de poemas, me ha ocasionado tan rara y dolorosa correspondencia, de anatemas, que si yo publicara un día ese Epistolario se vería el más extraño caso de sugestión literaria que un libro puede ejercer sobre almas angustiadas y dolorosas;

y, ¿no se ha querido verme a mí en la figura del Maestro, que en las páginas de aquel libro siembra la Desolación y la Muerte...

... ...

y, sin embargo;

yo no viví la Tragedia de ese libro;

ni Teodoro vivió al lado mío...

... ...

Alba roja ¿es un libro autobiográfico, como se han empeñado en decir aquellos que todo lo saben?

no tengo ningún objeto en contradecir a los que lo saben todo;

Las Rosas de la Tarde, las escribí siendo Diplomático en Roma, y por eso, hay en sus páginas esa suntuosidad de salones aristocráticos, y esa tristeza patricia de los jardines romanos... [11].

En suma, lo que Vargas sostiene en dicho preámbulo, que podría calificarse de "breve historia de sus libros", es que no debe identificarse necesariamente al personaje de una novela con el autor de la misma. "¿Es que un escritor no puede pintar sino sus propias tragedias, y nunca las tragedias de los otros?", se interroga Vargas Vila.

Planteada esta pregunta podemos encarar la especie de imaginación de Vargas Vila.

---

[11] Vargas Vila, *Obras completas*, cit., I, 214.

Sería permisible caracterizarla como acrática, inconformista y sentimentaloide. Los tres rasgos corresponden más bien a lo que alguno (Epstein) ha llamado "subliteratura", teniendo por tal aquella en que los personajes son monolíticos, es decir, los buenos son buenos todo el tiempo, bajo toda circunstancia sin variantes, y los malos son malos todo el tiempo y bajo toda circunstancia y sin variantes. Así, los protagonistas de Vargas Vila. Sin embargo, éste se alza contra "la moral", de que, en cierto modo, resulta aturdido e inesperado siervo. Oigámosle:

> La Moral es un antídoto contra el Hambre;
>
> y, en una Literatura en que el hambre es endémica, y hace en ciertas épocas, estragos de epidemia. ¿Por qué extrañar que casi todos, se refugien en la Moral, para salvarse del Hambre?... cierta dramaturgia de biberón y harina lacteada, hoy tan en boga, ¿a qué debe su vida?
>
> a la Moral;
>
> una Moral para nodrizas y soldados pintureros, que les cantan cerca a los niños dormidos la *Canción de cuna.*

La frase es un venablo directo contra Gregorio Martínez Sierra, autor de *Canción de cuna,* y en general contra el grupo de la editorial y revista "Renacimiento" de Madrid, al que eran adictos Pedro de Répide, los González Blanco, Hoyos y Vinent, el propio Azorín y Pérez de Ayala; Vargas Vila destacaba, parapetado como un general sitiado pero invencible, desde su poderosa trinchera de la Editorial Sopena.

Vargas Vila fue así una extraordinaria mezcla de violencia verbal y emotividad barata; una fábrica de impresionantes frases lapidarias, no siempre exactas ni memorables; una voz libre, pero estentórea; una actitud anárquica; un protestador sempiterno contra el orden instituido. Es difícil leer ahora sus novelas; sus panfletos políticos, sí. Brotan de allí relámpagos cegadores, truenos, pero más a menudo, cohetones y bombardas.

Le faltó a Vargas Vila el estupendo don de la autoevaluación, a causa de un desmesurado concepto de sí mismo. De puro codearse con su propio yo, abandonó toda posibilidad de compañía extraña y por tanto, de crítica. La Soledad, de que tanto se jactaba, obra de timidez y al par de soberbia, fue su lábaro y su mortaja. Zaratustra necesita el aire puro de la montaña: los ermitaños, el del desierto; pero, en medio de la ciudad, el Solitario acaba en misántropo y misógino; por consiguiente en maníaco de una supuesta verdad suya, intransferible, y de su terriblemente apetecida, perseguida, evasiva y proclamada gloria.

JULIÁN DEL CASAL

IX

(La Habana, 7 noviembre 1863 — 21 octubre 1893)

Nací en Cuba. El sendero de la vida
firme atravieso con ligero paso,
sin que encorve mi espalda vigorosa
la carga abrumadora de los años...

Jactancia de poeta. Ni "espalda vigorosa", ni "carga abrumadora de los años". Enfermo desde la cuna, con notorios ataques de hemoptisis, Julián del Casal no logra cumplir los treinta años, ni por tanto, de acuerdo con el rito romántico a que no fue ajeno, ni por tanto, llegó a saborear la "funesta edad de amargos desengaños", que son los treinta años según el *Canto a Teresa.* En la transición entre romanticismo y modernismo, el deslumbramiento estético y vital dio frutos salobres y frustrados. Hombres que tuvieron el encargo espontáneo de hacerlo todo, cuidaron nada de su salud y poco de su resonancia. Lo dirá Casal en la composición "Autobiografía" ya citada:

¡Cuán difícil me fue marchar sin guía;
cuántos escollos ante mí se alzaron! [1].

---

[1] Después del libro *Julián del Casal y el Modernismo hispanoamericano,* por José María Monner Sanz, México, El Colegio de México, 1952;

Igual pudieron decir, y dijeron, Manuel Gutiérrez Nájera y José Asunción Silva. Eran los pioneros, los doloridos escampavías de una nueva sensibilidad continental.

José Julián Herculano del Casal y Lastra, era hijo de padre vasco y de madre cubana, pero descendiente directa ésta de español e irlandesa. Lo último debiera ser tenido en cuenta para explicarse algunas reacciones psíquicas del poeta. Quizá de ahí, su puritanismo estético, su fidelidad, su terca fidelidad al parnasianismo y no poco de su visible sobrecarga romántica.

La época estaba saturada de esos elementos: cierto. No olvidemos que Silva nace dos años después de Casal, y Darío cuatro, y todos ellos sufrieron la influencia avasalladora de Bécquer. Lo que ocurra después, la presencia de Huysmans, Coppée, Gautier, Baudelaire y Poe, no podrá borrar la impronta de las primeras lecturas, a saber: en castellano, Bécquer y Campoamor; en francés, porque los tres manejaron el francés desde pequeños, Musset y Hugo.

Cuando se ha experimentado semejante cotejo en la adolescencia, se hace difícil adquirir otras modalidades. Sí, claro: llegará el día de los parnasianos, con Banville y Catulle Mendés, ligado éste por razones conyugales con Cuba; la de los "malditos", con Baudelaire, con ese relampagueante Barbey d'Aurevilly, de quien se ha hablado casi nada en nuestras letras; con el impresionante Richepin y con el más musical y tierno de todos, Paul Verlaine. No bastará: Bécquer, Hugo, Campoamor, Musset, continuarán ejerciendo su dichoso apostolado. Impregnarán de tristeza y nostalgia la poesía americana todavía hasta los últimos años del siglo XIX.

---

273 (1) p., queda muy poco por descubrir en el gran poeta cubano. Leímos, años atrás, un largo y jugoso estudio en la *Revista bimestre cubana*, que no tenemos a la vista, pero que recomendamos. Como ediciones de las poesías de Casal consideramos para este pequeño boceto: *Hojas de viento. Primeras Poesías*, Habana, 1890; *Nieve*, Habana, 1892; *Sus mejores poemas*, Madrid, Ed. América. Col. Andrés Bello s. a. (¿1915?); *Poesías completas*, Habana, ed. del Ministerio de Educación Pública, 1945.

En Casal concurren circunstancias más dolorosas. Aparte de su mala salud congénita, le agobia y desarticula psíquicamente, a los cinco años de edad, la muerte de su madre; no cumple los veintidós cuando ocurre la de su padre. Para esa última fecha, ya le ha nacido el poeta: 1885 señala esta epifanía, aunque haya versos de Casal desde 1881. Pero aquel año es el de su mayor actividad. Las páginas de *La Habana elegante* y *El Fígaro* reciben su constante colaboración.

Conmueve al público literario con sus innovaciones. Se entrecruzan con las de Rubén. Era costumbre de entonces que las revistas y diarios se entregaran a un fructuoso e impago saqueo de poesías, cuentos y otras prosas de autores inermes ante la piratería de los jerarcas de la imprenta. De ahí un curioso y gratuito intercambio, en cuyas alas voló el modernismo de un extremo a otro de América, y hasta a España. Mas, en honor de la verdad, conviene establecer que *Azul*, aunque aparecido en 1888, no circula realmente sino después, en la segunda edición centroamericana; lo que ocurrirá también en no pequeña parte con *Prosas profanas*, divulgado desde París (Bouret) en 1901, y no desde Buenos Aires, en 1896. Ahora bien, ¿en qué consisten las innovaciones de Casal?

No en sus temas: en su forma. Y, de la forma, en el léxico y las metáforas, mucho más que en el metro. Cuando combina decasílabos y dodecasílabos, y se precia de utilizar el difícil y nada elocuente eneasílabo, coadyuva, claro, a la formación de un nuevo gusto literario, pero no es eso lo importante. Mucho más lo será su insistencia en el color blanco (nieve, estepa, lirio, azucena, virginidad, canas, etc.), inspirándose acaso en Gautier, y esa persistente y contumaz sumisión al ritmo, a la música, conforme al inexorable precepto verleniano: *de la musique avant toute chose.*

Casal, no anticipándose a González Prada, sino después que él, aunque seguramente sin conocerle, trasplanta el "rondear" o rondel francés, pero con matices especiales.

De una de sus colecciones entresacamos el siguiente:

Quisiera de mí alejarte,
porque me causa la muerte
con la tristeza de amarte
el dolor de comprenderte.

Mientras pueda contemplarte
me ha de deparar la suerte,
con la tristeza de amarte
el dolor de comprenderte.

Y sólo ansío olvidarte,
nunca oirte y nunca verte,
porque me causas la muerte
con la tristeza de amarte
y el dolor de comprenderte.

En verdad, estos *rondeles* se parecen demasiado al *triolet,* pero son más extensos, si bien la forma de su estribillo guarda semejanza con este (triolet y villanela) antes que con aquel (rondel).

La afición al ritornello está implícita en toda la poesía de Casal. En *Recuerdo de la Infancia* reaparece, convirtiendo el cuarteto en quintilla, con la sola agregación o repetición del primer verso como quinto de la estrofa:

Una noche, mi padre, siendo yo niño,
mirando que la pena me consumía,
con las frases que dicta sólo el cariño
lanzó de mi destino la profecía,
una noche mi padre, siendo yo niño.

Si hicieran falta ejemplos demostrativos de la influencia becqueriana, bastarían las tituladas *Rimas,* en que adoptan la consagrada combinación de 11 con 7:

¡Oh divina Belleza! Visión casta
de incógnito santuario
yo muero de buscarte por el mundo
sin haberte encontrado.

A tal punto se multiplican las diferencias entre poema y poema, que uno llega a pensar, como ante *Exóticas,* de González Prada y *Prosas profanas,* de Darío, que se trata de alardes métricos y sabiduría estrófica, antes que de incursiones realmente poéticas.

Casal, que ha tenido como amigos de juventud (de vida, supuesto que murió joven) a Manuel de la Cruz y Aurelio Mitjans, deslumbra a la gente de su época con los nombres raros de sus escritores favoritos, inconformes y sonoros; serán muchos de aquellos a quienes Darío clasificará de "raros", a cuyo leal culto dedicará Casal su vida entera, según se ve en cierto artículo acerca de Huysmans, publicado en 1892, un año antes de morir. Para entonces, ya ha tratado a Darío, probablemente dos veces, a la ida y a la vuelta de éste a España. En efecto, el 15 de enero de 1892, Casal consagra un artículo a Rubén, en *La Habana elegante.* Darío lo retribuirá póstumamente, en *La Nación,* de Buenos Aires, el 1.° de enero de 1911, diciendo del exquisito habanero desaparecido: "De los modernistas ha sido éste (Casal) el primer lírico que ha tenido Cuba". Justo elogio.

No adelantemos fechas. Saturado de sus autores favoritos, los "decadentes" franceses, Casal, enfermo ya, viajó a España en noviembre de 1888: el año de *Azul.* En Madrid cultivó principalmente la amistad del mexicano Francisco de Icaza. Regresó a Cuba pronto, quizás a comienzos de 1889. Es entonces cuando publica *Hojas al viento* (1890) y *Nieve* (1892). Para esta última fecha, disfruta, como se ha dicho, de la estimulante amistad de Rubén Darío, en quien Casal causó hondísima impresión.

Simultáneamente, al otro lado de Cayo Hueso, entre Tampa y Nueva York, otro cubano provocaba una revolución no sólo política, sino también literaria: José Martí. Era casi exactamente diez años mayor que Casal. Sin su pasión cívica, es posible que

Martí hubiese insistido más aún en ciertos aspectos suntuarios de la vida y el arte. Basta repasar *Versos sencillos* y *Versos libres,* y el recamado lenguaje de sus *Cartas*. Casal tomó, sin proponérselo, la bandera estética, abandonada por Martí a causa de sus preocupaciones patrióticas. De ahí numerosas coincidencias hasta en la precursoría. Y de ahí también que, a la muerte de Casal, Martí escribiera un sentido elogio en *Patria,* de Nueva York.

Martí, hombre exquisito y recatado, hecho para servir y para amar, hubo de resolver su antinomia esencial entregándose al sacrificio. Las melancolías que lo abrumaban se convirtieron en acción. Casal no. Hasta la enfermedad le ataba el ensueño, evasión segura, aunque demasiado fugaz. Sus traducciones de Gautier y Coppée revelan el duelo librado en su alma entre las potencias del lujo estético y las de la humildad franciscana. El acento a ratos desgarrador de *Post umbra,* donde se combinan tan deliciosamente heptasílabos y endecasílabos al modo becqueriano; la fragilidad encantadora de sus sextillas, estrofa dilecta de los premodernistas; las preciosas acuarelas de sus versos, todo ello revela al hombre de lujo, al animal de goce, desgraciadamente destruido en sazón, por un mal implacable.

Pero hasta quizás a causa de ese mal, consigue el poeta de La Habana un acento peculiarísimo, una solución envidiable. Sin duda, le aquejaba como a todo tuberculoso la inseguridad de su mañana, la necesidad de conocerse y de estar solo. Sus lecturas no eran, según parece, tanto Nietzsche y D'Annunzio, como Silva y, desde luego, Huysmans y Amiel. Estos últimos poseen irresistible señuelo sobre las almas en derrota.

Huysmans brindaba la posibilidad de la fuga a través de una creación dentro del caos, como en *Au rebours,* o de un exotismo sistemático, rayando en la demencia, pero una demencia esteticista, como en *La-bas*. Amiel, a fuerza de introspecionarse, exacerbaba el individualismo, la soledad, en términos delirantes. Según todos sabemos, la última lectura de Casal fue el *Diario íntimo* del ginebrino. Después acudió a un convite. Alguien hizo un comentario humorístico. Casal, hombre de espontánea juvenilidad, soltó el trapo a reir. Rió tanto que se ahogó en un acceso de tos, derramando su sangre por la boca. Era el 21 de octubre de 1893. Podría decirse, para no perder una frase más o menos oportuna: quien vivió llorando acabó riendo. No sería exacto.

Casal no fue nunca poeta de la muerte. En *Mis amores* había dicho él, y no era insincero:

> *Amo el bronce, el cristal, la porcelana,*
> *las vidrieras de múltiples colores,*
> *los tapices pintados de oro y flores*
> *y las brillantes lunas venecianas.*

Lo cual no obsta para que en *Idilio realista* presente una cruda escena parecida a las de *Gotas amargas,* de Silva. Tales ambivalencias abundan en seres predestinados a la melancolía.

No es aconsejable dejarse llevar por tales rasgos. Examinando mejor el léxico de Casal descubrimos, a través de toda su obra, predilecciones suntuarias, es decir, *decadentes,* muy firmes. He aquí algunos de sus vocablos preferidos: *cisnes, cuervos, lotos, nenúfares, anémonas, ónix, jaspe, encaje, ópalos, topacios, biombos, porcelanas, té, yodo, bonzos, bambú, seda, novicias, vírgenes, blanco.* La primera antinomia, o "gegentail" (cisne-cuervo) ¿no anticipa acaso el tácito duelo entre Darío y González Martínez, el cisne y el buho? Así, las otras. Federico de Onís señala en Casal un predominio de "lo imaginado y lo exótico": certísimo. Pero reflexionemos: ahí está la yema misma del modernismo constituido a base de exotismo, imaginación (que es libertad) y música.

Casal practica (su viaje a España lo autorizaba a ello) la descripción de tipos y escenas españolas, como lo hará después Herrera y Reissig. Hecho importante; hasta allí, España era blanco de las iras latinoamericanas. Pero los fracasos del 90 ablandan la vieja ira, cosa rara en un cubano, entonces plenamente encarado al poderío de Madrid.

Dejemos esto. El poeta reclama la mayor atención. El poeta y su vida, llena de episodios enternecedores como el de su amor

María Cay, "la cubana japonesa", que cantó Rubén. Reclaman tención el poeta y su arte. Por cierto que no recata sus prefeencias. *En el campo* las revela:

Tengo el impuro amor de las ciudades
y a este sol que ilumina las edades
prefiero yo del gas las claridades.

A mis sentidos lánguidos arroba,
más que el olor de un bosque de caoba,
el ambiente enfermizo de una alcoba.

Mucho más que las selvas tropicales,
pláceme los sombríos arrabales
que encierran las vetustas capitales...

Todo Des Esseintes y Monsieur de Phocas se hallan aquí. Y ›do el "americanismo literario", amasado de bosques de caoba, ›mo en Chocano. Precursor de veras, Casal va deslindando caiinos. No obstante, deberá rendirse al hechizo verleniano. *Tares de lluvia* rememora, queriéndolo o no, el *Il pleut sur la ille / comme il pleut sur mon coeur* del "Pobre Lelián":

Bate la lluvia la vidriera
y las rejas de los balcones,
donde tupida enredadera
cuelga sus floridos festones.

Bajo las hojas de los álamos
que estremecen los vientos frescos,
piar se escucha entre sus tálamos
a los gorriones picarescos.

Abrillántanse los laureles,
y en la arena de los jardines
sangran corolas de claveles,
nievan pétalos de jazmines...

¿No es esto ya una anticipación de Juan Ramón Jiménez de Antonio Machado, antes, sí, antes que la de Darío y Herrera Reissig? ¿En qué reino nos hallamos, sobre todo con esos "ál mos" insólitos, sino en el de la más pura poesía? ¿No prelud a García Lorca este rasgo de *Dolorosa:*

Brilló el puñal en la sombra
como una lengua de plata,
y bañó al que nadie nombra
onda de sangre escarlata?

Vuelve el romance con Julián del Casal, y se aleja la embri guez de la naturaleza. Poeta citadino y suprasensible, en trein años de existencia —sólo diez de poeta— da un largo, muy lar paso hacia el futuro. Pudo cantar, sin hipérbole, como el Vill francés, una balada "Au troistième an de mon âge". Sí, exact mente: "al trigésimo año de mi edad". Edad fecunda, no "de desengaños": de logros, y promesas y agonías.

X

ROBERTO J. PAYRÓ

(Mercedes, Buenos Aires, 19 abril 1867 — Lomas de Zamora, 5 abril 1928)

Aunque nacido el mismo año de Rubén Darío, y crecido dentro de la más ardiente órbita modernista, Payró supo, al parecer, librarse de aquel embrujo, y, metiendo hasta los codos las manos en la tierra, extraer de ella los temas y el modo de sus jugosos relatos. ¿Influyó en ello su ancestro catalán, por línea de padre? No podría afirmarse si se piensa que Santiago Rusiñol, en los principios modernistas, y antes que él Mosén Verdaguer, y, mucho más tarde, Eugenio d'Ors, fueron exquisitos cultores de la palabra, y que en Cataluña florecieron Juegos Florales y anduvieron juglares, cuya finura y galantería los hizo tan famosos como a los *troveres* provenzales. Pero Payró, periodista de raza y por larga práctica, fue, además, socialista, no al modo de Lugones e Ingenieros, sino de veras, lo que le acercó al dolor popular y, como en Florencio Sánchez, comunicó a su estilo una sequedad que podríamos calificar, quizá irónicamente, de sequedad proletaria.

Periodista en *La Tribuna*, de Bahía Blanca, se contagiará de los fervores de las masas, entonces en plena marcha hacia el recién nacido radicalismo, que creara el iluminado Leandro S. Alem. A los veintisiete años, Payró participa en el fallido alzamiento de 1890 contra el Presidente Juárez Celman, de lo que resultó, al cabo, el Presidente obligado a dimitir y el promotor de la Revolución en la cárcel, desde donde echó éste a voleo la simiente de su incoercible popularidad. Cuando Alem se suicidó y quedó en evidencia la irrestañable división interna de los radicales, Payró abrazó el socialismo, que empezaba a andar por los márgenes del Plata. Era el mismo año de *Prosas Profanas*. Aquella afiliación mantuvo a Payró alejado de las exquisiteces verbales de Darío, sujeto al invívito prosaísmo de la vida común.

Payró regresó a Buenos Aires poco después de la mencionada Revolución contra Juárez Celman. Entró a la redacción de *La Nación*, de Mitre. No se apartaría de ella jamás. Por ese tiempo había producido ya varias obras de teatro y cancelado su fugaz etapa de rimador. No olvidemos que eran los días del nacimiento del arte escénico platense, bajo la égida de las aventuras de "Juan Moreyra", el famoso personaje de Eduardo Gutiérrez, y de las pantomimas de Pablo Podestá. El impacto de este inicio será visible mucho más tarde, cuando Payró reduzca a novela, ya de otro carácter, al engrifado personaje. De la obra teatral de Payró sobresalen *Sobre las ruinas* y *Marcos Severi*. Leyéndolas, o viéndolas representar, nadie se engaña: en el trasfondo de Payró vivía alerta un emotivo anarcoide, un socialista romanticón, si se quiere, capaz, sin embargo, de detenerse en los aspectos festivos o irónicos de la vida, sujeto a sus dramáticos relieves, hombre de antítesis violentas, de sentimentalismo rezongón.

No se puede dudar, apenas uno avanza en el conocimiento de Payró, que sus fuentes literarias guardan estrecha armonía con sus preferencias doctrinarias. En pleno auge de Wilde, él preferirá a Zola, airado acusador de los verdugos de Dreyffus, de las injusticias contra los mineros (*Germinal*), de los estragos del alcoholismo (*L'Assomoir*), de la derrota y el desastre (*La Débacle*). También coincidirán con su temperamento y ganarán sus predilecciones el seco y realista Galdós, el incisivo Pompeyo Gener; acaso también resuene en su prosa el eco de Larra.

Lo último se refuerza con el hecho de que Payró anduvo de un lado a otro, recorriendo su propia patria, metiéndose en la provincia, codeándose con gauchos y compadritos, recogiendo materiales de periodista y, a socaire, de sociólogo. *El falso inca (cronicón de la conquista)* (1905) y *El casamiento de Laucha* (1906), confirman tales caracteres. Cuando esto queda asentado. Payró, súbito dueño de una herencia, emprende viaje a Europa (1907). Por esos días publica *Pago chico* [1], colección de cuentos de la misma cepa que sus dramas y sus crónicas, esto es, realistas y mordaces. Tal vez estuviera bajo el impacto de la lectura de Lucio V. Mansilla y su *Una excursión a los indios ranqueles*.

Payró residió en Barcelona, después de un corto *stage* en París, por algo más de dos años. Le atraía la tierra de su padre. Coincidió con el auge del modernismo en Cataluña. Luego, se radicó en Bruselas. Desempeñaba un cargo consular de su país. En esos momentos se rompen las hostilidades de la primera guerra, y los alemanes invaden Bélgica para atacar por el flanco a Francia. Payró se indignó con el incendio de Namur y la sangrienta toma de Lieja. Puso su actividad y prestó su bandera para proteger a los belgas.

La guerra terminó en 1918. El Rey de Bélgica, agradecido, condecoró a Payró. El escritor había sufrido un terrible Vía Crucis en defensa de sus ideales. En 1922 regresó a Buenos Aires. Se consagró a colaborar en *La Nación* y a continuar sus novelas históricas, como *El capitán Vergara* (1925), historia amena de las hazañas de Irala; *Mar dulce* (1927), que narra el pasmo de

---

[1] Obras de Payró: *Un hombre feliz*, Buenos Aires, 1883; *Ensayos poéticos*, Buenos Aires, 1884; *Antígona*, Buenos Aires, 1885; *Scripta*, Buenos Aires, 1887; *Novelas y fantasías, segunda serie de Scripta*, La Plata, 1888; *La Australia argentina, excursión periodística*, etc., Buenos Aires, 1898; *El falso inca* (crónicón de la conquista), Buenos Aires, 1905; *El casamiento de Laucha*, Buenos Aires, 1906; *Pago Chico*, Barcelona, 1908; *Violines y toneles*, Buenos Aires, 1908; *En las tierras de Inti...*, Buenos Aires, 1909; *Divertidas aventuras del nieto de Juan Moreira*, Buenos Aires, 1900; *Historias de Pago Chico*, Buenos Aires, 1920; *El capitán Vergara (Domingo Martínez de Irala): crónica romancesca de la conquista del Río de la Plata*, Buenos Aires, 1927; *Nuevos*

los españoles al comprobar que el que ellos creían "mar dulce" era el inmenso Río de la Plata, y, después, *Chamijo,* novela póstuma. La muerte se había llevado a Payró el 5 abril de 1928, poco después de los sesenta.

* * *

Trascribo un juicio mío acerca de dos libros de Payró, los esenciales: *El casamiento de Laucha* y *Las divertidas aventuras de un nieto de Juan Moreira.* Considero útil proceder así.

> *Pago Chico* podría considerarse como relleno documental, con personajes accesorios, de aquella pequeña gran obra; aunque sin mujeres, sugiere tanto que hace innecesaria la presencia femenina. *El casamiento de Laucha* posee un tono impar. Es una picardía inocente, de primer agua. Laucha, como el Mauricio de *Las divertidas aventuras* y el Viejo Vizcacha de *Martín Fierro,* resuda sabiduría y cautela populares.
>
> Ni abuso de refranero —recurso barato— ni apelación al folklore, *El casamiento de Laucha* sería una tersa página bíblica, si la malicia de Laucha no entur-

---

cuentos de Pago Chico, Buenos Aires, 1928; *Teatro: tres comedias,* Buenos Aires, 1925; *El Mar Dulce, crónica romancesca del descubrimiento del Río de la Plata,* Buenos Aires, 1927; *Chamijo,* Buenos Aires, 1930; *Siluetas,* Buenos Aires, 1931; *Charlas de un optimista,* Buenos Aires, 1931; *Teatro completo,* prólogo de Roberto Giusti, Buenos Aires, 1956.

Estudios sobre Payrón: Raúl Larra, *Payró: el hombre, la obra,* Buenos Aires, Claridad, s. a. (¿1936?); Enrique Anderson Imbert, *Tres novelas de Payró con pícaros en tres miras,* Tucumán, Universidad, 1942; *Nosotros,* número especial, de homenaje a Payró, con numerosas colaboraciones, año XXII, tomo LX, núm. 228, Buenos Aires, mayo 1928; Pablo Rojas Paz, *Cada cual y su mundo, ensayos biográficos,* sobre Payró, págs. 145-173, Buenos Aires, 1944; (Unión Panamericana), *Diccionario de la literatura latinoamericana,* Argentina, Primera Parte, Washington, 1960; L. A. Sánchez, *Proceso y contenido de la novela hispanoamericana,* Madrid, Gredos, 1953, passim; A. Torres Ríoseco, *La novela hispanoamericana,* Berkeley, Universidad, 1939; Roberto Giusti, *Crítica y polémica,* segunda serie, Buenos Aires, 1926.

> biara la majestad del Antiguo Testamento, orientando la acción hacia la picaresca. No se lo propone; le brota, porque Payró es así, y el gaucho argentino se trae su trastienda de gracia y doble sentido muy camperos [2].

En realidad, lo que yo quería resaltar era la existencia de una picaresca latinoamericana, pese a las negaciones de algunos críticos, y señalar sus rasgos diferenciales de la española. Por ejemplo, que, a través de Laucha y aun del nieto de Juan Moreyra, se advierte una actitud fundamental de escepticismo, distinta a la religiosidad invívita en el pícaro español; la mordacidad, distinta de la ironía; el descontento que se distingue del fatalismo, etc. Anderson Imbert sostiene que, a través de tres de los libros de Payró, se destacan tres vertientes de su personalidad creadora: la que se refiere al pícaro, la del humorista y la del sociólogo [3]. Lo último es acaso discutible y transferible al término "periodista". De toda suerte es exacta la observación de Anderson Imbert sobre el método de *El casamiento de Laucha*. En efecto, éste, Laucha, se presenta en perenne monólogo, o sea, contando sus hazañas, al modo criollo y a un grupo de criollos. La supuesta despersonalización de Payró guarda estrecha relación con la de José Hernández, el autor de *Martín Fierro*, al punto que, a mi criterio, lo tomó por modelo y quiso realizar en prosa lo que Hernández había realizado en verso: la traslación literaria del lenguaje criollo argentino al campo literario.

Las apreciaciones anteriores acerca de los perfiles literarios de Payró, aparecen con ligeras variantes en casi todos sus exégetas. No me refiero a juicios tan generales como el de Fermín Estrella Gutiérrez, quien se limita a considerarlo como el que "inicia el ciclo de los grandes novelistas argentinos de este si-

---

2 L. A. Sánchez, *Proceso y contenido...*, cit., págs. 457-458.

3 E. Anderson Imbert, *Historia de la literatura hispanoamericana*, México, Fondo, 1954, pág. 244.

glo"[4]; en cambio, Antonio Aíta es muy preciso, sobre tod cuando, despojándose de todo arrebato idolátrico, escribe qu Payró "adolece de esa facilidad que se adquiere en el perio dismo"[5]. El verbo "adolecer" no parece colocado al azar, sin haciendo honor a su verdadero sentido. Es el mismo Aíta quie destaca la inutilidad de comparar el modo de Payró "con l gloriosa picaresca de la tradición española". Insiste demasiad en la característica de "hombre justo", atribuible fundamental mente a Payró, lo cual rectifica el juicio de Anderson Imbert quien tal vez confunde al ético con el sociólogo, y el hambr de justicia de un combatiente social nunca arrepentido con la comprobaciones de un estudio de la sociología. En todo caso, es evidente que no se distingue Payró por el regusto del estil que señala a Larreta, y hasta, quién sabe, si en su forma de expresarse campee con excesiva frecuencia una llaneza directa, n siempre libre de caídas y feísmos[6].

Sintetizando estos extremos, Max Henríquez Ureña se apresura a decir que a Payró no se le puede clasificar como modernista, no obstante de que fue compañero de Darío en *La Nación*, y que maduró en pleno florecer del Modernismo. La observación sobre su tendencia americanista frente a la exotista, propia de cierta etapa modernista, contribuye sólo en apariencia a desafiliarlo de esta escuela, ya que el americanismo y el novomundismo" fueron dos facetas o etapas del modernismo. Ya Pedro Salinas nos ha hablado del contenido social de la poesía de Rubén Darío[7]. La de Payró fue, sin duda, una prosa poco preocupada del aspecto artístico: atendía al fondo antes que a la

---

[4] F. Estrella Gutiérrez, *Panorama sintético de la literatura argentina*, Santiago, Ercilla, 1938, pág. 55.

[5] Antonio Aíta, *Algunos aspectos de la literatura argentina*, Buenos Aires, Nosotros, 1930, págs. 29 y 30.

[6] Max Henríquez Ureña, *ob. cit.*, pág. 200; Ángel Flórez, *Historia antología de la novela y el cuento hispanoamericano*, Nueva York, Las Américas, 1959, págs. 257-258.

[7] Pedro Salinas, *La poesía de Rubén Darío*, Buenos Aires, Losada, 1948, págs. 213 y sigs.

forma. En ello reside la raíz de su independencia literaria; la doctrina se enraizaba con las corrientes filosóficas y sociales predominantes en aquel período: anarquismo y socialismo.

El casamiento de Laucha es una *nouvelle,* un relato corto, criollocriollista y acriollado. Contrasta, a pesar de que teóricamente pertenecería a la misma vertiente, con *Las divertidas aventuras del nieto de Juan Moreyra.* Gómez Herrera no vive, como Laucha, en un ambiente rural *sui generis,* sino en la gran ciudad.

Gómez Herrera es el político, fácil tema de cualquier intento de sátira social, como el *Suetonio Pimienta,* de Tristán Marof, *La nueva burguesía,* de Mariano Azuela, etc. Mas, ¿nos interesa por manera especial lo que el autor quería probar, a manera de hipótesis o teorema humano, o cómo lo pudo decir el autor? Si, como Anderson Imbert opina, a Payró le preocupaba "la forma del país, más que las anécdotas de Gómez Herrera", tendríamos a un novelista fracasado. La literatura, no se olvide, posee su campo propio, su órbita, su definición. Ella reside en el uso del instrumento que constituye eso, el instrumento, y también el objeto de su empleo y la razón de emplearlo. Desde este punto de vista, creo que se ha incurrido también en otro error: dar a Payró por hombre de "prosa periodística", usando este término con un aire peyorativo, aunque Aíta se apresure a declarar lo contrario. Pero, un estilo cuajado, al prescindir de todo abalorio, o al absorberlo en forma que lo incorpora al meollo mismo de ese estilo, ostenta siempre un aire de facilidad. Lo luce Cervantes, sin que ello implique absurda comparanza. Uno abre un libro de Payró, el de *Pago Chico,* y empieza a leer un párrafo:

> Bebió con verdadera avidez el agua recién sacada del pozo, y gozando de la sombra dejóse estar sentado en un banco, bajo el alero, recostado en la pared de barro groseramente blanqueada, parpadeando para no dejarse vencer por el sueño. Y cuando Isabel apareció seguida por la madre, con el mate amargo que había cebado en

> la cocina, se levantó ceremoniosamente, algo envarado, haciendo una gran reverencia y murmurando cumplidos a la amable "señoguita" y a la respetable "señoga". Sorbió, no sin una mueca, el acre brebaje a que no estaba acostumbrado, y con nuevas cortesías devolvió el mate a la joven. Ésta, al pasar por la cocina, con un fragor de enaguas almidonadas, significó a Pancho, con un mohín y una miradita de soslayo, cuánto le disgustaba también a ella, el extranjero. La señora lo examinaba a hurtadillas. Los hombres hacían esfuerzos por sostener la desanimada conversación.

No podría decir que estos párrafos tienen "aire periodístico", como tampoco sería admisible mostrarlos como ejemplares de "prosa artística"; sólo que aquí, en este punto, surgiría inevitablemente la duda sobre qué se entiende por esto y por aquello. Zanjando el virtual debate, deberíamos señalar como elementos del estilo de Payró la propiedad de los adjetivos, la ausencia de cacofonías y rimas interiores, la plasticidad de la descripción, el ritmo sosegado y sin embargo vivo de la narración. Aquellos giros: "desanimada conversación". "gozando de la sombra dejóse estar", "algo envarado", "fragor de enaguas", calzan maravillosamente con el tono general del fragmento. El escritor domina su expresión. Dice en ella y con ella lo que piensa, lo que quiere y como quiere. ¿Es que no residen en ello la gracia y el poder de un estilo?

Es cierto que en Payró predominó el hombre de ideas, el doctrinario. Es cierto. Pero, aquel declive inexorable de su personalidad se atempera en el cuento y la novela con la sorna del criollo avezado a las debilidades de su vecino. Tan es así que allí quizá esté la causa de que su relato fluya tan naturalmente, con el incesante e igual ritmo del arroyo. Donde, en cambio, se desata el torrente, deshilachándose en frases espinudas y sentimientos rocosos, es en el teatro. *Sobre las ruinas* y *Marcos Severi* no podrian citarse como comedias modelo de buen gusto. Pero, junto al teatro de Florencio Sánchez, de Enrique Mertens, de Martín Coronado, la diferencia reside en lo que podríamos llamar su edad de producción, mas no su *tempo* vital. Predominaban entonces en el teatro platense, las macabras alegorías y psicopatías de Ibsen, los desmelenamientos emotivos de d'Annunzio, las vociferantes angustias de Echegaray y las declamaciones lógicas, pero campanudas de Rostand, Sardou y Capus. El ejemplo central era Ibsen. Circulaban con extraordinaria fluidez las tesis anarquistas y socialistas. Reinaba, pues, el descontento, imperaba esa piedad al revés, esa debilidad disfrazada de jactancia que caracteriza el humanitarismo malhumorado de los anarquistas. Payró se acogió a su fórmula, igual que Sánchez, al escribir para el teatro. De insistir, habría llegado al desdichado y alto sitial del autor de *Los muertos*. Le atrajo, a Dios gracias, Pago Chico, y se le desató la curiosidad por el hombre corriente. De ahí los cuentos de aquel poblado y su Laucha. De la combinación del teatro y el periodismo, surge, por otro lado, ese personaje equívoco y ejemplificador de *Las divertidas aventuras*.

Todo escritor tiene su clave. A menudo resulta una clave plural, lo que desorienta. La de Payró fue simple: quería desesperadamente que el hombre fuese mejor, pero lo encontró muy lejos de su anhelo y su apetencia. De aquel hondo contraste y el consiguiente desencanto fruteció aquel estilo humano, directo, sereno y corrosivo a veces; y a través de él, aquel séquito de personajes zumbones, desaprensivos y realistas, pobladores de un vasto territorio aún desierto y de una ciudad tan grande y tan poblada ya, que se parecía, inevitablemente, a otro desierto. En él escribió Payró con soledad y sin esperanza.

XI

RICARDO JAIMES FREYRE

(Tacna, 12 mayo 1868 — Buenos Aires, 24 abril 1933)

En diciembre de 1924, Lima asistió a un espectáculo bello, anacrónico y conmovedor. Aunque había pasado el fervor por la literatura modernista, el Gobierno del Perú, con el objeto de celebrar el Primer Centenario de la Batalla de Ayacucho, que confirmó la existencia republicana de América del Sur, reunió a un puñado de poetas insignes, a saber: Leopoldo Lugones, Francisco Villaespesa, Guillermo Valencia, José Santos Chocano y Ricardo Jaimes Freyre. Fallecidos Darío, Nervo, Herrera y Reissig y Rodó, eran aquellos invitados, los representativos de un movimiento literario extinto a pesar de la plena madurez de sus corifeos. Sólo dos de los convocados en Lima pasaban apenas de los cincuenta. Sin embargo, poéticamente, entraban ya en la penumbra. No así, Enrique González Martínez, Manuel Díaz Rodríguez y acaso Rufino Blanco Fombona: miembros de la misma promoción, los tres se esforzaban por mantenerse actuales y a menudo lo consiguieron, especialmente el primero.

No he podido desde entonces mirar a Jaimes Freyre sino como un modernista químicamente puro: tan puro en lo material como en lo psíquico y estético. Usaba retorcido el bigote negro, y aunque la frente encalveciera, la melena se le derramaba tumultuosa sobre las orejas y el cuello. Tenía algo de un Paul Fort trasplantado. Erguía el busto a lo solemne, estiraba la mano con cierta afectación. Había en todo él un no sé qué de, al par, sacerdotal y mosquetero. Tal vez una especie de Aramis de las letras. La voz era enfática, pero al mismo tiempo susurrante. Yo, que había leído *Castalia Bárbara,* lo identifiqué con no sé cuál personaje de sus "sagas" (Odín, Thor, Sigfrido). Dejé de leerle por largo tiempo. Cuando reencontré su libro me fue áspero entenderlo. Han pasado veinte o veinticinco años. Puedo ahora dejar de lado la nota subjetiva para encararme a la desprovista de emociones personales, a la del escritor *per se.*

La vida de Jaimes Freyre no ofrece aristas. Se desarrolló agitada apenas exteriormente, por pequeños conflictos. Sus dramas, salvo uno, fueron todos internos. Como la biografía de Amado Nervo, la suya es plana y retraída. Se vertió en su obra de profesor y poeta.

Había nacido sólo un año después que Darío, en 1868, pero no en el trópico luminoso, sino en el Sur del Perú; su estirpe paterna era empero boliviana y de Sucre. Fueron sus padres, don Julio Lucas Jaimes, escritor y diplomático, que popularizó el seudónimo de "Brocha gorda" en la prensa de Lima y Buenos Aires; y doña Carolina Freyre, poetisa peruana. Doña Carolina, repito, peruana de nacimiento, llevaba en sus venas sangre chilena. Descendía del discutido General Freyre, prócer de la Independencia de Chile, émulo de O'Higgins, y actor en numerosos episodios de los primeros años republicanos. En uno de sus exilios, Freyre residió en Lima; el gobierno peruano auxilió una de sus expediciones revolucionarias contra el gobierno de su propio país.

Tacna era una ciudad agraria. No fronteriza, como se pudiera pensar hoy, pues el Perú se extendía mucho más al sur, hasta el término de la provincia de Tarapacá. En Tacna había una vieja tradición liberal, prestigiada por el alzamiento emancipador de Francisco de Zela, en 1811, y por la personalidad y la prédica de Francisco de Paula Vigil, símbolo del libre pensamiento peruano, enemigo de la autocracia política. Sobre Vigil cayó una pública reprimenda del Sumo Pontífice a causa de sus teorías acerca del Patronato y la autoridad de los gobiernos frente a la Iglesia.

Lima, donde se educó Ricardo Jaimes Freyre, vivía un momento de intensa actividad literaria. Eran los días en que la llamada por Ricardo Palma, "bohemia de mi tiempo", daba el tono a la vida intelectual peruana. Se publicaban numerosos periódicos literarios. Había muchos y muy selectos salones de la misma índole, en especial, el de la dama argentina doña Juana Manuela Gorriti, esposa del expresidente de Bolivia, General Belzu, salón al que, por explicables aproximaciones, concurrían doña Carolina Freyre y, tal vez, su esposo, a quien hay que cargar en su cuenta política el haber servido a órdenes del célebre tirano Melgarejo, uno de los más pintorescos y crueles caudillos de la entonces recientemente creada república de Bolivia.

Don Julio Lucas fue amigo predilecto de don Ricardo Palma, a la sazón hombre de valimento político, y colaboró con él en la publicación del periódico *La Broma,* en el cual se revelaría el después famoso autor de las *Tradiciones peruanas.*

En ese ambiente se formó Ricardo Jaimes Freyre, al menos hasta los 16 ó 18 años, ya que a esta última edad contrajo matrimonio con doña Soledad Soruco, muchacha sucrense de dieciséis, quien le acompañaría hasta su muerte, acaecida en Washington más de seis lustros después.

Cuando Jaimes Freyre conoció Sucre, la cuna de su padre y de sus abuelos, la ciudad aún era capital jurídica de Bolivia, no obstante el rápido auge de La Paz, cuyo peso en la política se hacía más y más notorio. Sucre (la ciudad de los cuatro nombres, a saber: La Plata, Charcas, Chuquisaca y Sucre) se halla en una zona semitropical, orillas del Pilcomayo, en un valle florido; la escogieron como residencia de reposo los duros mineros de Potosí, que bajaban a descansar allí de trabajos y de altura. Por eso, en Chuquisaca se fundó la Universidad de este nombre; a ella acudían los jóvenes acomodados de Buenos Aires, Salta, Tucumán, Cochabamba. Fue, pues, ciudad de licenciados de grande prestigio. Los doctores chuquisaqueños, con sus sutiles razonamientos y alambicados conceptos jurídicos, fueron quienes en 1825 convencieron al General Sucre, el compañero de Bolívar, a que fundara la República de Bolivia, separándola del Perú. Son célebres los casuismos del doctor Casimiro Olañeta, promotor de aquel suceso. Establecida la República de Bolivia, la ciudad de Chuquisaca o Sucre quedó reconocida como su capital. Fue por consiguiente metrópoli de un país dividido en profundas secciones geográficas, raciales, lingüísticas y mentales. Hasta entrado el segundo tercio de nuestro siglo, Sucre ha conservado su importancia, al menos en lo referente al Poder Judicial y a la autoridad eclesiástica. Abandonada en parte a consecuencia del auge de La Paz, hoy es una ciudad tranquila, en cuyo nocturno silencio resuena el paso del viandante con largo eco inesperado. Conserva, eso sí, el señorío intelectual [1].

Según nos cuenta Gustavo Otero, en su nutrido libro *Figuras de la cultura boliviana,* el año 1890 redescubre (Jaimes Freyre) su patria que ya conocía por las narraciones de su padre. En realidad ello debe haber sido al menos en 1886, época del matrimonio.

Dura poco aquel reencuentro con la patria de origen. Don Julio Lucas parte en 1895, como Ministro Plenipotenciario de Bolivia en Río de Janeiro, llevando consigo a su familia. La revolución republicana del Brasil obliga al Ministro ante su Majestad Pedro II, a interrumpir su viaje y radicarse en Buenos Aires. Ricardo no abandonará prácticamente la Argentina, sino hasta 1920, en que regresa a Bolivia. La mayor parte de su residencia en la república del Plata, trascurrirá en la serrana y

---

1 Gustavo Adolfo Otero, *Figuras de la Cultura Boliviana,* Quito, Ruminahui, 1952, págs. 301-321; Enrique Finot, *Historia de la literatura boliviana,* México, Porrúa, 1943; Fernando Díez de Medina, *La literatura boliviana,* La Paz, 1953; Rosendo Villalobos, *Las letras bolivianas,* La Paz, 1936; Carlos Medinacelli, *Estudios Críticos,* Sucre, Ed. Charcas, 1939; *Diccionario de la literatura boliviana,* Washington, Unión Panamericana, 1959 (ed. multigrafiada); José Eduardo Guerra, *Itinerario espiritual de Bolivia,* Madrid, 1936.

mestiza ciudad de Tucumán, más próxima a Bolivia, saturada de su ambiente, límite extremo del Imperio Incaico (Tucumán: "hasta aquí no más"). Ejercerá las cátedras de literatura castellana y de castellano en la Universidad de aquella ciudad también semitropical y azucarera. Sólo en 1915, después de la muerte de su padre, acaecida en 1914, Ricardo hace un rápido recorrido por Europa. Al regresar a Bolivia en 1920 goza de alto renombre literario. Éste impresionaba todavía entonces, a los políticos. El hijo pródigo recibe acumulados honores: será miembro del parlamento, Ministro en Buenos Aires y en Río de Janeiro, Ministro de Educación, Canciller de la República, Ministro en Estados Unidos, Enviado especial a la Conferencia Panamericana de Buenos Aires; finalmente, en esta última ciudad le asalta la muerte, a los 65 años de su edad: el Modernismo había dejado de existir mucho antes.

Resulta difícil para quien lea con atención la parva obra de Jaimes Freyre, insistir en su filiación modernista. Si en su poesía predomina, como ha anotado con agudeza Carlos Medinacelli, el sentimiento de nostalgia, nos hallaríamos más bien ante un desprendido gajo del árbol romántico. Si comparamos algunos episodios de su vida con lo que pudiéramos llamar la *praxis* romántica, nos decidiríamos por esta última connotación. Bastará uno: era Jaimes Freyre Ministro en Washington cuando falleció su esposa. La enterró en esa ciudad. Poco después fue Jaimes Freyre trasladado como Ministro a Río: lo primero que hizo fue llevar consigo los restos de su mujer. No pasó mucho tiempo, sin que rompiera con el gobierno de su patria, por lo que se exilió en su vieja y querida Buenos Aires: lo primero que atinó al decidir su viaje fue cargar con los queridos despojos. No sé ahora si cuando los restos del propio poeta fueron repatriados también lo fueron los de Soledad Soruco de Jaimes.

La vida literaria de Jaimes Freyre está llena de episodios tanto como su biografía: no muchos, pero sí intensos y decisorios.

Al año siguiente de la llegada de Rubén Darío a Buenos Aires (1893) Jaimes Freyre le acompaña en la fundación de la

Revista de América. Era Jaimes, aparte de hombre de congénita tradición poética y vasta ilustración, fino, entusiasta, aristocrático, sereno y acomodado. Los modernistas se curaron a menudo de esta simbiosis de dorada bohemia exotista y confort material. Ello no estuvo, al menos, alejado de su ideal poético. Cuentan que Jaimes Freyre fue el primero en recitar la "Marcha triunfal" de Darío. El libro típico de Jaimes Freyre, *Castalia Bárbara,* se publica en 1899, esto es, en seguida de *Las Montañas del Oro,* de Lugones y casi al par que *Ariel,* de Rodó. Coincide con *Ritos,* de Valencia: la coincidencia es mayor en la intención.

Jaimes Freyre vivió en atmósfera de bonzo, o sea, de impasibilidad, y además fraguando teorías literarias, con el ánimo de saciar esa su soledad que subraya Medinacelli.

Todo en la vida y obra de Jaimes Freyre, aparece regido por vientos opuestos. Lo más notorio al respecto podría ser su propia situación nacional. Venido al mundo en Tacna (Perú), de padre boliviano y madre peruana, ambos poetas, su destino era ser boliviano por ancestro, por extraterritorialidad (su padre era Cónsul y había sido desterrado) y por propia decisión; se educa literariamente en Perú, pero madura en Argentina; al cabo opta por la nacionalidad argentina, en 1916, sin olvidar ni dejar su raíz boliviana, a la que vuelve, para recoger desde 1920 los dorados frutos de su carrera pública.

Finalmente, reñido con su gobierno, fallece en Argentina. Este internacionalismo causal o forzado, pero no intrascendente, marca imperecederamente a Jaimes Freyre. De esta suerte aparece como un nítido exponente del Modernismo en su entrañable estructura continental e idiomática [2].

---

[2] Obras de R. Jaimes Freyre: *La hija de Jephté: drama en dos actos y en prosa,* La Paz, 1889; *Castalia bárbara,* Buenos Aires, 1899. Hay ediciones de La Paz, 1916 y Madrid, Biblioteca Andrés Bello, s. f. (¿1916?) que es la que manejamos; *Leyes de la versificación castellana,* Buenos Aires, 1912, La Paz, 1919 y 1957; *Los sueños son vida: Anadiomema,* Buenos Aires, 1917; *Poesías completas,* Buenos Aires, 1944; *Los conquistadores,* Buenos Aires, 1928; *Poesías completas y Leyes de la*

¿En qué consisten los méritos estéticos de este poeta prácticamente autor de un solo libro? Se ha mencionado mucho su pericia versificante.

Lo encuentro un título menor, sin embargo plausible. Si el crítico español Julio Cejador otorga mayor importancia y hasta destaca más al preceptista que al creador, allá él y su escolaridad: los lectores por lo común pensamos de otro modo.

Medinacelli, quizá el más certero de los críticos de Jaimes Freyre, señala como notas distintivas de su poesía: la nostalgia de que ya hablamos, y la adhesión a la Edad Media (que él llama "medievalidad"). Hablando de semejanzas, destaca una que él ha reiterado con José María Eguren, el egregio simbolista peruano aparecido al público después que Jaimes Freyre, aunque sin ningún contacto con él.

Esta misma observación había sido formulada por otro crítico boliviano, José Eduardo Guerra, al señalar la ausencia de paisaje en ambos poetas, aunque destacando que en Jaimes surge el panorama "altipámpico" propio de su país [3].

Escribe Medinacelli:

> Era un espíritu de otro tiempo. ¿Cuál fue ese tiempo? He tenido siempre la sospecha que cada vez confirmo más, de que don Ricardo tenía un "alma medieval". Ha sido el hombre de sensibilidad más aguzada para vibrar al estímulo de todo lo que aquel tiempo evoca. El poeta que ha sentido con mayor parjos el Medioevo. En ninguno de los modernistas de su generación, en América, ni en los anteriores, es posible encontrar —tal vez con la sola excepción de José María Eguren, aunque esté en otro sentido— uno que

---

versificación castellana, La Paz, 1957. Numerosas obras históricas y textos de historia para escuelas, como *Historia de la Edad Media y de los Tiempos Modernos,* Buenos Aires, 1895; *Tucumán en 1810,* Tucumán, 1909; *Historia de la república de Tucumán,* Buenos Aires, 1911; *El Tucumán del siglo XVI bajo el gobierno de Juan Ramírez de Velazco,* Buenos Aires, 1914, etc.

[3] J. Eduardo Guerra, *Itinerario espiritual de Bolivia,* passim.

haya evocado con mayor delectación estética e interpretado con más fina intuición, los diversos aspectos del alma mediévica, que en el autor de *Castalia Bárbara*[4].

Apurando su breve, pero penetrante examen, Medinacelli analiza una estrofa de "Los Antepasados", poema de *Castalia Bárbara:*

Fue tal vez un arcano grave y profundo,
de confusas grandezas y sombras lleno,
el que fundió en la raza del Nuevo Mundo
al indio, al castellano y al sarraceno.

Comenta Medinacelli:

De estos tres acervos raigales, el que predominaba en el poeta era el castellano y un poco también el sarraceno. Jaimes Freyre, aunque poeta modernista, no tuvo nada de moderno, nunca perdió su empaque hidalgo, de los de espadín y gola, extraviado en hidalgo castellano. Era un hidalgo de estas barbarocracias criollas. Por eso, condenado a vivir en una eterna, vaga e insatisfecha nostalgia de un ayer ido para siempre. El sentimiento que domina en su lírica es el de la nostalgia. Para él sólo fueron bellos los tiempos pasados.

La caracterización hecha por Medinacelli es mucho más exacta y valedera que las que he leído de otros críticos. Así Max Henríquez Ureña no parece estimar mucho al poeta, sino al versificador: le llama "revolucionario de la métrica que hizo gala de virtuosismo"[5].

---

[4] Medinacelli, *Estudios críticos,* cit., págs. 111 y 193.
[5] M. Henríquez Ureña, *Breve Historia del Modernismo,* México, Fondo, 1954, págs. 171-179.

Esta última palabra define mucho; tal vez demasiado. El virtuosismo como el diletantismo eran flores de aristocracia, de artificio u oficio (*métier*). Jaimes Freyre hizo gala de lo último en sus *Leyes de la preceptiva castellana,* donde se esfuerza por encontrar, sobrepasando a Banville, los modos de forjar o identificar el verso libre castellano, a menudo susceptible de confundirse con un aparente exámetro.

Una de las composiciones más celebradas de Jaimes Freyre, la titulada "Aeternum Vale", ofrece ancho campo para desarrollar las ideas respectivas:

Un dios misterioso y extraño visita la selva.
Es un dios silencioso que tiene los brazos abiertos.
Cuando la hija de Thor espoleaba su negro caballo,
Le vio erguirse, de pronto, a la sombra de un añoso fresno
Y sintió que se helaba su sangre
Ante el Dios silencioso que tiene sus brazos abiertos.

Si aplicáramos un método analítico, impasible, obtendríamos resultados sugestivos. Descartemos, de antemano, el error técnico de usar el posesivo "sus" tan seguidamente y tan junto a sílabas con "s", como "Su sangre", lo cual facilita deplorable cacofonía silbante; tocante a la estructura métrica y silábica, encontramos que el esquema de estos versos es el siguiente:

oOo-oOo-oOo-oOo-oOo 15
ooO-ooOo-oOo-oOo-oOo 16
ooOo-oOo-oOo-oOo-oOo 16
ooOo-oOo-oOo-oOo-oOo 16
ooOo-oOo-oOo 10
ooOo-oOo-oOo-oOo-oOo 16

El número de sílabas engaña. No se trata de versos dieciseisslábicos. La acentuación, del primer pie o metro imprime un ritmo diverso a cada verso: ora este acento se recarga en la segunda sílaba aguda convirtiendo el quincesilábico primero en auténtico dieciseislábico, a causa de la reduplicación del agudo con que termina el primer pie "Un dios". El segundo verso se inicia con un trisílabo agudo; el tercer verso con un trisílabo llano, más de acuerdo con el bisílabo agudo que inicia el primer verso.

Toda la composición prosigue en ese mismo tono. Alternan los versos de 15, con los de 16 y 10, y siempre se repite el *leit motif* de Thor, "ese dios con los brazos abiertos".

En otra composición también característica, la titulada "El alba", la técnica es diferente. Para comunicar al verso la sensación de vaguedad, de indecisión, usa un período lánguido, de remate indeterminado, con palabras también imprecisas, todo lo cual puede traducir más o menos fielmente el propósito vagoroso del poeta, o producir tedio en el lector que urgiría una caracterización más cortante.

Las auroras pálidas
que nacen entre numbras misteriosas,
y enredados en las orlas de sus mantos
llevan jirones de sombra,
iluminan las montañas, rojas;
bañan las torres erguidas,
que saludan su aparición silenciosa,
con la voz de sus campanas,
soñolienta y ronca;
ríen en las calles
dormidas de la ciudad populosa,
y se esparcen en los campos
donde el invierno respeta las amarillentas hojas.
Tienen perfumes de Oriente
las auroras;
los recogieron, al paso de las florestas ocultas
de una extraña Flora.
Tienen ritmos
y músicas armoniosas,
porque oyeron los gorjeos y los trinos de las aves
exóticas.

El léxico, de una tonalidad de acuarela, utiliza términos que hoy suenan a consabidos; no lo eran. Jaimes Freyre, espíritu de selección, podía caer en la monotonía, pero no en el mal gusto ni en la rutina. Un virtuoso lo es por su singularidad o por su determinación de serlo, a más de su curiosidad permanente. El exotismo, confundible con la nostalgia, le hace perseguir dioses germánicos, mares de Jonia, "aguas del viejo Ganges", "tribus de los árabes desiertos", "crines de los búfalos que huían", toda la *mise en scène* de los románticos, rediviva bajo novedosa forma y con desusados vocablos. En esa hambre de modernidad, que sacrifica lo inmediato y actual, consiste gran parte del prestigio de Jaimes Frayre y de muchos de los modernistas.

Hombre de exquisita prestancia, "hidalgo a la antigua", le enamoran las estampas del viejo tiempo. Por eso, y por la forzada impasibilidad, seguirá los pasos de Leconte y hasta el título del libro fundamental de éste, *Poèmes barbares*. Los compañeros de Jaimes Freyre en las tertulias del Buenos Aires de 1894-1896, caerán todos bajo el hacha parnasiana: Eugenio Díaz Romero, Leopoldo Díaz, el amanecer de Rubén. Sacudieron con ello el gusto de su tiempo y cercenaron los consuetudinarios lamentos del romanticismo en retirada. Abrieron trocha. Fueron adelantados, "bandeirantes", gonfaloneros. En pos de su oriflama se apretujó una tropa de renovadores, uncidos al yugo del nuevo ritmo. Sólo algunos, muy pocos, lograron librarse de las pautas externas y permanecer a la orilla del Reino hacia el que tanto anduvo y por el que tanto añoró.

XII

CARLOS REYLES

(Montevideo, 30 octubre 1868 — 24 julio, 1938)

Hijo de Carlos Reyles (o Rahiles) y de María Gutiérrez, la vida y la obra de Carlos Claudio Reyles Gutiérrez, *rico home* ganadero del Uruguay, puede encerrarse, desde el punto de vista externo, en muy pocas fechas. Los episodios más pintorescos tuvieron carácter estrictamente privado. Su ámbito no pasó del almario del protagonista, y a menudo de su sensorio. Era, por lo demás, muy grande sentidor y vividor, este caballero de boleadora en ristre y pluma corredora. Lo revelan con evidente claridad sus libros.

Nacido y crecido en la pampa uruguaya, heredero de españoles y de anglosajones por la vía paterna, y de criollos por la materna, quedó huérfano de padre en 1886; un año después, a los diecinueve, contraía matrimonio con doña Antonia Hierro. El matrimonio no curó las avideces del mozo; al parecer las hizo más apremiantes. Afrontó siendo muy joven, a su vuelta del primer viaje a Europa, una tragedia Reyles, que era enteco y pequeñín, pero gustaba de *fajarse* con los bravucones, se las lió una noche con un gaucho malo por defender a un sobrino. Salieron a relucir las valentías. Se desafiaron los grupos. Fue un duelo corto y bravo. Apagados los quinqués a balazos, los adversarios se dispararon mutuamente según el relumbrar de las pistolas. Cuando se encendieron de nuevo las luces, había un muerto tendido en mitad del palenque: no era Reyles.

Acababa éste de publicar *Academias:* tenía 20 años. Editó *La raza de Caín* y volvió a viajar a Europa. Tenía metido en el cuerpo el demonio del amor y la aventura. Como le sobraba el dinero, resolvió competir con los más empinados galanes de París. La Bella Otero fue su galardón visible. La disputó al futuro Alfonso XIII de España. En todo ello Reyles se consumió una fortuna. Felizmente nunca le faltaron tíos o tías ricas de reemplazo. Por sucesivas herencias escalonó sucesivas vidas. Le vi llegar a la ancianidad enfermo, pero erguido, irónico y displicente. Fue en Buenos Aires, en 1936. Tenía un nombre cargado de gloria y una experiencia literaria digna de un renacentista. De paso, ya que hablamos de renacentistas, Reyles forjó su existencia, como otros escritores de su tiempo, al modo de Benvenutto Cellini: tales, Chocano, Darío, Herrera y Reissig, Valencia. Cuando me dijeron que Reyles había fallecido apaciblemente, me sentí defraudado. Hay quienes deben rubricar su tránsito de modo trágico. Habría sido acaso lo imaginable.

Dentro de esta curva vital, indudablemente variada, Reyles produjo vorazmente novelas y ensayos. La nómina es impresionante. En 1888, *Por la vida,* ya un tanteo novelístico; en 1894, *Beba,* su primera gran novela, de corte naturalista; entre 1896 y 1898, *Academias,* compuesto de tres novelas, tituladas *Primitivo, El extraño* y *El sueño de rapiña.* Todo esto, preámbulo de *La raza de Caín* (1900), una de sus obras fundamentales, cuya temática y estilo coincide con la vigente prédica del *Ariel,* de Rodó. En 1901, coincidiendo con las motivaciones rodonianas, Reyles funda el club *Vida nueva,* al que se adhieren Rodó y Pérez Petit. Le contagian los propósitos arielistas predicados por Manuel Ugarte, Rodó, Ingenieros: fruto de ello será, en 1903, *El ideal nuevo,* boceto sobre un proyecto de unión económica nacional. Durante el lapso que discurre hasta 1910, Reyles sobrelleva con alegría y sensualidad su tumulto parisino. En dicho año publica *La muerte del cisne,* compendio de sus preocupaciones estéticas. Le asalta, luego, el recuerdo de las luchas fratricidas de su país, y lanza *El terruño* (1916). Siguen *Diálogos Olímpicos* (1918) (Primer tomo: *Apolo, Dionisios;* segundo tomo: *Cristo y Mammon).* Todo eso es solfeo para su obra más famosa, *El embrujo de Sevilla,* editada en 1922. Como siempre, después de un gran esfuerzo, hasta los dioses reposan: Reyles les imita. Será asesor literario, accionista de empresas comerciales, turista, siempre dilapidador de las fortunas familiares que le favorecen y estimulan. En 1932, reaparece con *El gaucho florido,* o sea, la novela de un jinete cimarrón, ello dentro de las pautas menos discutidas que las que habían promulgado en esos días Güiraldes, con *Don Segundo Sombra,* y, en parte, Larreta con *Zogoibi.* La trilogía de la resurrección gauchesca no se cierra con Reyles; se prolonga hasta Enrique Amorín, otro novelista uruguayo, autor de *El paisano Aguilar* y *La carreta.*

La madurez cambia algunas vistas de Reyles. Se inclina a la meditación de lo presente: el ayer le tienta menos. Ese mismo año 1932, señala su acercamiento a Paul Valery cuyo *Panoramas del mundo actual* le seducen; así como sus aproximaciones a Marcel Proust de lo que brotará el fresco volumen *Incitaciones* (1936). Cuanto viene después, posee un evidente sabor testamentario: *A batallas de amor...* (1939) y *Ego sum* (1939), ambas novelas póstumas y autobiográficas, sobre todo la segunda.

La enumeración anterior no tiene otro objeto que presentar con cierto orden el tránsito literario de Carlos Reyles. De los catorce títulos de que consta la lista, sólo tres no son novelas. Inútil discutir entonces el calificativo literario que corresponde al autor de *Beba.*

Repitamos, Reyles perteneció a la promoción arielista. Ésta anduvo entre las tardías provocaciones del naturalismo y las embrionarias del nativismo y el psicologismo. Sus maestros fueron Zola, Pereda, Galdós, Blasco Ibáñez, Dickens, al par que Paul Bourget, J. K. Huysmans y finalmente Zorrilla de San Martín y José Enrique Rodó, Marcel Proust, Dostoyewski y Nietzsche. Los mismos autores aparecen glosados y sublimados por Ugarte, Díaz Rodríguez, Nervo, Chocano. No olvidemos que en el

Decálogo de este último aparece un mandamiento en el que se funden como facetas de la misma gama, el naturalismo, el ibsenismo, el simbolismo, el parnasianismo y el modernismo: ni más ni menos.

En cuanto a influencias epocales, pesa sobre Reyles la situación caótica de la campaña. Max Henríquez Ureña, quien exagera los aspectos biográficos, señala en la novela *Beba* una evidente proclividad naturalista y hasta definitorios rasgos de "de ambiente regional". Robert Bazin, crítico y "normalién" francés contemporáneo, emancipado de las teorías académicas de Roxlo y Zum Felde, ambos representativos de la sastrería literaria del Uruguay, considera sin embargo a *Beba* "une oeuvre naturalista, influencée par Pereda et Galdós qui, autour d'une condemnation des mariages consanguins, nous initie à la vie brutale de la pampe" [1]. "Brutale aussi *La raza de Caín* (1900), où se sent l'influence de Dostoyewski, et qui nous peint dans une atmosphère nêttement americaine, un monde malade des velléitaires, un monde qui a comme le goût du malheur."

Las afirmaciones de Bazin acerca de las influencias ejercidas sobre Reyles parecen algo apresuradas y hasta ingenuas. Si tales lecturas moldearon en cierto modo su estilo, es absolutamente inexacto que fueran determinantes. Reyles fue ante todo una personalidad: las personalidades difícilmente caen bajo el sortilegio de los otros.

El interregno entre *Beba* y *Academias*, escrita esta última serie después de su primer viaje a Europa, está marcado por unos cuentos del mismo tipo lugareño, psicologistas y rotundo. Los principales se intitulan *Doménico* (1892), *Mansilla* (1893), *La Odisea de Perucho* (1895) [2].

---

[1] R. Bazin, *Histoire de la littérature americaine de langue espagnole*, París, Hachette, 1953, págs. 313-31.

[2] Cfr. Max Henríquez Ureña, *Breve historia del Modernismo*, cit., pág. 230; A. Zum Felde, *Proceso de la literatura Uruguaya*, 2.ª ed. Buenos Aires-Montevideo, Claridad, 1911, pág. 323; C. Roxlo, *Historia de la literatura uruguaya*, tomo IV, Montevideo, Barreiro, 1913, págs. 350-470.

Se acumula experiencia en pluma y estilete. Cuando escribe *Academias,* Reyles dirá por eso, expresando su confiado escepticismo, que se halla escribiendo obras dentro

> de un arte que no sea indiferente a los estremecimientos e inquietudes de la sensibilidad *fin de siglo,* refinada y complejísima, que trasmita el eco de las ansias y dolores innombrables que experimentan las almas atormentadas de nuestra época, y esté pronto a escuchar hasta los más débiles latidos del corazón moderno, tan enfermo y gastado.

Max Henríquez Ureña formula una observación interesante acerca del método de componer de Reyles: su permanente insatisfacción. Aclara que *El terruño* proviene de *Primitivo,* la primera de las *Academias;* que *La raza de Caín* sale del novelín *El extraño,* y que *El embrujo de Sevilla* desarrolla el cuento *Capricho de Goya.* La sorpresa del crítico me parece absurda. No hay escritor que no busque y rebusque sus argumentos, aun después de trascritos al libro.

El tema para el escritor de raza, no es un hallazgo casual; es un proceso vital, inexorable.

Aunque las primeras y últimas novelas de Reyles se refieren a problemas uruguayos[3] y esclarece en ellas asuntos tan debatidos como las montoneras feudales, la omnipotencia del patrón, la miseria de los peones, exaltando en cambio figuras emblemáticas como la de Mamagela y otras, es indudable que donde revienta en flor su estilo, y donde se esparce y escandece su inspiración y adquieren plena forma sus elementos estilísticos, es en *El embrujo de Sevilla.* De este libro dice el descontentadísimo Bazin:

> En *El embrujo de Sevilla* (1925) busca los valores españoles en Sevilla, a través de la pintura, la danza, el

[3] Cfr. L. A. Sánchez, *Proceso y contenido de la novela hispanoamericana,* Madrid, Gredos, 1953, passim; A. Torres Ríoseco, *Grandes novelistas de América,* Santiago, Nascimento, 1940.

cante jondo, el toreo, el misticismo de las procesiones de Semana Santa y de las saetas andaluzas. *El embrujo de Sevilla* es otro libro sin par en la América española. No se parece en nada a la novela de Larreta. Tiene por escenario la España contemporánea, y se sitúa en otra región. El estilo no tiene la tensión ni la dureza que caracterizan al estilo de Larreta. Es más cálido. más coloreado, más apasionado. Le convendría en forma absoluta el título barresiano de *Du Sang, de la Volupté et de la Mort*. Pero, aquí vemos a la España misma tratando de definir sus valores, y el que sea un hispanoamericano quien nos la presente, demuestra que los siente como fraternales —o como maternales [4].

Es cierto que *El embrujo* posee un tono de ternura de que carecen los otros libros de Reyles. Como quiera que se lo juzgue, es indudable que su fuerza contagiosa, su morbosa dulzura, su apasionado temblor son comunicativos. Nadie ha descrito la Procesión del Señor del Gran Poder, ni las saetas en pos de la Macarena, ni las altiveces del Tronío, ni la voluptuosidad de las *cantaoras,* como Reyles. Se le advierte poseído de su tema y de su atmósfera, resudando la pasión que de ello emana y ¡qué estupendo estilo! No utiliza innecesarios neologismos. Prefiere los términos corrientes a los que insufla un aura poética admirable. El párrafo (que también trascribe Max Henríquez Ureña), sobre una fuente, destella hermosura, precisión y sugestiones:

> En el centro del patio ríe una fuente diminuta, de mármol también, rodeada de tiestos de flores. Un chorrito de agua retozón surge de la fuente, se abre a un metro de altura y cae como una lluvia de diamantes en el tazón sonoro.

Sin duda, los ojos del lector distinguen nítidamente cada uno de los elementos de este cuadro, y aquilatan cada uno de

---

[4] R. Bazin, *o. c.*, pág. 313.

sus factores formales. Los más tercos evocarán a Azorín y aun a Gabriel Miró, pero Reyles es más directo, más sencillo y más veloz.

Destacan, ante todo, la nitidez del cuadro y la sobriedad del lenguaje. Las pasiones de que trata la novela tienen igual nitidez. Se diría que fondo y forma se funden de magistral manera. Reyles ha tratado de explicar este fenómeno de evidente simbiosis entre el tema y su expresión, trasfiriendo los méritos totales de su empresa literaria a la ciudad que la inspiró. En efecto, preguntado al respecto, él ha escrito:

> Repetidas veces me he preguntado si era yo, en realidad, el autor de *El embrujo de Sevilla,* y siempre una vocecilla burlona yaceda, me respondía: Nó, quien la dictó fue la misma Sevilla. Matemática verdad; yo no hice otra cosa que afinar el oído para escuchar las canciones de la capital andaluza, diminuta si se la compara a las grandes urbes, pero más zumosa y específica, más comunicativa y vibrante, porque espíritu, criaturas y cosas tienen simbólicos contornos y llevan en el alma un pájaro cantor. Cantan romances los monumentos, cantan las rúas fandanguiyos, tarantas y soleares; cantan saetas las iglesias; alegres los balcones floridos, carceleras las prisiones, sevillanas los patios sonámbulos, bulerías las casuchas gitanas. El que ríe canta, y canta el que llora, y hasta los vinos de oro, soles embotellados, dentro de sus recipientes, cantan [5].

Esta explicación y lo que la sigue demuestra la exactitud del autojuicio de Reyles, Sevilla le inspira la obra y su exégesis. Cuando trata de la ciudad de La Giralda y el Guadalquivir surge un hombre distinto más blando, más dulce, más alegre, más enamorado, más pinturero, que en sus otras novelas. Ni el gaucho, ni el peón, ni el patrón de estancias, llegan tan a lo hondo

---

5 N. Fusco Sansone, *Antología y crítica de la literatura uruguaya,* Montevideo, García, 1940, pág. 174.

de Reyles como el torero, el guitarrista, la bailaora, todo el ambiente sevillano. De donde resultaría que su flamenquismo esencial esperaba ese tema para derramarse a plenitud. No es obra de artífice, ni acaso de artista, en cierto sentido, sino de vocero, de altavoz, o de mediavoz, si se quiere ser más cabal.

Los personajes de *El embrujo de Sevilla* disfrutan de una vitalidad asombrosa. Convendría acaso recordar aquí otra novela de alma sevillana, de las más lindas, *La hermana San Sulpicio*, de Armando Palacio Valdés. Con ser quien fue él —Palacio— y con ser como es ella —*La hermana*—, la novela, la de Reyles se sobrepone a la gracia de aquélla con un acento trágico invencible: trágico y gracioso a la vez. Cada protagonista, el torero y la cantaora sobre todo, están magníficamente calibrados en alma, cuerpo y atavío. Quien escribió aquello lo había vivido con la sangre y la ilusión. Y tenía una sensibilidad como la que exige Sevilla para ser interpretada.

En cambio, cuando Reyles enfoca los temas nacionales, se torna adusto, seco y hasta, a ratos, declamatorio. La diferencia con *El embrujo de Sevilla* asombraría, si no se reflexionase en el origen de su escritura y en su mensaje.

Rodó, cuyas dotes de crítico literario, superan a las del filósofo, vio en *El terruño*, pongámoslo como ejemplo, una expresión *sui generis* de la realidad uruguaya. Rodó destacó allí la oposición fundamental entre civilización y barbarie como característica de la obra. El genio campesino, creador y prudente, lo encarnaría Mamagela, personaje que pudiera considerarse como el envés de "Doña Bárbara", la célebre protagonista de Rómulo Gallegos, escrita trece años después. Frente a Mamagela surge Primitivo —evocación de un personaje de uno de los primeros ensayos de Reyles—, "personificación del gaucho bueno".

Pantaleón, el montonero criollo y Tocles, el idealista. Una vez más señalemos que la novela latinoamericana luce demasiada carga de docencia, de ánimo apostólico o predicador. Los protagonistas son alegóricos, lo cual puede representar mucho sociológicamente hablando, pero poco literariamente juzgado. Reyles, además, trató de fijar en *El terruño* el tránsito entre su patria montonera y caudillesca y el nuevo Uruguay. El pintoresco y enérgico caudillo Saravia, promotor de la última insurgencia a caballo y lanza, mueve todo aquel argumento, en que se trasluce la pasión del hombre de campo y la dolorosa preocupación del civilizado contertulio de la realidad europea. Como en el *Facundo*, de Sarmiento —símil facilísimo—, se oponen el ser raigal y el adventicio que se enraiza día a día, modificando la estructura social y la atmósfera emotiva del país.

Esto en cuanto al tema. Acerca del estilo, trascribamos un párrafo, entre los más comunes, de la obra, aquel en el cual describe o pinta la salida de Papagoyo a la revolución:

> El pacífico comerciante parecía inquieto y congojoso. Paseábase a lo largo del almacén y suspiraba frecuentemente, como si lo embargase una de esas penas que no sólo pungen, sino que quitan los bríos y arrestos del vivir. Después de muchas idas y venidas, suspiros e indecisiones, se dirigió al dormitorio de su mujer y, en puntillas, acercóse a la puerta. Escuchó: la castellana de "El Ombú", dormía el sueño de los justos. Bien asegurado de esto, Papagoyo mudóse ropas sigilosamente; empuñó luego la herrumbrosa lanza en la siniestra, y, con las botas en la otra mano, muy paso, salió. En el almacén, dando resoplidos, calzóse las granaderas; escribió una carta que puso en lugar visible sobre el mostrador, y consultó la hora. Las doce. Un nudo le apretó la garganta. Haciendo de tripas corazón, empuñó su viejo lanzón patrio, y despidiéndose con tiernísimas miradas de los objetos que le eran más familiares y caros; la mesa donde escribía hacía treinta años atrás, el lustroso palo de descolgar los artículos del techo, la peluda silla de Mamagela, abrió la puerta que daba al campo y echó a andar, apoyándose contra los muros para no caer. La noche era como un pozo sin fondo, tenebrosa y llena de silencio. Papagoyo, con los brazos tendidos hacia adelante, echaba hacia atrás la cabeza y

los ojos cerrados, avanzaba, suspenso el ánimo, cauteloso el pie...

Destácanse en este jugoso y gráfico párrafo las dotes de descriptor de Reyles, así como cierta impericia lexical, atenidos aún a la pobreza sinonímica del Plata. Por ejemplo: el uso de la expresión "palo para descolgar los artículos", adolece de doble defecto: uno, en el vocablo "palo", ya que no es sólo eso, sino algo más, y "artículos", que no precisa de qué se trata. Igual ocurre con la repetición innecesaria del verbo "empuñar" y el uso repetido de giros demasiado coloquiales y hasta vulgares como "en lugar visible", "un nudo le apretó la garganta", "haciendo de tripas corazón", "hacía treinta años atrás", "la noche era como un pozo sin fondo", etc.; no obstante lo cual, de tantas vulgaridades surge una límpida y viviente visión de la fuga de Papagoyo.

Para mi gusto, *El terruño,* salvadas las distancias estilísticas con *El embrujo,* es la más completa de las obras de Reyles, y acaso la más representativa, aun cuando peque de cierta proclividad histórico-sociológica. No obstante, para muchos es *La raza de Caín,* su obra mejor concebida. No lo creo. *La raza de Caín,* se halla dentro de la línea morbosa, psicologista y casi diríamos psiquiátrica de Huysmans, Dostoyewsky y Bourget (difícil combinación, lo reconozco, pero muy frecuente entonces). Todos los novelistas del modernismo pagaron su tributo a la neurastenia, al *tedium vitae,* al suicidio, a una especie de wertherismo subliminal, aunque inocultable. Lo vemos en el *Reynaldo Solar,* de Gallegos, en *Ídolos rotos,* de Manuel Díaz Rodríguez, en *El hombre de hierro,* de Blanco Fombona, en *El hermano asno,* de Eduardo Barrios, en *Casa grande,* de Orrego Luco. La hora era de mostrar fatiga. Parecía elegante tenderse bajo el cielo en golosa espera de la muerte. Los personajes de *La raza de Caín* se exceden en diálogo y en pesimismo. Precisamente, el reverso de su autor, a quien le bullía la sangre y se le derramaba la actividad.

Pero, los autores son heraldos y voceros, o dejarían de ser escritores. Reyles recapitula en su acento y su temática las más opuestas tendencias e inquietudes que visitaban su vigilia. Lo hizo a sabiendas y con ánimo de creador experimentado, calibrando sus efectos. A menudo oí decir que era lector perezoso y más intuitivo que sabidor. Es posible. De toda suerte, la imagen que he recogido de sus libros es la de un hombre atento a las nuevas corrientes literarias y fisgón de las realidades inmediatas sin despreciar ninguna. Que conocía el alto y el bajo mundo. Que amaba su oficio desencadenadamente, y que trató de hallar —y a menudo halló— la expresión necesaria, redonda, ajustada a sus deseos, el verbo exacto para el voraz mensaje que su tradición y su experiencia trataban de impartir y efectivamente impartieron, dentro de una armoniosa forma literaria, sin rebuscamientos, pero también sin concesiones [6].

---

[6] Obras de Carlos Reyles: *Por la vida,* Montevideo, 1888; *Beba,* Montevideo, 1894; *Academias; Primitivo* (1896); *El extraño* (1897); *El sueño de rapiña* (1898); *La raza de Caín* (1900); *El ideal nuevo* (1903); *La muerte del cisne,* Montevideo, 1910; *El terruño,* Montevideo, Renascimento, 1916; *Diálogos olímpicos* (2 vols.), 1918; *El embrujo de Sevilla,* Madrid, 1922; *El gaucho Florido,* 1932; *Incitaciones,* Santiago, Ercilla, 1936; *A batallas de amor...,* Buenos Aires, 1939; *Ego sum,* Buenos Aires, 1939.

XIII

AMADO NERVO

(Tepic, 27 agosto 1870 — Montevideo, 14 mayo 1919)

Ningún poeta ha tenido que luchar tanto con su propia figura, sobre todo después de su muerte, como el mexicano Nervo. Cuanto contribuyó a divulgar y hasta popularizar su obra, sirvió para torcer su fama. Había sido un corazón a flor de piel: tales exhibiciones suelen pagarse a muy alto precio; ocurrió en este caso.

Al promediar su tarea poética, Nervo lucía una sobria elegancia de gran señor. Si le traicionaba a menudo el verbo, se advertía que era, a más no poder, fruto de un amor avasallante, incapaz de aceptar ni bridas ni coyundas. A tan desbocado sentimentalismo había que sujetarlo con riendas de concisión que sólo se adquieren y manejan tras de un largo aprendizaje. Por lo común en ello se va la vida. Tiene razón, por eso, Esther Wellman cuando dice que la biografía de Nervo es, como la de Platón, interior [1].

---

[1] Nervo, *Obras completas*, Madrid, Aguilar, 1952, tomo II, págs. 1061-1065; Esther Turner Wellman, *Amado Nervo Mexican's religious poet*, Nueva York, Ins. de las Españas, 1936, pág. 13.

Cronológicamente, el poeta está situado entre Darío y Herrera y Reissig. Mayor que éste, ligeramente menor que aquél: no duró sino lo preciso para exhalar todo su perfume, como la rosa del poema de Sadi, rosa de Persia, con laconismo e intensidad de poema oriental. Hecho solamente de esencias —sándalo, almizcle. mirra, canela, alcanfor, jazmín—, la poesía de Nervo hiere y hasta sorprende a veces, y siempre penetra y satura.

Amado Ruiz de Nervo nació el 27 de agosto de 1870 en la ciudad de Tepic, Estado de Mayarit. Su estirpe debió ser bastante aindiada, según lo revela su fisonomía. Pero él asegura que fue de raíz española, y que su madre, cuyo apelativo fue Juana Ordaz y Núñez, componía versos. Amado fue el mayor de siete hermanos: cuatro varones y tres hembras. Luis, uno de aquéllos, se suicidó; las tres mujeres vivieron enclaustradas. Amado estudió en el Seminario de Michoacán, con el ánimo de seguir la carrera de sacerdote. El padre de Nervo murió dejándole niño. Amado pasó a Michoacán, estado pintoresco y aguerrido, a la costa del Pacífico, en cuya ciudad de Mazatlán se inició como periodista en *El correo de la tarde*. Esta misma profesión le asistía cuando pasó a la capital en 1894. Escribía especialmente en *El nacional* y *El mundo ilustrado*. Su primer viaje a París ocurrió en 1900 con motivo de la Exposición Internacional y como corresponsal de *El imparcial*. Para entonces tenía escritos ya *El bachiller* (1895), *Pascual Aguilera* (1898) y *El donador de almas* (1899), novelas de interesantes temas y agudeza psicológica; *Místicas* (1898), versos, y *Perlas negras* (1898), también poesía, donde ya define su rumbo estético. Aunque él mismo fue coeditor de la significativa *Revista moderna,* se distinguía de los demás modernistas, por su acento aterido de perennidad. Tres años permaneció Nervo en Europa, durante los cuales trabó amistad con Rubén Darío, Enrique Gómez Carrillo y Guillermo Valencia, y compartió mesa y tertulia con Oscar Wilde, Catulle Mendés y Jean Moreas, grande amigo éste de Gómez Carrillo. Entonces fue cuando (en 1901) conoció a una muchacha francesa llamada Ana Cecilia Luisa Daillez, de quien prácticamente no se separaría hasta la muerte de ella, de lo que quedó desgarrador testimonio en el manuscrito de *La amada inmóvil*.

A este período pertenecen tres libros, a saber: *Poemas, Lira heroica* y *El éxodo y las flores del camino* (1902), éste último decisivo en la carrera literaria del poeta. Nervo ejerció la docencia en la Escuela Nacional Preparatoria, desde 1903 hasta 1905 en que ingresa a la carrera diplomática como segundo secretario en Madrid. Como tal compartió la vida de Rubén en la capital de España, donde, en septiembre del mencionado año, trabó amistad con José Santos Chocano [2]. Sólo en 1909, ascendió a primer secretario. Al estallar la Revolución Mexicana de 1910, Nervo la sirvió con mucha tibieza. Hacia 1912 publicaba en *Mundial* de París, compartiendo honores con Rubén [3]. El asesinato del Presidente Madero y la tiranía de Victoriano Huerta cambiaron el panorama de la vida mexicana en 1913. Unos, aceptaron la autoridad del sátrapa, entre ellos Alfonso Reyes y Enrique González Martínez; otros, se irguieron contra Huerta, como por ejemplo Chocano, Vasconcelos, Tablada, Antonio Caso. Nervo sufrió las consecuencias de su huertismo y anticarrancismo: le destituyeron. Fueron dos años dolorosos entregados a vivir de sus colaboraciones, hasta que, en 1916, se le reintegró a la diplomacia: había triunfado la Revolución con —¡Oh ironía! en este caso— Carranza y Obregón. Ya era Nervo un autor de fama. La asentaban sus libros *Las voces* (1904) y *Juana de Asbaje* (1910) [4].

---

[2] Luis A. Sánchez, *Aladino o la vida y la obra de José Santos Chocano*, México, Libro Mex., 1961, págs. 160 y sigs.

[3] Las crónicas de Nervo sobre su estancia en París son realmente informativas y llenas de sutileza, ingenio y elegancia. Las publicaban los diarios *El mundo, El imparcial* y sobre todo *La semana* de México, DF. Ver *Obras completas*, tomo I, Madrid, Aguilar, 1951.

[4] Las *Obras completas* de Amado Nervo fueron publicadas por Alfonso Reyes, en veintinueve volúmenes, Madrid, Biblioteca Nueva, 1920-1928. Hay una edición en dos volúmenes, publicada por Aguilar, de Madrid, en 1951 y 1952. De esta edición extractamos la cronología de las obras de Nervo que es la siguiente:

En 1918, Nervo fue promovido a Ministro Plenipotenciario en tres Repúblicas: Argentina, Uruguay y Paraguay. Plantó su tienda en Montevideo, donde murió a los cuarenta y nueve años, el 14 de mayo de 1919. Sus restos fueron solemnemente

---

Novelas: *Pascual Aguilera*, en *Otras vidas*, Barcelona, Guinart y Pujolau, s. a.; *El bachiller*, México, en *El mundo*, 1895; *Origene*, traducción francesa de *El bachiller*, París, Vanier, 1901; *El donador de almas*, Toluca, México, en *La gaceta del Valle*, 1904; *Almas que pasan*, Madrid, en Revista de Archivos, 1906; *Ellos*, París, Ollendorff, 1912; *El diamante de la inquietud*, Madrid, en "La novela corta", 10 marzo 1917; *Amnesia*, Madrid, en "La novela corta", 18 mayo 1918; *El diablo desinteresado*, Madrid, en "La novela corta"; *Una mentira*, Madrid, en "La novela corta"; *Un sueño*, Madrid, en "La novela corta"; *El sexto sentido*, Madrid, en "La novela corta"; *Cuentos misteriosos*, Madrid, Biblioteca Nueva, 1921.

Autobiografía: *Ideas y observaciones filosóficas de Tello Téllez*, Montevideo, Claudio García, 1919; *Los balcones*, Madrid, Biblioteca Nueva, 1920.

Poesías: *Perlas negras*, México, Imprenta Escalante, 1898; *La hermana agua*, Madrid, Imprenta de los hijos de M. G. Hernández, 1901; *Poemas*, París, Bouret, 1901; *El éxodo y las flores del camino*, México, Oficina Impresora de Estampillas, 1902; *Lira heroica*, México, Oficina Impresora de Estampillas, 1902; *Los cinco sentidos* (canciones escolares, adaptación del francés), México, J. Ballescá y Cía., 1903; *Las voces*, París, Bouret, 1904; *Místicas*, París, Bouret, 1904; *Los jardines interiores*, México, Díaz de León, 1905; *En voz baja*, París, Ollendorff, 1909; *Serenidad*, Madrid, Renacimiento, 1914; *Elevación*, Madrid, Renacimiento, 1917; *El estanque de los lotos*, Buenos Aires, A. Mercateli, 1919; *La amada inmóvil*, Madrid, Biblioteca Nueva, 1920; *El arquero divino*, Madrid, Biblioteca Nueva, 1922.

Filosofía: *Juana de Asbaje*, Madrid, Hernández, 1910; *Mis filosofías*, París, Ollendorff, 1912; *Plenitud*, Madrid, Tip. Artística Cervantes, 1918; *La última vanidad*, México, La Editorial Hispano Mexicana, 1919; *Algunos*, Crónicas varias, Madrid, Biblioteca Nueva, 1921; *Crónicas*, Madrid, Biblioteca Nueva, 1921; *La lengua y la literatura* (2 volúmenes), Madrid, Biblioteca Nueva, 1921; *En torno a la guerra*, Madrid, Biblioteca Nueva, 1921; *Las ideas de Tello Téllez, Como el cristal*, Madrid, Biblioteca Nueva, 1921; *Discursos, Conferencias, Miscelánea*, Madrid, Biblioteca Nueva, 1922; *Ensayos*, Madrid, Biblioteca Nueva, 1922.

Libros de texto: *Lecturas mexicanas graduadas* (2 volúmenes), París, Bouret, 1906-1922; *Lecturas literarias*, París, Bouret, 1922.

repatriados; descansan en la Rotonda de los Hombres Ilustres de la capital de México.

* * *

A Nervo se le considera principalmente como poeta místico. Conviene recordar que 16 de los 29 volúmenes de sus obras, son de prosa, y que esta prosa fue a menudo más variada, aunque no tan densa e intensa como su poesía [5].

De las tres novelas con que se inicia no se ha hecho el comentario correspondiente. Cada una de ellas encierra un problema y cada problema está visto desde un ángulo psicológico. Así el argumento de *El bachiller,* encierra una cuestión de tipo confesional y psíquico.

Nervo evidencia en estas novelas, tanto como en su biografía de Sor Juana Inés de la Cruz y en sus cuentos, meditaciones y crónicas, una innegable facilidad de narrador. A diferencia de sus congéneres modernistas, utiliza un lenguaje directo, una forma simple, que no desdeña el empleo de giros elegantes pero, sí, de palabras difíciles. Si uno compara las crónicas de Nervo con las de Darío y Ventura García Calderón, encuentra una considerable diferencia; con las de Gómez Carrillo la dis-

---

[5] Sobre Amado Nervo: Alfonso Reyes, *Tránsito de Amado Nervo,* Santiago, Ercilla, 1937; Ibídem, Prólogos y notas a la edición de *Obras completas,* en 29 vols. cit.; Esther Turner Wellman, *Amado Nervo, Mexico's Religious Poet,* Instituto de las Españas, New York, 1936; Alfonso Méndez Plancarte, A. N. *Mañana del poeta,* México, Botas, 1938; Max Henríquez Ureña, *Breve Historia del Modernismo,* ed. cit., 1954; Santiago Argüello, *El Modernismo y los modernistas,* Guatemala, 1935; R. Blanco Fombona, *El Modernismo y los poetas modernistas,* Madrid, Renacimiento, 1929; F. de Onís, *Antología a la poesía española e hispanoamericana,* Madrid, Rev. de Filología, 1934; M. Maples Arce, *Antología de la poesía mexicana moderna,* Roma, 1940; L. A. Sánchez, *Nueva Historia de la literatura americana,* Buenos Aires, Guarania, 1951; Luis G. Urbina, *La vida literaria en México,* Madrid, 1917; Rubén Darío, *Cabezas,* Madrid, 1912; José Luis Martínez, *Literatura mexicana, siglo XX,* 2 vols. México, Robredo, 1949 y 1950, t. I, pág. 147; Genaro Estrada, *Bibliografía de Amado Nervo,* México, RR. EE. 1925, Ibid., *Poetas de México, Antología,* México, 1916.

crepancia no es cuanto a sencillez de lenguaje, sino cuanto a la forma de presentar los temas y a una nota intransferible en todo lo que produjo Nervo: su benevolencia, su cordialidad, su exquisita tolerancia que, en Carrillo, solían ser a veces sarcasmo, ironía o simple indiferencia.

Darío se distingue por su capacidad de elogio a sus pares e impares. Nervo, no; más bien trata de comprender y estimular. He referido en otro libro sus relaciones con Chocano. Discrepando de la mayoría de sus coetáneos, Nervo encontraba al ya extraviado y presuntuoso Chocano de 1906, uno de los hombres más buenos del mundo, víctima de una especie de implícita conspiración de torcidos denuestos. Ésa fue su actitud ante otros de sus contemporáneos. No por ineptitud crítica; por bondad congénita. Los atisbos de perspicacia valorativa abundan en los comentarios de Nervo, mas son avasallados por el deseo de presentar la mejor parte de cada uno de sus sujetos. ¿Bondad solamente? Tal vez rodea y domina a Nervo una filosofía cristiana y, en ocasiones, escéptica y humanitaria, como la de Anatole France, a quien toda su generación rindió pleitesía; practicó el "perdono porque comprendo" característico del autor de *Historia cómica* y *La rebelión de los ángeles*. ¿De dónde arranca esa actitud? Posiblemente, aparte el trato con Anatole France, provenía de una fuerte educación cristiana, más amante del alma que del cuerpo, y, por consiguiente, propicia a los sondeos psicológicos.

Nada más ajeno a la verdadera índole de Nervo que esa cotidiana imagen de un poeta triste, aterido de eternidad, balanceándose entre Jesucristo y Buda, a través del callejón sin salida de un amor embotellado por la muerte. Habría que buscar mejor: en la conducta del grupo de la *Revista moderna*, en el psicologismo de Gutiérrez Nájera, su precursor; en la aparición del neoidealismo bergsoniano, como respuesta al positivismo de don Gabino Barreda y la dictadura porfiriana, que sojuzgaron mental y físicamente al México anterior a 1910, es decir, al México de la juventud de Nervo. La prueba está en la forma como Nervo irrumpe en el campo literario. No es como poeta, sino como narrador y novelista y, en tanto que narrador y novelista, resalta el buceador de estados psíquicos, de dramas interiores, de perplejidades y obturaciones vitales, según se advierte en *El bachiller, Pascual Aguilera* y *El donador de almas,* no en vano sus primeras obras, escritas entre 1892 y 1898, y publicadas entre 1898 y 1899, o sea, escritas entre los 22 y los 28 años, y publicadas entre los 28 y los 29. Es ahí, y en *Místicas* y *Perlas negras,* donde se deben buscar los cimientos éticos y estéticos de Nervo, su alfabeto literario y moral, su verdadera personalidad.

Lo que viene después de *El éxodo y las flores del camino,* se desarrolla en el espacio de 1902 a 1912, que es cuando la muerte de Anita le inclina, como normalmente ocurre, al Más Allá, consecuencia de un trauma psíquico, más que de vocación literaria o de una dedicación religiosa deliberada. Las páginas de 1912 a 1919 tienen un espontáneo carácter testamentario; son como apuntes de una sinfonía inconclusa, anotaciones para una Misa de Requiem.

La trama de las tres novelas iniciales, casi nunca consideradas en la obra de Nervo, revela mucho más que las novelas de Gómez Carrillo y las de Arévalo Martínez, dos ejemplares importantes de las letras americanas de aquel tiempo.

El conflicto de cada una de esas novelas es, en un cierto sentido, semejante; consuenan en su ámbito de neurosis. En *El bachiller,* el joven seminarista Felipe, a pique de ordenarse sacerdote, recibe el embate apasionado de Asunción, y, a riesgo de sucumbir, opta por utilizar una cuchilla y mutilarse como Orígenes. En *El donador de almas,* Alda o Lumen, el alma donada, se aposenta en el cuerpo del médico Rafael, y pasa después al de doña Corpus, matándola "por congestión de almas", con lo que se desplaza toda la acción a un campo semiastral, preludio de posteriores predilecciones de Nervo. En *Pascual Aguilera* nos hallamos de nuevo frente a un problema psicopatológico, de solución trágica.

Los numerosos cuentos que Nervo escribe entonces y después, se hallan en su mayoría saturados de inquietudes teosóficas. Dos de ellos, "Relligio" y "Las llaves de plata", subrayan la preocupación espiritual, de marcado declive religioso, que caracteriza a Nervo desde su juventud. El alquitaramiento del amor que practica, a través de su convivencia con Anita, "La amada inmóvil", será, pues, corolario de una aptitud especial para quintaesenciar pasiones, adelgazándolas hasta convertirlas en sutilísimos conceptos y milagrosas hazañas. Es entonces cuando empieza a aflorar, paralelamente al cronista, el poeta, cuya fama ha superado, con justicia, a la del prosista, pero cuya inevitable simplicidad, propia de un místico, no ha podido resistir, sino muy difícilmente, la comparación con los rutilantes versos de Herrera y Reissig, los tersos y solemnes de Valencia, los humanísimos y musicales de Darío, los filosóficos de González Martínez, los lapidarios y empenachados de Lugones y la incontenible opulencia de Chocano.

Concluyamos: dada la tendencia introvertida y religiosa de Nervo, y considerando la tendencia psicologista de sus prosas, el rumbo y temple de su poesía estaban definidamente previstos.

¿Cuáles son ese rumbo y ese temple?

Si uno trata de saltar por sobre los lugares comunes o tópicos acumulados al respecto, podría acaso orientarse hacia una nueva y más justa interpretación de Amado Nervo.

Convendría por otra parte, tener en cuenta sus opiniones literarias. En un artículo titulado "Alma, calma y palma" (28 de diciembre de 1895)[6] Nervo, en sus 25 años, censura con buen humor los tranquillos de la rima, e invoca a los poetas, diciéndoles:

> ¡Oh poetas, vanos, revolucionad!, sólo una revolución puede derrocarlo todo. ¡Destruid esa Bastilla en que el alma está presa y cuyas piedras angulares son calma, palma, Talma y ensalma! ¡Destruidla, y cuando deis libertad a la prisionera, dadle otro nombre!

---

[6] Nervo, *Obras completas*, ed. Aguilar, I, pág. 523.

En "Nuestra literatura", otro artículo, fechado el 15 de junio de 1896 [7], Nervo afirma:

> En general en México se escribe para los que escriben. El literato cuenta con un cenáculo de escogidos que lo leen, y acaba por hacer de ellos su único público. El *gros public* como dicen los franceses ni lo paga ni lo entiende por sencillo que sea lo que escribe.

Ahí mismo defiende Nervo la orfebrería para el verso y el análisis en la novela por ser "este siglo" uno que "todo lo analiza", que ha suprimido el sentimentalismo y gusta del *problema*. Tenemos ya el cuadro en que se desenvuelve al comienzo la poesía versificada de Amado Nervo. Falta, empero, una anotación más. En el prólogo de su libro *Juana de Asbaje* (1910), o sea, la vida de Sor Juana Inés de la Cruz, estampa el poeta las siguientes definitorias palabras:

> En Dios y en mi ánima confieso que el libro *mío*, el libro de mis amores, el que por todos conceptos hubiese querido escribir, es uno sobre Sor Juana, erudito, ameno, hondo y amable [8].

Nadie se expresa así cuando no se trata de identidades o de analogías que se confundan con la identidad. Nervo y Sor Juana Inés estaban unidos por involuntarios y extemporáneos vínculos sutiles, de todo lo cual tenemos ya evidentes indicios. Por esta razón, a diferencia de sus coetáneos, Nervo rechaza la influencia de Walt Whitman y, en cambio, acepta la de Edgar Allan Poe. Exprésalo sin lugar a dudas, en lenguaje acerado y conciso:

> Whitman: enumeraciones. / Glosolalia infantil; / Megalomanía. / Ojos de niño sorprendidos. / (Circulación superficial de la sangre, hija de la parálisis latente,

---

[7] Nervo, *Obras completas*, ed. Aguilar, I, pág. 595.
[8] Nervo, *Obras completas*, ed. Aguilar, II, 432.

y que da el contentamiento de sí mismo.) / ¡Vete, viejo vanidoso, pavo de Manhattan! / Prefiero el misterio enorme y sutil que se estremece en las páginas de Poe /[9].

Es este "misterio enorme y sutil", lo que tipifica del espíritu y la poesía de Nervo.

Clasificarlo (por inercia ante el tema aparente), como solo "poeta del amor", conforme a la definición nerviana del amor ("la unión de dos egoísmos"), es presentado en último análisis, como místico. Esta palabra tiene su clave.

En el libro titulado *Místicas,* aparecen dos de los poemas antológicos o, al menos, significativos de Nervo: "A Kempis" y "Padre nuestro" (a Luis de Baviera), y también se encuentran allí curiosidades, como el poema "A su Majestad Católica Paul Verlaine" y una Berceuse en francés. El poema a Verlaine luce una modalidad novedosa: estar escrito en verso de 15 sílabas, pero combinando 6 + 9, lo que es absolutamente inesperado:

Padre y viejo triste — rey de las divinas canciones:
son en mi camino — focos de una luz enigmática
tus pupilas mustias — vagas de pensar y abstracciones
y el límpido y noble — marfil de tu testa socrática...

El empleo del decasílabo en "A Kempis" y "Padre nuestro" imparte gran musicalidad a los versos, aunque sean de diverso ritmo: el uno, dividido en nítidos hemistiquios de 5 + 5; el otro formado por tres trimetros de 3 + 3 + 4, ó 4 + 3 + 3, acentuando los trisílabos en forma tal que en realidad, por ser agudos, podrían considerarse de 4 + 4 + 4.

Aquí fue — donde el Rey — Luis Segundo
de Baviera — sintiendo el — profundo
malestar — de invencibles — anhelos
puso fin — a su reino en — el mundo

[9] Nervo, *Obras completas,* ed. Aguilar, II, pág. 949.

Ha surgido ya el orfebre, pero al mismo tiempo, a diferencia de Darío y los demás, un obsesionado por las ideas de arrepentimiento, suicidio y muerte. Estas tres compañeras le serían tan fieles a lo largo de toda su existencia, como el concepto y la realidad del amor. Amor que, desde luego, dada la idiosincrasia del poeta, no desdeña, sino al contrario, el sentimiento de filial adhesión a Cristo, como se advierte en los sonetos *En el camino,* el primero de los cuales comienza con un cuarteto que Nervo podría repetir mucho más tarde, ya en la cima de su fama y de su pena: *No temas, Cristo, Rey, si descarriado, / tras locos ideales he partido, / ni en mis días de lágrimas te olvido, / ni en mis horas de dicha te he olvidado...*

Seguirá así avanzando por su ruta poética, usando imágenes y palabras preñadas de intención religiosa, de misticismo erótico y confesional. Será un séquito encadenado de vocablos como: *virgen, ataúd, cera, palidez, agonía, viento, espina, discreto, suave, dulce, suspiro, perfume, luna, reyes, azul, rojo, negro, flores, camino, cielo, amor, melancolía.* Hay una época, la que llega hasta *El éxodo,* en que parafrasea temas legendarios, análogos a los de Leconte y Heredia, a quien consagra un soneto lapidario. Es cuando escribe *De aquellos tiempos, La raza muerta, El viejo sátiro, La flauta de Pan.* Mas, en ese mismo tiempo, bordeando el 1906, descubre la humildad, a través de San Francisco, y compone el largo y fecundo poema *La hermana agua,* que es donde, a mi juicio, enhebra Nervo su propia personalidad, fijando sus hitos para siempre. Tendrá aún veleidades de amante y vagabundo, las tendrá, pero se le debe creer muy poco cuando se jacta de ello. En verdad, salvo en lo superficial, en lo muy superficial, nada riñe más con el tono permanente de la poesía de Nervo, que el poema inicial de *El éxodo:*

Amo unos ojos mientras que su matiz ignoro,
amo una boca mientras no escucho sus acentos:
jamás pregunto el nombre de la mujer que adoro,
del César por quien lucho, del Dios a quien adoro,
del puerto adonde bogo, ni el rumbo de los vientos.

(Primera página)

Fue al revés. Pero, ¿es que no existe una ley según la cual los poetas suelen compensar sus *déficits*, sentimentales con *superavits* verbales? ¿No ha dicho perspicazmente Oscar Wilde que los escritores se dividen en dos: los que escriben aquello que no han podido vivir, y los que viven aquello que no han podido escribir? Con más propiedad pudiera citarse para calar la poesía de Nervo, aquel poema, que revive la afición al decasílabo, patente ya en *A Kempis* y *Padre nuestro*: Me refiero a *Alma de Italia*, donde dice:

Para librarme de lo imprevisto,
cuando mi estancia se queda sola,
guardo en mis ropas un Santo Cristo,
un Santo Cristo y una pistola.

La dualidad de Nervo se sintetiza allí y en la antológica composición *Esperanza*; una de las más bellas estampas de París, visto a través del amor y la nostalgia.

Amado Nervo, dueño de su instrumento musical, al que no recarga con difíciles hallazgos lexicales ni lo embriaga de inútiles melodías, despliega destreza de maestro a cada paso, como en *La canción de Flor de Mayo* (de *Jardines Interiores*), bella combinación estrófica de octosílabos, dodecasílabos y decasílabos agudos, unidos no sólo por el sentido y la rima, sino también por previstas rimas interiores, que contribuyen a reforzar la melodía del conjunto.

No, nadie puede negar que Amado Nervo estaba realmente entonces poseído de secreto gozo; que le sostenía una suave deidad, tangible sólo en los ecos de su paso, en el aroma de su presencia: Ana María Daillez. El poeta se descoyunta en cabriolas retóricas, como las de *El metro de doce*, en que hace desfilar un cortejo de versos de doce marcialmente divididos por una precisa cesura al final de la sexta sílaba ("El metro de doce —son cuatro donceles, / donceles latinos— de rítmica tropa...") Al feliz enamorado se le llenan los labios de mieles, y de mieles son también los madrigales: "Tan rubia es la niña, que / cuando hay sol, no se la ve". Toda la colección de versos *A Damiana* posee un matinal encanto. No cabe duda; el poeta está en pleno epitalamio, aunque sólo fuere con la Musa.

Al publicar *En voz baja* (1909), Nervo se decidió a quemar su pueril alegría y a enfrentarse al arcano. De pronto, su musa envejece o madura. Las nostalgias, los presentimientos, las contemplaciones, todo él se impregna de una suave tristeza vital; de ella derivan muchas otras tristezas vitales o literarias, como la de Ramón López Velarde, en México; la de Enrique Banchs, en Argentina; la de Alberto Ureta, en Perú. Por lo mismo, Nervo abandona un tanto su simplicidad y usa ya vocablos más escogidos. El proceso de acendramiento va de adentro afuera y regresa de afuera adentro, reconfirmándose en una especie de flujo y reflujo poético. Al rememorar la niñez, se le cuaja la mente de olvidadas estampas de hadas, castillos medievales, doncellas en espera, caballeros cruzados, todo el atuendo del romanticismo, pero sin desgarramientos, sin aullidos, sin grandilocuencia y, no lo olvidemos, sin el rebuscado e inútil objetivismo de los parnasianos. El poeta ha entrado en el acervo medieval predilecto de los simbolistas, pero sin usar palabras ni figuras cabalísticas. De Verlaine ha aprendido, y conserva al cabo de doce años de ejercicio literario, la devoción por "le Moyen Âge énorme et delicat", parejo a la sutileza y embrujo (¿por qué no también "enermoe"?) de Edgar Poe.

Serenidad, el libro de la plena madurez, guarda aún la alegría juguetona del niño, del evocador infantil, pero se deja penetrar por una vehemente ansia de confundirse con Dios y superar el futuro alcanzando la perennidad. Una composición de ese libro delinea el cambio del poeta: se titula *La montaña.*

Desde que no persigo las dichas pasajeras
muriendo van en mi alma temores y ansiedad:
la vida se me muestra con amplias y severas
perspectivas, y siento que estoy en las laderas
de la montaña augusta de la Serenidad.

Tal actitud será definitiva, desde ese momento, desde *Serenidad,* hasta el último día. Empero, Nervo no renuncia a sus hábitos de cortesanía. Aunque ya se advierte su frecuentamiento de las filosofías búdica y brahamánica, no podrá evitar, ni lo pretenderá, su inclinación a la poesía galante, a las rimas fáciles, a la musicalidad modernista: restos de una fe trivial a la que ofrendó su juventud. Lo caracteriza la composición titulada *Fidelidad:*

¡De todo y todos lo que yo he amado
sólo las rimas no me han dejado!
Conmigo moran bajo la tienda
o vuelan ágiles a mi lado,
mientras claudico ya fatigado
por agria senda.
Doliente, triste..., mas, resignado
a que ninguno mi mal comprenda,
en el Misterio me he refugiado.
frente al castillo de la Leyenda,
En la comarca de lo soñado,
vivo ignorado.
¡Pero, las rimas no me han dejado:
conmigo moran bajo la tienda!

Son los últimos tributos al rimador cascabelero, al improvisador fácil, al melodioso de 1900-1909. En adelante, salvo irremediables retornos a la antigua manera, irá limpiando su verso de excrecencias, y excrecencia será la melodía excesiva. Una manifestación de esa nueva actitud la tendremos en *Consonante...*, donde dice:

Consonante, redoble pueril, murga liviana
que hace a todos los simples salir a la ventana;
obstáculo invencible del prócer pensamiento;
artificio feudal de juglaría; viento
que impide oir los ritmos llenos de aristocracia
(para el amor platónico, fórmula de eficacia

segura); cascabel de saltimbanqui; treta
que de tantos ingenios es la sola receta;
canutillo sonoro, lentejuela esplendente;
imposible dejarte. / Soy tu forzado, siente
mi pie tu plomo esférico, tu pesada cadena.

Torna entonces al poeta el ansia de soledad (*El convento, Hospitalidad, De todo mi pasado*). Nervo se halla equipado para encararse con la gran tragedia. Ocurrirá poco después: de ella nos da cuenta puntual uno de los introítos de *La amada inmóvil*, libro, como se sabe, póstumo. Dice así: *En memoria de Ana: Encontrada en el camino de la vida el* 31 *de agosto de* 1901. *Perdida ¿para siempre? el* 7 *de enero de* 1912. Es a partir de la última fecha cuando Nervo se hace poroso y terso, como joven piel humana. Si se tratara de un cambio y su penetración, habría que eliminar todo lo antes dicho, o, acaso, más cuerdo y acertado, sería ceñirse estrictamente a la mera enunciación o hilván de aquella catástrofe convertida en callada lágrima, en verso apenas musitado: entrecortado y entredicho.

¡Dios mío: yo te ofrezco mi dolor:
es todo lo que puedo yo ofrecerte!
¡Tú me diste un amor, un solo amor,
un gran amor! Me lo robó la muerte
... y no me queda más que mi dolor.
¡Acéptalo, Señor,
es todo lo que puedo yo ofrecerte!

Así se abre *La amada inmóvil*. Bajo una lluvia de citas y lemas de Saadi, Verlaine, Hebbel, Malherbe, Ronsard, Lamartine, Hugo, Kempis, Young Eckardt, Maeterlinck, Lacordaire, Meleagro, Virgilio, Tennyson, Villaespesa, *El Eclesiastés, los Salmos*, etc., se desliza desgarradoramente, punteada de lágrimas auténticas, la dulce y suave remembranza de aquel gran amor: "un solo amor", el que le robó la muerte. Alternan, por eso, en el contexto, como en todo idilio, las notas pueriles y las trágicas, las melodías y las arideces, la concisión y el derrame. Aunque bastardeada por las continuas trascripciones, a causa de su ritmo dodecasílabo, una de las predilecciones de Nervo y del auditorio común, significa mucho aquel madrigal luctuoso *Gratia plena,* escrito a los dos meses del drama, en marzo de 1912.

¡Todo en ella encantaba, todo en ella atraía;
su mirada, su gesto, su sonrisa, su andar!...
El ingenio de Francia de su boca fluía.
¡Era llena de gracia como el Avemaría:
quien la vio no la pudo ya jamás olvidar!

....

¡Cuánto, cuánto la quise! Por diez años fue mía;
pero flores tan bellas nunca pueden durar.
¡Era llena de gracia como el Avemaría,
y a la fuente de gracia de donde procedía
se volvió... como gota que se vuelve a la mar!

Acaso no se haya reparado lo suficiente en los dos últimos versos de la composición donde se atesora una profunda filosofía, y se advierte la implícita duda entre el creyente católico y el panteísta indostánico. *La fuente de gracia de donde procedía,* ¿es acaso Dios, la Naturaleza o el Todo? A ella se volvió Anita *como gota que se vuelve a la mar.* Este será el pensamiento que cubra a Nervo desde ese instante hasta su final. Prueba de lo dicho: al mes siguiente, en abril, escribe *Cuando Dios lo quiera:*

¿Cuándo en mi camino te hallaré de nuevo?
—¡Cuando Dios lo quiera, cuando Dios lo quiera...!

En mayo, la angustia será en otro idioma, pero siempre musical:

Hélas! je ne suis plus un poète, un artiste:
je ne suis plus qu'un coeur profondément meurtri;
je ne suis qu'un esprit las et farouche et triste
qui veut saisir un rêve d'amour évanoui.

En noviembre, compondrá dos cuartetos que, a mi gusto, serían los de un Bécquer herido de veras por el dolor:

O no hay alma, y mi puerta ya no existe
(conforme al duro y cruel "polvo serás")
... o no puede venir y está muy triste:
¡pero olvidarse de mi amor, jamás!

En diciembre filosofará, al encontrar algunos frascos de perfume de Anita:

¡Hasta sus perfumes duran más que ella!
Ved aquí los frascos que apenas usó.

En abril del año siguiente, 1913, no habrá mitigado la angustia teresiana que le acongoja:

Como verte es el único ideal que persigo,
sin vivir en mí estoy,
y muriendo del ansia de reunirme contigo,
cada día me digo:
¡"si pudiera ser hoy"!

Los poemas de *Elevación* y *El estanque de los lotos* no harán sino ahondar, extender y parafrasear la pena del poeta, su ansia de morir, su desnudez ante el Misterio. El desdén por la vida y sus prestigios, la cercanía de la muerte, el disfrute de la meditación van cavando más y más su surco en el alma de Nervo; en contraste, precisamente, para arrancarle de aquella muda pero pertinaz desesperación, sus amigos y hasta su Gobierno se afanan en distraerle, enaltecerle y alejarle: tal el origen de su forzado desarraigamiento de Europa, hacia América del Sur, como Ministro Plenipotenciario en tres repúblicas, una de las cuales, Uruguay, tiene el honor de recibir su definitiva y última confidencia, la de la muerte el año de 1919. En camino a la estación final, Nervo se debate contra los abalorios de su existencia exterior:

Renombre, renombre, ¿qué quieres de mí?
¡Déjame en la sombra, tu vuelo detén,
calla de tus trompas el son baladí...!
¡Si hicieses ruido, se iría de aquí!
¡Dios, único bien!

Es en esta etapa decisoria cuando compone aquella que pudiera ser considerada su expresión más alta, serena y cabal: el poema *En paz,* fechado el 10 de marzo de 1913, esto es, ya apaciguado el luto, pero en carne abierta la inmarcesible e irrestañable herida:

Muy cerca de mi ocaso, yo te bendigo, Vida,
porque nunca me diste ni esperanza fallida
ni trabajos injustos, ni pena inmerecida;

Porque veo, al final, de mi rudo camino,
que yo fui el arquitecto de mi propio destino;

que si extraje las mieles o la hiel de las cosas,
fue porque en ellas hubo miel o mieles sabrosas:
cuando planté rosales, coseché siempre rosas.

... Cierto, a mis lozanías, va a seguir el invierno:
—mas tú no me dijiste que Mayo fuese eterno.

Hallé sin duda largas las noches de mis penas;
mas no me prometiste tú sólo noches buenas,
y en cambio tuve algunas santamente serenas.

Amé, fui amado, el sol acarició mi faz.
Vida, nada me debes, ¡Vida: estamos en paz!

Todo este proceso hacia el misticismo se explica acaso mejor con una carta íntima de Nervo a su amigo Luis Quintanilla, a raíz de la muerte de Anita; está fechada en Madrid, el 30 de enero de 1912: Dice en algunos de sus párrafos:

Mucho te agradezco tus buenas palabras para con Hay. Cuando Anita vivía, me preocupaba yo de mi posible situación. Hoy, te confieso que tengo el alma puesta en otra parte, y que si la suerte quiere asumir una forma simpática, debe desligarme de lo que San Pablo llamaba las ligaduras de la carne.

Bien sé que me he de consolar, porque la vida es tan mezquina que ni sufrir podemos largo tiempo; pero, por eso mismo, desearía morir ahora en la plena dignidad de mi dolor, y no mañana, cuando las trivialidades de la vida me lo hayan empalidecido. Además ya voy por los cuarenta y dos años, he hecho mi pequeña obra y quizá tenga derecho a dormir.

Por ahora estoy lejos de eso. Sólo, en la Legación, mientras llega el nuevo Ministro (probablemente Justo Sierra), tengo que desplegar durante el día una actividad continua. Mis noches son, en cambio de una desolación...

Es fuerza, querido hermano, que haya un alma, te lo aseguro, y que, como dice Marco Aurelio, llevemos dentro un dios escondido [10].

Todo ocurrió como Nervo temía. Se justificó en él un triolet de Gonzales Prada, aquel que empieza:

Los bienes y las glorias de la vida,
o nunca vienen, o nos llegan tarde...

Hasta la gloria literaria le va a llegar tarde, de regreso, pues a partir de 1919, *a causa* de la sentimentalidad a ratos estridente de que se forjó la poesía de Nervo, la fama empezó a abandonarle a poco de su fallecimiento, en una de esas resacas que justifican las revaluaciones ulteriores. Esta revaluación llega y ha de separar la espiga del grano, la envoltura demasiado mu-

---

10 Nervo, *Obras completas*, Aguilar, II, pág. 1157.

ical del fondo reconcentrado y místico. Ha de establecer los inderos entre el esteta y el asceta, para devolver a la literatura a alta imagen de un lírico, demasiado prolífico y espontáneo acaso, a quien una lima oportuna y una poda eficaz habrían convertido en la voz más honda y cristalina, tan cristalina y honda y tan apegada a la travesura rítmica también) como la de *Juana de Asbaje,* es decir, Sor Juana Inés de la Cruz, o como la de Santa Teresa, insigne juguetona de la rima tal vez para desleir a hispidez mortal de sus preocupaciones, como Amado Nervo, su tenaz discípulo de Ultratiempo, Ultramundo y Ultramar.

Ester Wellman caracteriza la obra del poeta como una vacilación dramática entre el escepticismo y el misticismo, entre el romanticismo, el simbolismo, el parnasianismo y el modernismo.

En realidad sobran las clasificaciones. Nervo fue un poeta íntimo, religioso y musical. Su pecado, la facilidad. Su don permanente, la vida.

XIV

ENRIQUE GONZÁLEZ MARTÍNEZ

(Guadalajara, abril 1871 — México D. F. 19, febrero, 1952)

Tuércele el cuello al cisne de engañoso plumaje
que da su nota blanca al azul de la fuente;
él pasea su gracia, no más, pero no siente
el alma de las cosas ni la voz del paisaje...

....

Mira al sapiente buho cómo tiende las alas
desde el Olimpo, deja el regazo de Palas
y posa en aquel árbol el vuelo taciturno.

Él no tiene la gracia del cisne, mas su inquieta
pupila, que se clava en la sombra, interpreta
el misterioso libro del silencio nocturno.

Desde 1911, en que el soneto "Tuércele el cuello al cisne" empezó a hacerse conocido a través de las páginas de *Los senderos ocultos,* se consideró a González Martínez como el replicante de Rubén, nacidos ambos, empero, bajo el mismo signo cronológico y estético. Años después, muchos años después, el poeta mexicano corroboraría el epíteto con que se le distinguiera desde entonces: intituló el primer tomo de sus memorias

El hombre del buho [1]. Definitivamente, González Martínez se consideraba "buho" frente al "cisne" de Darío. Leyendo su obra, no obstante, parecería más apropiado referirse a él como jilguero. Su estrofa breve e intensa huyó de la disciplina del ruiseñor y de la vistosidad dramática del último canto del cisne. Condensado y patético, no pudo libertarse de la música implícita en todo poeta, mucho más, si modernista. Y González Martínez fue un modernista cabal, de lo que dan fe indudable sus postreros poemas, hechos a mucha musicalidad —como lo habría deseado Verlaine— y a denso y tenso temple.

En el destino literario de este gran poeta, ejerció honda influencia su vocación profesional. Graduado de médico en 1893, desempeñó su oficio en provincias hasta 1908. Para entonces acepta un cargo político: era secretario general del gobierno de Mazatlán cuando estalló la Revolución. Con ella varió su suerte, como la de todos los mexicanos. Se radicó en la ciudad Capital a partir de 1911. Años después, era presidente del Ateneo de la juventud, donde actuaron, de un modo u otro, el dominicano Pedro Henríquez Ureña y los mexicanos Antonio Caso, Alfonso Reyes, Jesús Urueta, Manuel Toussaint, Jesús Acevedo, José Vasconcelos, la flor y nata del espíritu del Anáhuac. El "poeta del buho" no elude las cargas y cargos públicos. El año de 1913, cuando estalla la insurrección de Huerta, era subsecretario de Educación Pública. Este capítulo de su vida le acarreará severas

---

[1] La autobiografía de González Martínez está contenida en dos volúmenes: *El hombre del buho* (1944) y *La apacible locura* (1951), ambos, México, *Cuadernos americanos*. Su obra poética comprende: *Preludios*, Maztlán, 1903; *Lirismos*, Mocorito, 1907; *Silenter*, Mocorito, 1909; *La muerte del cisne*, México, 1915; *Jardines de Francia* (traducciones), México, 1915; *El libro de la fuerza, de la bondad y del ensueño*, 1917; *Parábolas y otros poemas*, 1918; *La palabra del viento*, México, 1921; *El romero alucinado*, Buenos Aires, 1923; *Las señales furtivas*, Madrid, 1925; *Poemas truncos*, 1935; *Ausencia y canto*, 1937; *El diluvio de fuego*, 1938; *Poemas*, 1940; *Bajo el signo mortal*, 1942; *Poesías completas*, México, 1944, en el que se incluye, *Tres rosas en el ánfora*, *Segundo despertar*, 1945; *Vilano al viento*, 1948; *Babel*, México, 1949; *El nuevo Narciso*, México, Fondo de cultura, 1952.

críticas. Su promoción le debió impeler al lado de Francisco Madero. Deberá recluirse en su obra poética para salvar aquel abismo. Ocurrió así felizmente para él y para la literatura. Actuó después en el periodismo, en la Universidad, en los centros literarios. Será diplomático en Chile y Argentina (1919); lo será en España, cuando se inaugura la República (1931). No dejó de ser miembro de un Banco, el de Crédito agrícola: peregrina mezcla de antagónicas inquietudes: medicina, poesía, política, diplomacía, periodismo, banca, Universidad. La gente de América era así en ese tiempo ¡y hasta ahora!

En medio de tanta victoria tangible, surgen dos derrotas profundas. Su hijo, el poeta Enrique González Rojo, muerto en flor de su talento y de su juventud, y su esposa, compañera de toda la vida. El dolor se hizo música en González Martínez. Entonces pareció menos buho, más ruiseñor. Contra lo imaginable, en la medida en que le agobiaban las penas, adquiría mayor soltura, se embriagaba más de cantos.

Así le oiremos decir, en 1950:

Al tic-tac del reloj cavo mi muerte;
Gota por gota riego mi esperanza;
a golpes de azadón el foso avanza;
el débil tallo en árbol se convierte;
y sigo sin violencia ni mudanza
mi doble empresa de esperanza y muerte.

Del árbol que planté, quizá no obtenga
la dádiva floral; mas será alfombra
mullida, cuando el brazo se detenga,
y apagará los pasos del que venga
a turbar la esperanza de mi sombra.

(Doble tarea, en "El último Narciso")

Se ha apoderado, se ha reapoderado del poeta la melodía juvenil. Al morir Luisa, su mujer, él escribe *Poemas truncos*; cuando fallece su hijo, en 1939, dirá (El hijo muerto).

Brújula de dolor para buscarte,
se queda mi lamento suspendido
en el misterio trágico del mundo...
¡Oh qué callar profundo!
¿Contra quién me rebelo? ¿O a quién pido?

Es verdad: falta aquí la decoración centelleante de Rubén, mas no el sentido de ritmo y rima. Como Darío, desmonta (al principio, no al final de su carrera) el verso, tratando de hacerlo prosa, prosa voluntaria, prosa deliberada, dos veces poesía. Se esfuerza por adoptar un tono frívolo y utilizar términos de comparación contemporáneos. Lo consigue sólo a medias, por gracia de maestro, más que por inspiración de poeta. En pleno auge del *jazz*, ensayará un verso alegre y deportivo:

Corazón, ¿qué te apuestas que el mundo
y tú nunca se van a entender?
Tu tic-tac *le suena lo mismo*
que el tic-tac *de un reloj de pared...*

Él quiere jazz band *con serrucho,*
y tango, y shimmy, *y* one step...
¡Y tú, cantando a la sordina!
¡Qué le vamos a hacer!

Corazón, ¿qué te apuestas que el mundo
y tú nunca se van a entender?
¿Qué vamos a que un día te mueras
y nadie va a saber por qué?

(Apuesta)

González Martínez, apegado como toda su generación a las letras francesas y expertísimo traductor de éstas, absorbe plenamente los zumos de simbolistas y neosimbolistas, sin mengua de su respeto a los parnasianos a quienes, sin embargo, siguió muy poco. Es evidente que las mayores influencias sobre él deben encontrarse en Samain, Verlaine, Baudelaire, Moréas, y ¡qué duda cabe! Juan Ramón Jiménez y Antonio Machado. Pero, no olvidemos, por otra parte, su fidelidad a Gutiérrez Nájera, a Rubén y... al periodismo. Éste último enerva en no pocas oportunidades la pureza de su expresión. En cambio le baña de renovadas y humanísimas emociones. Pero mejor escuchémosle a poeta. Es el propio González Martínez, quien encarándose a incógnitos críticos, asevera:

> Jamás he sabido explicarme el desdén cercano a la aversión con que algunos escritores juzgan al periodismo... creo que para la mayoría de los escritores, el trabajo periodístico es favorable a su obra sustancial...
>
> (*La apacible locura*, pág. 41).

También aclara González Martínez su célebre soneto *Tuércele el cuello al cisne*.

> En realidad, el poema no era, como definido propósito, ni una ni otra cosa, sino la expresión reactiva contra ciertos tópicos modernistas arrancados al opulento bagaje lírico de Rubén Darío, el Darío de *Prosas Profanas* y no el de *Cantos de vida y esperanza*. Dejando a un lado lo esencial en la poesía del gran nicaragüense, se prolongaba en sus imitadores lo que podríamos llamar exterioridad y procedimiento.

Clarísima expresión.

De toda suerte, queriéndolo o no, lejos de atenuar el sentido polémico de aquel soneto, González Martínez lo subraya al explicarlo. Médico de profesión y formación, odiaría, como Mariano Azuela, otro médico, las vagas enseñanzas de donde arranca un rechazo a la suntuosidad rubendaríaca. El buho de González Martínez es de sabiduría, no de taciturnidad. No obstante, a menudo le oprime la ineludible tentación rimadora de su tiempo:

¡Corazón viejo lebrel,
siempre noble y siempre fiel,

que impertérrito seguías
mis audaces correrías
al tropel
de las noches y los días!

No se puede negar: el modernismo marcó a fuego aun a los que lo negaban. En las *Estancias,* producto ya de los últimos años, regresa el poeta a la estrofa clásica, la octava, y se adelanta al sentimiento colectivo, pero ¿hay acaso en esto algo de buho? ¿ha retorcido el cuello a la elocuencia? Lo último parece que sí:

Tropel de sombras, mas el ojo lleva
en su retina la visión del viaje.
Alcé mi voz al rastro que se eleva;
cantando espero que la noche baje.
del coro soy; ni resonancia nueva
ni raro timbre de inicial mensaje;
me seduce la eterna melodía
que, por ser la de todos, es la mía.

Al final de su existencia, Enrique González Martínez ensaya una especie de canto multitudinario, sin perder su sordina. Le ganan tentaciones ecuménicas, la política teórica. Sin el panteísmo congénito de Nervo, ensaya una suerte de humanitarismo lírico. Acierta en el tono. Acierta, sobre todo, por la mansedumbre célica de que inviste sus protestas y sus plantos. Hay una resignación estremecida en esa obra que va creciendo de adentro afuera, naturalmente, como un proceso vegetal. Al fin, llega el florecimiento. Eclosiona la poesía de González Martínez en aromas y colores, en música.

¿Monocorde? Bastante. Pero, monocorde exquisito y acendrado. No olvidamos su figura y su acento de patriarca travieso algunas tardes y noches de 1944. Filosófico, seguro, sereno, "firme de paso y puro de conciencia", ebrio de su tácito concierto —transparente, sí—, continuaba emitiendo su mensaje Enrique

González Martínez, entre dos épocas, dispuesto a partir siempre, marinero del verso, a nuevos mares.

Enrique González Martínez vivió más de lo común —si hay comunidad en morencias, que no vivencias—, es decir, más de lo que solieron vivir los modernistas. Empleando cifras estadísticas, nació cuatro años después de Darío y murió treinta y seis después, lo que le otorga un saldo acreedor de treinta y dos años de existir más que el nicaragüense. Vio surgir, madurar y morir el modernismo. Vio surgir, madurar y morir el postmodernismo. Vio surgir, madurar y morir al ultraísmo. Vio surgir, madurar y durar al surrealismo. De todo ello extrae un léxico impecablemente exacto, y un adjetivo que, sin la sonoridad parnasiana, alcanza su plástica mensura.

Los temas que más le visitan son los del tiempo que pasa, el dolor que llega, la alegría que escapa, lo desgarrante, lo fugaz. Al principio, no. Al final, sí, desde luego. No busca metáforas bíblicas como muchos de los contemporáneos de "Los Contemporáneos", Gilberto Owen, sobre todo. Ni se regodea con mitologías. Le obsesiona el aspecto intemporal y patético de la vida. Le deslumbra la vida. Lo repetiremos, "médico al cabo". Los médicos, cuando se llaman André Bretón, Phillip Soupault, se refugian en lo subconsciente, porque su realismo tiene dimensiones menos tangibles. El de González Martínez, quiso tenerlas tangibles: realismo de primer agua, atenuado, gracias a Dios, por la obsesión imantada del más allá.

La poesía de los últimos quince años de González Martínez resalta por su apretada sencillez. Muerto su hijo, le sobraba la eternidad. Calificarla de filosófica sería hacerla víctima de una gruesa falsificación. Fue humana. Y si armoniosa, cárguese ello en la cuenta de Darío, empresario avasallador de composición y de música. Como él, González Martínez, buho o cisne, jilguero o ruiseñor, meditador o cantante, se encandiló de armonías, por sobre la inmensa carga de sus irrestañables dolores. Poesía de raíz y flor. Poesía.

XV

MARIANO AZUELA

(Lagos de Moreno, Jalisco, 1 enero 1873 — México D. F., 1 marzo 1952)

Cuando en 1927, la Editorial Biblos de Madrid, lanzó la tercera edición de *Los de abajo,* para muchos fue aquélla una revelación. Sin embargo, hacía ya una década que apareciera la famosa novela, y dos que se abriera una apasionada polémica en la prensa mexicana a propósito de su valor. El padre de la obra no pareció curarse mucho del estruendo en torno suyo. Con todo, precavido o no, desde entonces creció la fama del seco y denso novelista, a quien han llamado por razones que se verán después: "el novelista de la revolución mexicana".

Azuela nació en el pueblo de Lagos de Moreno, en el luminoso Estado de Jalisco, el primero de enero de 1873; día poco apropiado para quien se burlaría de la "nueva burguesía", cuya fecha epónima podría ser la del primero de año. Azuela, provinciano cabal, estudió en su pueblo nativo, y, más tarde, en la ciudad de Guadalajara, cuya Universidad recibió su promesa como médico, en 1908. Para entonces, el tenaz lector de los naturalistas franceses había ganado un pequeño concurso literario con la narración titulada *De mi tierra* (1903). Desde antes había empezado a colaborar en la prensa provinciana. Pero ya en 1896, un diario de la capital le publicaba sus *Impresiones de un estudiante* [1]. A juzgar por las apariencias, Azuela no se distinguía por su brío ni por su impaciencia. Aunque se pronunció contra la eternización del general Porfirio Díaz en el poder, no acude a la capital en busca de lauros, al triunfar Madero. Permanece en Lagos como jefe político. Las circunstancias lo obligan a incorporarse al ejército de Pancho Villa, por intermedio de un teniente de éste, Julián Medina. La derrota de Villa lo obliga a salir del país. Desde luego, se queda cerca, en Texas.

---

[1] Obras de Azuela: *María Luisa,* Lagos, 1907; *Los fracasados,* Guadalajara, 1908; *Mala yerba,* Guadalajara, 1909; *Andrés Pérez, maderista,* México, 1911; *Sin amor,* Guadalajara, 1912; *Los de abajo,* El Paso, Texas, 1915; *Los caciques,* México, 1917; *Las moscas. Domitilo quiere ser diputado,* México, 1918; *Las tribulaciones de una familia decente,* Tampico, 1918; *La Malhora,* México, 1923; *El desquite,* México, 1925; *La luciérnaga,* Madrid, Calpe, 1932; *Pedro Moren el Insurgente,* Santiago de Chile, Ercilla, 1935; *Precursores,* Santiago de Chile, Ercilla, 1935; *El camarada Pantoja,* México, 1937; *San Gabriel de Valdivias,* Santiago de Chile, Ercilla, 1938; *Regina Landa,* México, 1939; *Avanzada,* México, 1940; *Nueva burguesía,* Buenos Aires, Club del Libro, 1941; *La Marchanta,* México, Sem. Cultura mexicana; *El Jurado,* México, 1945; *La mujer domada,* México, 1946; *Sendas perdidas,* México, 1949; *La maldición,* México, Fondo de cultura, 1955.

Ensayo: *El padre don Agustín Rivera,* México, 1942; *Cien años de novela mexicana,* México, Botas, 1947.

Teatro: *Los de abajo, El buho en la noche, Del Llano,* México, Nos, 1932.

Sobre Azuela: *John Englekirk, The discovery of "Los de abajo",* Rev. Hispania, febrero 1935, págs. 53-62; Manuel Pedro González, *Bibliografía del novelista Mariano Azuela,* en Revista bimestre Cubana, La Habana, julio-agosto 1941; F. R. Morton, *Los novelistas de la revolución mexicana,* México, Ed. Cultura, 1949; M. Rudd, *Mariano Azuela,* Columbia University, Nueva York, 1938; A. Torres Ríoseco, *Novelistas contemporáneos de América,* Santiago de Chile, Nascimento, 1940; íd., *Grandes novelistas de la América Hispana,* Berkeley, Univ. of. California Press, 1941; Juan Uribe Echevarría, *La novela de la revolución mexicana,* Santiago de Chile, Universidad, 1935; L. A. Sánchez, *Proceso y contenido de la novela hispanoamericana,* Madrid, Gredos, 1953, passim; Ernest R. Moore, "The Novel of the Mexican Revolution", in *Mexican Life,* México, julio 1940 y septiembre 1940; José Luis Martínez, *Literatura mexicana, Siglo XX,* México, Robredo, 1949, tomo I.

Corre ya el año de 1915. Para entretener rencores y murrias escribe *Los de abajo*, cuya primera edición formal es de 1916. No tuvo eco, quizá ni lectores. La victoria de Venustiano Carranza y su reconciliación con Villa cambia el panorama. El doctor Azuela, jefe de familia, se instala en la Ciudad de México, el mismo año de la Constitución de Aguascalientes: 1917. No será su regreso el de un triunfador: trabajará en un humilde dispensario de barriada pobre. Ahí aprende más y más. Azuela se encuentra uncido al carro de la realidad de su país. No se librará de ello. Su obra sigue el paso de los sucesos externos. Así avanzan su vida y sus novelas. No saldrá de la Capital Federal, hasta su muerte, acaecida el primero de marzo de 1952. Desde años antes formaba parte del Colegio Nacional de México, especie de Panteón de Inmortales, todavía mortales. La fama acompañaba a Azuela desde 1927.

Esta fama se liga íntimamente a una de sus novelas, a *Los de abajo*. Aunque era autor de varias otras, entre ellas la *Mala yerba*, 1909, donde se vislumbra ya el tema de la revolución, no se le considera novelista sino después de la primera edición de *Los de abajo*, realizada en el periódico *El Paso del Norte*, entre los meses de octubre a diciembre de 1915. La segunda edición aparece en forma de libro al año siguiente; la subsiguiente vuelve a publicarse como folletón en *El Mundo*, de Tampico; posteriormente a raíz de una polémica entre Francisco Monterde y Julio Jiménez Rueda, trabada en las columnas de *El Universal*, de México D. F., y, por fin, en la citada edición madrileña de Biblos, con ilustraciones de Morata. Desde entonces se han seguido multiplicando las nuevas ediciones.

¿En qué consiste el atractivo de *Los de abajo*?

Ante todo, hoy, en su estilo; cuando apareció, en su tema.

La historia de la popularidad de esta novela es curiosa. El 20 de noviembre de 1924, apareció, en *El Universal Ilustrado*, de México, un artículo firmado por José Corral Rigau, afirmando que "los escritores de la revolución no son los que estuvieron en la revolución"[2] y llamó a Azuela "futuro gran novelista", pero ignorado. Julio Jiménez Rueda, aludió a esto, el 20 de diciembre, mencionando "el afeminamiento" de la literatura mexicana. A esto respondió Francisco Monterde afirmando que "existe una literatura mexicana viril" y señaló el nombre y la hasta entonces casi desconocida obra de Azuela, como ejemplo. En un comentario de Víctor Salado Álvarez, publicado en *Excelsior*, de México, 25 de enero de 1925, calificaba a *Los de abajo* de curiosidad bibliográfica. Fue entonces cuando Biblos de Madrid decidió lanzar la obra de nuevo, y ya al gran público, subtitulándola "novela de la revolución".

Esta reseña explica algunos aspectos de la conexión del autor con el público. El tema, en realidad, estaba para los mexicanos sobrepasado por los hechos; la crítica implícita sobrepujada por la necesidad de realizar. *Los de abajo* había sido escrita con extemporaneidad. No podía rimar la actitud humana con la del militante. Eso ocurre siempre, y es útil que así sea. Uno de los personajes, el protagonista Demetrio Macías, que entró en la revolución como venganza después de que le destrozaron su hogar, responde a otro personaje cuando le pregunta: "¿Por qué peleas, Demetrio?—. Mira esa piedra, como ya no se para..." Respuesta de una amargura fatalista insondable. No es menor la reacción de Luis Cervantes, estudiante universitario, que se enrola por idealismo, y que ve chafados sus ideales por una realidad inexorable. La Codorniz, otro personaje, actúa por connatural inclinación a la violencia. En ese ambiente amargo y duro, no tiene cabida el amor. Camila, enamorada de Demetrio, cae asesinada por la Pintada, una meretriz que ama también al caudillo. Según se lea *Los de abajo* uno extrae de ello lecciones de optimismo o de contención. El autor había estado al lado de Pancho Villa. Su experiencia y su filosofía deben seguir el ritmo doloroso y terrible del discutido cabecilla. Para reflejar eso que podríamos llamar vacilación trascendental en torno de la revolución mexicana, Azuela usa un estilo seco, latigueante, casi te-

[2] Cfr. Sánchez, *Proceso y contenido...*, págs. 517-518.

legráfico, apremiado por lo que debe reflejar. El paisaje desfila también con velocidad de cinta cinematográfica. Las impresiones son como pinceladas de impresionista, cortas, pero vigorosas, cargadas de color:

> Fue una verdadera mañana de nupcias. Había llovido la víspera toda la noche y el cielo amanecía entoldado en blancas nubes. Por las cimas de la sierra trotaban potrillos brutos, de crines alzadas y colas tensas, gallardos con la gallardía de los picachos, que levantan la cabeza hasta besar las nubes. Los soldados caminan por el abrupto peñascal contagiados de la alegría de la mañana. Nadie piensa en la artera bala, que puede estarlo esperando más adelante. La gran alegría de la partida estriba cabalmente en lo imprevisto. Y por eso los soldados cantan, ríen y charlan locamente. En su alma rebulle el alma de las viejas tribus nómadas. Nada importa saber a dónde van ni de dónde vienen; lo necesario es caminar, caminar siempre, no estacionarse jamás; ser dueños del valle, de las planicies, de la sierra y de todo lo que la vista abarca. Árboles, cactus, helechos, todo aparece acabado de lavar. Las rocas, que muestran su ocre como el orín las viejas armaduras, vierten gruesas gotas de agua transparente.

En este fragmento descriptivo se descubren, sin esfuerzo, varios elementos esenciales de la técnica narrativa de Mariano Azuela, a saber: su adjetivación precisa y parca; su sentido plástico de las cosas, más escultórico que pictórico, con predominio de la actitud y el relieve sobre el ritmo y el colorido ("crines alzadas", "colas tensas", "abrupto peñascal", "acabado de lavar", "gruesas gotas de agua"); su vocabulario sencillo, pero siempre propio, denotando riqueza de léxico, sin pretensión erudita. Si cotejáramos este estilo con el de otro narrador de su época, por ejemplo, con el de Enrique Larreta, hallaríamos aleccionantes coincidencias. Sin la opulencia verbal del argentino, ni su regusto por la sonoridad, Azuela destaca por su manera de sugestión directa, por sus provincialismos arcaicos, por su sobriedad, sin pobreza. Lo que en el uno es lujo, en el otro es dignidad; lo que en el uno es color y sonido, en el otro es relieve y apostura; lo que en el uno es descripción, en el otro es narración, aunque este último distingo no sea tan tajante como los otros. Corresponde, sin duda, la anotada diferencia a la biografía de los dos autores y a las circunstancias de ellas. Larreta fue, según se dirá en apropiado lugar, hombre de fortuna, acaudalado; Azuela, médico hecho por su propio esfuerzo; aquél vive en París y en rica mansión en Buenos Aires; éste en el campamento revolucionario y en las azarosas condiciones de un país en trance de renovarse desde la raíz. No participo del juicio de Torres Ríoseco sobre el contenido más o menos revolucionario de cada obra de Azuela. Me parece que en el criterio del crítico chileno ejercen excesiva presión perspectivas extralatinoamericanas adquiridas en una larga permanencia [3] en los Estados Unidos, lo que podría denominarse cierto "agringamiento" en la concepción de la vida. Cuando llama a Pancho Villa "Atila azteca" y destaca en Emiliano Zapata sus "iguales atrocidades", traza una especie de muro de contención entre el criterio para juzgar socialmente la obra literaria de Azuela que tienen los norteamericanos y el que tenemos los latinoamericanos, sobre todo cuando denomina a *Los de abajo*, "el poema épico en prosa de la revolución mexicana". En realidad, la de Azuela es una cavilación novelada acerca de los porqués y para qués de aquel movimiento social. Disfrazada de argumento novelesco, ahí está palpitante la incógnita de los mexicanos cultos de los años 1911 a 1920. Lo dice el estudiante Luis Cervantes:

> Yo pensé una florida pradera al remate de un camino... y me encontré un pantano. Amigo mío: hay hechos y hay hombres que no son sino pura hiel... Y esa hiel va cayendo gota a gota en el alma y todo lo

[3] F. Torres Ríoseco, *Novelistas contemporáneos*, pág. 15.

> amarga, todo lo envenena. Entusiasmo, esperanzas, ideales, alegrías... nada. Luego no le queda más; o se convierte usted en un bandido igual a ellos, o desaparece de la escena escondiéndose tras las murallas de un egoísmo impenetrable y feroz [4].

Esta expresión de desencanto no encierra ningún factor negativo, como se pudiera suponer a primera vista. Es la comprobación amarga de un fatigado, mas no el retrato de la realidad, ni tampoco el testimonio de todos los protagonistas. Agrega el mismo Luis Cervantes:

> Me preguntará por qué sigo entonces en la revolución. La revolución es el huracán, y el hombre que se entrega a ella no es ya el hombre; es la miserable hoja seca arrebatada por el vendaval.

Con respecto a Pancho Villa, es Azuela en persona quien expresa lo siguiente:

> ¡Oh Villa!... Los combates de Ciudad Juárez, Tierra Blanca, Chihuahua, Torreón. ¡Pero los hechos vistos y vividos no valían nada. Había que oir la narración de sus proezas portentosas, donde, a renglón seguido de un acto de sorprendente magnanimidad, venía la hazaña más bestial. Villa es el indomable señor de la sierra, la eterna víctima de todos los gobiernos que lo persiguen como una fiera; Villa es la reencarnación de la vieja leyenda que el tiempo se encargará de embellecer para que viva de generación en generación! (*Obras completas*, I, 365).

La novela es seca y vital. Su estilo anda de perfecto acuerdo con su asunto. Azuela utiliza recursos propios de naturalistas,

---

4 Azuela, *Los de abajo*, en *Obras completas*, México, Fondo de Cultura, 1958, tomo I, pág. 361.

pero con un revoque o cimiento estético que va más allá de l experimentación estricta. Valery-Larbaud —lo cita también To rres Ríoseco— estimaba *La Malhora* por encima de *Los de aba-jo...* Se explica: *La Malhora* corresponde mejor al corte natura-lista europeo, a la entonces incipiente boga del llamado "estil proletario", que no lo era ni pudo serlo por razones que no e necesario desarrollar aquí, y porque, por lo directo de su ex-presión, era más accesible al lector extranjero, por mucho que fuese su dominio del castellano, como en el caso del autor de *Fermina Márquez*. Por otra parte, Azuela aplica en esa novel su experiencia de médico. En suma, esta Naná del Anahuac, que bebe mezcal y pulque en vez de ajenjo y cognac, pasa por do vidas, y hasta tres: la de la mujer de vida mísera, atada a lo caprichos del vividor Marcelo; la de Altagracia, protegida en el hogar de los Gutiérrez, y nuevamente, el arroyo, como Mal-hora. Por ser una novela corta —ocupa apenas veintisiete pági-nas del tomo segundo de las *Obras completas*—, puede man-tener un tono más concentrado. Es lo que ocurre con *Las mosca* y *Domitilo quiere ser diputado;* sólo que en *Las moscas,* lo autores lucen ya un ambidextrismo psicológico, en donde se manifiesta con mayor acuidad la destreza literaria de Azuela. En esta novela corta, aparecen el general Malacara, ebrio y sensual; el burócrata Ríos con "sus ojos de papel secante", metáfora dig-na de Cocteau, Huidobro o Vallejo; Moralitos y Matilde, sere avasallados por la rutina. Existe, a menudo, en la obra de Azuela una visible repugnancia por "la masificación" de la vida, la pro-testa de un intelectual frente al "hombre masa", título de la primera parte de los relatos del tomo *Precursores*. Esta misma actitud preside *Nueva burguesía,* una de las más violentas sáti-ras contra los profesionales de la revolución y los jefes de sin-dicatos oficialistas. En general, los ambientes y personajes de Azuela no destellan alegría ni comodidad. Gusta de hurgar lo bajos fondos citadinos y los personajes de menos alta estofa: aunque en ello ande la mano de Balzac y Galdós, según senten-cia la crítica, podría resultar más lógico señalar la de Zola, Gogol y Gorki, a quienes fue adicto Azuela. El modo de escribir a grandes brochazos, característico de Galdós, y la delectación psicologista de Balzac, son menos visibles que las pormenorizaciones de lo miserable, la paradójica deificación de lo mediocre y el regusto por lo angustioso, oscuro y lamentable de la sociedad mexicana, a través de lo que no sería infundado descubrir alguna reiteración por la lectura de los tres autores nombrados últimamente.

Así, en *La Marchanta,* como en *La Malhora,* describe la sórdida atmósfera en que Santiago, apodado Juan Cocoliso, explota a su mujer, Fernanda, y a la hija de ésta; lo cual es ocasión para describir casi amorosamente los arrabales de la capital, sobre todo los antros de truhanería y vicio, entre ellos los barrios de Lagunilla y El Tepito, famosos entre todos quienes han visitado México. En *Nueva burguesía* embiste directamente a la época siguiente al gobierno de Cárdenas, y presenta una manifestación pro-Almazan y contra el candidato del Partido de la Revolución, general Ávila Camacho. El hermano Cuactemoc, las hermanas Escamillas, el matón del sindicato de trenes Zeta López, el fogonero Pedroso, actúan como en la vida real, los personeros de ciertos sindicatos oficialistas, cuyos líderes suelen recibir consignas y sueldo del gobierno. La Revolución de Luis Cervantes habría sido traicionada por los usufructuarios de la sangre de un millón de mexicanos revolucionarios. *Los caciques, Tribulaciones de una familia decente, Domitilo quiere ser diputado,* bordean el mismo litoral; el desengaño ante la revolución, torcida por la burocracia y la componenda. En ello se advierte no el cuadro total de la revolución, como sostiene algún exégeta apresurado, sino una parte de ella, la más deplorable, aunque no general ni constructiva.

Desde luego, literalmente, no es tal el punto más interesante, al margen de juicios y prejuicios de origen político o social.

En ese sentido, el literario, probablemente no haya página más hermosa entre las muchas bellísimas escritas por Mariano Azuela, que las pocas del relato *De cómo al fin lloró Juan Pablo,* que aparece en el tomo segundo de sus *Obras completas* [5]. Ella sola basta para relievar las estupendas dotes del narrador y el insobornable sentido poético que lo inspira. Sentido poético y empuje vernacular, patente en sus giros y vocablos, en los que, sin embargo, nadie podría encontrar con justicia el más leve asomo de folklorismo o criollismo convencional. Podría y hasta debería trascribir el relato entero, porque es antológico. Copiaré un trozo:

> Las parejas de enamorados que gustan ver el follaje del jardín Santiago Tlatelolco tinto en el oro vaporoso del sol naciente tropezaron a menudo con un recio mocetón, tendido a la bartola en una banca, en mangas de camisa, desnudo el velloso pecho; a veces contemplando embebido un costado mohoso y carcomido de la iglesia; sus vetustas torrecillas desiguales que recortan claros zafirinos; débilmente rosados por la hora; otras veces con un número de *El Pueblo*, a deletrea que deletrea.

Y al final, el fusilamiento de Juan Pedro:

> Agregan los reporteros que las últimas palabras del reo fueron éstas: ¡No me tiren a la cara!, y que con tal acento las pronunció, que más parecían dictar una orden que implorar una gracia. Parece que la escolta estuvo irreprochable. Juan Pablo dio un salto adelante, resbaló y cayó tendido de cara a las estrellas, sin contraer más una sola de sus líneas. — Eso fue todo lo que vieron los reporteros. — Yo vi cómo en los ojos vitrificados de Juan Pablo asomaron tímidamente dos gotitas de diamantes que crecían, crecían, que se dilataban, que parecían querer desprenderse, que parecían querer subir al cielo... sí, dos estrellas.

---

[5] Azuela, *Obras completas*, México, ed. cit., tomo II, págs. 1076-1080.

Final perfecto. Lirismo acendrado, sin duda. ¿Puede hablarse entonces del seco naturalismo, de la objetividad periodística de Azuela? José Luis Martínez ha dicho que todos los novelistas de la revolución mexicana fueron, ante todo, memorialistas, es decir, que vertieron su experiencia personal, la cual nunca está exenta de ternura [6]. El usar vocablos y giros mexicanísimos ha ocasionado algunas confusiones: se ha pretendido considerar a Azuela como costumbrista o folklorista, sin parar mientes que en mano de artista la vulgaridad se convierte en delicadeza. Si fuese preciso algún símil bastaría recordar el "tratamiento estético" de Jorge Luis Borges y Ricardo Güiraldes al criollismo *lunfardero* de Buenos Aires, o el rango artístico que dio a la *canaillerie* expresiva, Jean Richepin. Azuela, más que como memorialista (que lo fue alto grado), como intimista o subjetivista, supo imponer a cuanto se puso a su alcance, un aire poético, pese a los revoques de crudo naturalismo de que los rodeara. Fue en cierto modo el sino de Manuel Acuña, otro mexicano oscilante entre el escape romántico y la descripción pedestre, con saldo siempre a favor de lo primero.

El propio Azuela explica, muy a su modo, los sentimientos y tendencias que inspiraron su carrera de novelista. Oigámoslo:

> Dos veces he leído la obra completa de Marcel Proust y hace treinta años no puedo acabar el *Ulises* de James Joyce. En cambio no cuento las veces que leí *Gil Blas de Santillana* y *Los tres mosqueteros*. Es posible que haya aprendido algo de historia en las novelas, pero lo que jamás se me ocurrió estudiar en ellas son las matemáticas, la filosofía, la religión, la esotérica, etc.: pues si alguna vez me he quebrado la cabeza con esas materias, ha sido con especialistas y jamás con aficionados. Por tanto, a ningún novelista le pido más que los conocimientos generales que todo hombre culto debe tener de su tiempo, y de ningún novelista exijo —así

---

[6] J. L. Martínez, *Literatura mexicana, siglo XX*, México, Robredo, 1949, pág. 40.

sea un Dostoyewski o un Balzac— más que entretenimiento y solaz...

... ...

Sé que es muy decente ser un escritor *bien;* pero estimo de mayor decencia ser un escritor honrado. Y la simulación no es honradez. Por este motivo escribo lo que pienso y lo que siento, sin preocuparme porque mis opiniones coincidan o difieran de las comúnmente aceptadas. La lealtad y la honradez consisten, en un escritor, en ser su visión propia con valor y sinceridad...

... ...

Mi profesión de médico me puso en contacto íntimo con las más respetables clases sociales, y mis andanzas de revolucionario, con facinerosos de las más variadas especies. Y he de decirlo —sin ánimo de ofender a nadie—, pocos son los hombres personalmente interesantes y más pocos aún los divertidos...

... ...

Generalmente la novela es un género literario destinado al gran público. Las novelas famosas de todos los tiempos fueron siempre de grandes tiradas. Cuando por excepción, alguna de factura delicada desborda los límites de las academias y de los cenáculos literarios, es seguramente por factores ajenos a las bellezas de forma y estilo. Si cualquier lector medianamente culto conoce *Madame Bovary,* es por el gran valor humano que Gustavo Flaubert supo dar en todas sus novelas, por más que la forma y el estilo hayan sido siempre objeto de su mayor atención. Por otra parte es sabido que las malas novelas de Balzac son las que se propuso escribir mejor [7].

---

[7] Azuela, *Cien años de novela mexicana,* México, Botas, 1947, páginas 12-13, 35, etc.

En estas breves trascripciones de *Cien años de novela mexicana,* se refleja la actitud general de Azuela con respecto a la literatura. Y a su propia obra. Ellas explican mucho, lo explican casi todo. Las novelas de Mariano Azuela son, por eso, en parte memorias, en parte narraciones de un cientificismo implacable, en parte eclosiones de emoción, lirismo cuajado y tenso como de poeta de la mejor cepa. Sus ideas no tienen mayor importancia, porque se mezclan y contradicen como se contradicen y mezclan las ideas de los hombres de carne y hueso en el teatro del mundo. Azuela quiso que sus personajes de novela fuesen como los de la vida real. Sus obras correspondieron a esa indiscutible calidad humana. Por eso sobreviven y hasta resultan paradigma de la sociedad que los plasmó y a la que reflejaron con lealtad y ternura.

XVI

ENRIQUE GÓMEZ CARRILLO

(Guatemala, 27 febrero 1873 — París, 29 noviembre 1927)

A Gómez Carrillo le hizo daño, literariamente, su facundia. Como escribía conforme pensaba, y pensaba conforme veía, y vio sin tregua, su obra se resiente de esa riqueza de visiones, donde se halla, en verdad, su mejor explicación.

Desde que murió Darío en 1916, se han sucedido muchos libros acerca del Modernismo. Por lo común, soslayan la personalidad de Gómez Carrillo. Este mosquetero triunfador de la existencia, no ha logrado evitar el destino que la muerte depara a los que abusan con exceso de la vida. Además, ha carecido de algo indispensable para la inmediata celebridad: parientes bienquistos y gobierno amparador. El bohemio impenitente que fue Enrique Gómez Carrillo ni siquiera se curó de tener una patria legalmente indudable. Las convenciones humanas le importaban muy poco. Si después un gobierno de su país, bajo un presidente de cepa intelectual, resolvió tributar honores a su memoria, ello es algo absolutamente imprevisto. Lo natural en la Tierra del Quetzal, donde el mando pasó de manos de general a general, era que la cadena no se interrumpiera precisamente cuando se forja una semejante en casi toda América.

Hay otro obstáculo en el camino de Gómez Carrillo; la gloria. Los críticos del modernismo se preocuparon mucho de salvaguardar su propia fama. Blanco-Fombona, que estudió y propagó aquel movimiento, era émulo de Gómez Carrillo, por debilidades de ambos: cuestiones de literatura, taberna, *boudoir* y sala de armas. Santiago Argüello, que no amaba sino a sí mismo, sentía celos de aquel insigne desenfado característico del autor de *Jerusalén y la Tierra Santa*. Los exégetas extranjeros han repetido casi siempre el dicho de los criollos, limitando su originalidad a introducir subcapítulos, parágrafos y subparágrafos, lo cual infunde totémico respeto a los no iniciados. De suerte que, pasando como ha pasado la antorcha del prejuicio de mano en mano, aquí la tenemos tratando de iluminar nuestra senda con pálida luz de atribulado alcance.

Estuve en Guatemala inquiriendo sobre Gómez Carrillo. No me informó nadie. Su propio hermano, profesor de idiomas, contertulio del Hotel Continental, subsiste ajeno a la gloria del magistral cronista. Aun cuando en la intersección de la Sexta Avenida y la Calle Cuarta de la ciudad, empiece el Parque Gómez Carrillo, en las librerías no se encuentra una sola obra del cronista. Yo he peregrinado de establecimiento en establecimiento buscándolas: más fácil es encontrarlas en Buenos Aires y seguramente en Madrid.

Aparte de mis propias lecturas fuera de Guatemala, y de recuerdos de personas que frecuentaron al cronista, he tenido que utilizar unos pocos trabajos éditos, los principales de los cuales son las propias memorias de Gómez Carrillo (*Treinta años de mi vida, En plena bohemia*, etc.); el libro de su primera esposa, mi compatriota Zoila Aurora Cáceres [1] y el de Juan M. Mendoza [2]. A ellos me remito, principalmente a los volúmenes de éste, en que, a pesar de su antipático prurito de colocarse como personaje central él mismo, es posible descubrir informaciones útiles y utilizables, en medio del desorden con que están expuestas.

* * *

[1] Z. Aurora Cáceres, *Mi vida con Gómez Carrillo*, Madrid, 1927.

[2] Juan Mendoza, *Enrique Gómez Carrillo. Estudio crítico biográfico. Su vida, su obra y su época*, Segunda edición, Guatemala, 1946.

Cuando Gómez Carrillo nació, Guatemala era una ciudad conventual, no obstante el perenne fulgor de su incomparable cielo y la agreste hermosura de sus alrededores.

Desde luego, Guatemala tenía más movimiento que Managua, en donde seis años antes había visto la luz Félix Rubén García Sarmiento, príncipe de los poetas del idioma. Pero si, comparada con las otras capitales centroamericanas, la de Guatemala posee evidentes ventajas, comparada con otras ciudades del continente entonces, y sobre todo, con París, el emporio a que tenderían el vuelo los escritores de la época, su aire era absolutamente provincial y tedioso, sometido a la inaguantable presión de los tiranos.

Enrique Gómez Carrillo nació el 27 de febrero de 1873, del matrimonio de Agustín Gómez Carrillo y doña Josefina Tible, hija ésta de un ingeniero belga. El apellido legal del escritor era, pues, Enrique Gómez Tible. No lo usó, porque desde la escuela le ocasionó serios disgustos. Los muchachos le llamaban a gritos: "Comes-tible, Comestible", haciendo un burlesco juego de palabras con ambos apellidos, de suerte que no bien adquirió el sentido del ridículo, abolió el "Tible" materno, y adoptó los dos apellidos de su padre: Gómez Carrillo.

El señor Mendoza caracteriza muy bien aquel ambiente con una sola anécdota: ese año de 1873 se instaló el telégrafo, a cuyo funcionamiento se había opuesto el dictador Rafael Carrera, hombre de pocas luces, cuyo ministro, el egregio don Pedro Aycinema, le tenía convencido de que el telégrafo era artículo de lujo. El mismo señor Mendoza insiste en que, fuera de los toros y la zarzuela, puro casticismo, no había ningún otro entretenimiento. Para que la fortuna no se equivocara con Enrique, su nacimiento ocurrió en "Los siete Pecados", propiedad de don David Luna, casi frente al actual Palace Hotel, en la Calle Doce Poniente con Cuarta Avenida. No sobra agregar que en el edificio del Palace Hotel se desarrollaron, cuando era propiedad de los García-Granados, los líricos amores de José Martí con "la niña de Guatemala", "la que se murió de amor".

Agustín Gómez Carrillo (1838-1908) fue un eminente abogado guatemalteco, a quien se encomendaría continuar la interrumpida y jugosa *Historia de Centroamérica*, de José Milla; fue Rector de la Universidad de San Carlos y escribió un entretenido *Viaje a España*. Josefina Tible era hija del ingeniero belga François Tible y de la guatemalteca doña Dolores Machado Luna. Es probable que el abuelo europeo y de habla francesa influyera en la predilección por esta lengua, que Enrique tuvo desde niño, no obstante de que nunca escribió en ella.

La circunstancia de que los Gómez Carrillo tuvieran muchos parientes de El Salvador, inclinó a algunos cazadores de novedades a afirmar que Enrique era salvadoreño. Mendoza exhibe la partida de bautismo a fojas 580 vuelta del libro de Bautizos de El Sagrario, de la Catedral de Guatemala, año de 1873, en donde se deja constancia del dicho nacimiento en la capital de la patria de Irisarri. Era guatemalteco, sin duda de ninguna especie. Contribuyó a extender la versión sobre el salvadoreñismo de Gómez Carrillo, otro hecho. Como fuera muy mal colegial, y sus padres tratasen de obligarle a seguir los estudios que ellos escogieron, el muchacho se escapó del Instituto Nacional de Guatemala, y, pasando la frontera, se refugió en El Salvador.

Por lo común, los biógrafos de los escritores señalan a sus héroes como precozmente geniales y lectores de obras clásicas. Enrique Gómez Carrillo, a los 12 años, había leído muchas... pero muchas novelas de Paul de Kock. Su aprendizaje licencioso era inefablemente de medio pelo. Repitió la hazaña de fugarse del hogar varias veces. Al cabo, sus padres, convencidos de que Dios no había querido atraerlo a la senda del estudio, optaron por emplearlo en una tienda de trapos. Se llamaba ésta "La Sorpresa" y estaba situada en la Calle Real. El flamante hortera Enrique Gómez-Tible, adolescente bello y avisado, lucía ya enmarañada melena de endrina, y su mirada trataba de desnudar a las mujeres, acaso para poner en uso las prendas interiores que vendía en su establecimiento. Parece que el joven Gómez bebía ya como persona mayor. La inclinación al alcohol no es rara en las ciudades de sierra. El frío y la soledad provocan al alcoholismo más o menos discreto. Cuando no existen sucedáneos ni derivativos, el mozo inquieto no encuentra otra ruta que la cantina, la revolución o el burdel. Enrique no era un revolucionario.

A los 15 años, erudito en Paul de Kock, fugas escolares y aguardientes lugareños, Enrique Gómez-Carrillo publicó su primera colaboración periodística en *El Día,* dirigido por el Coronel y Doctor Matus. No fue un gran suceso, pero las clientes de "La Sorpresa" celebraron entusiastas aquel nuevo sesgo del romántico y bello hortera, que con tanta energía iría a rechazar luego el manejo de la escoba y el plumero, para esgrimir la pluma. Sin conocer a Gracián, Enrique realizaba en hechos el juego de palabras caro al insigne autor del *Oráculo Manual.* Una de las parroquianas de "La Sorpresa", voraz consumidora de corsets, medias caladas, enaguas de fustán, calzones con blondas, etc., era doña Edda Christiansen, esposa del Ministro de Francia en Guatemala.

Edda era una real hembra, algo otoñal; Enrique un adolescente inexperto, deseosísimo de aprender. Se ignoran las artes horteriles de que uno y otra se valieron para entenderse. ¿Impresionó al empleaducho midecintas y mideversos, la madurez provocativa de la dama extranjera? ¿Sedujo a Edda la muchachez promisoria y tropical del Adonis de vara en mano? Lo feo es que este episodio haya sido revelado por el propio Gómez Carrillo, en una especie de chulería *post-mortem* a que no fue desafecto. Edda Christiansen se pagó de su gusto. Al cabo, cuando el adolescente pretendió más de lo obtenido, le echó en cara su oficio. Así se produjo la ruptura.

Dato para la historia: el joven hortera era ya manirroto. Diz que le engolosinaba estrujar las prendas íntimas femeninas de los escaparates y cajones. No reparaba en que él no era el amo, si se trataba de regalar corbatas a los amigos. Tampoco para prestarles dinero. De todos modos, la experiencia con las ropas femeninas y con las de Edda Christiansen le invistieron de repentina machedumbre. Cuando leyó al sencillo y pueblerino

José Milla, gloria nacional, se sintió obligado a dejar constancia de su disconformidad. Tenía 16 años.

* * *

En 1889, cuando el audaz jovenzuelo Enrique Gómez-Carrillo publicó su primer ataque a la fama de José Milla, el egregio *Salomé Jil* de las novelas históricas y de las andanzas de Juan Chapín, se acababa de publicar *Azul* en Chile, tras de cuyo éxito Rubén Darío regresó a Centroamérica y se detuvo en Guatemala. Las Letras del país hirvieron de "glaucos", "grises", "azules" y "bermellones", al contacto del "abate joven de los madrigales", del "poeta que había visto ninfas"... Gómez Carrillo, saboreando aún la ceniza de su trunco idilio carnal con Edda Christiansen, desdeñaba los amores locales. Pretendía señorearse en aquel mundo imaginario. Había leído ya *Mensonges*, de Paul Bourget; *Jack* y *Safo*, de Daudet (parece que no *Tartarín*, pues habrían cambiado las cosas); *El horla* y *Bel ami*, de Maupassant, y sobre todo, *Thais, la cortesana de Alejandría*, de Anatole France. Como en el cuento de Darío, también Enrique "ha visto ninfas".

Munido de tal bagaje, el empenachado joven tropical creyó que tenía dominado al mundo. Leyó las novelas de José Milla con aire despectivo. Aquel modo de relatar, sencillo, caudaloso, superabundante en detalles, característico de *Salomé Jil*, no se parecía en nada a la forma irónica y sintética con que Anatole France resucitaba viejas, muy viejas usanzas. Mientras el estilo de don José se desenroscaba perezosamente, el de France brincaba con agilidad de maromero. Gómez Carrillo sin más autoridad que su afrancesamiento y su audacia, soltó una andanada contra el prócer de las letras nacionales guatemaltecas.

Tanta indignación despertó aquel atrevimiento, y tan ganado se tenía el desafecto público Enrique, con sus jactancias y sus escandalosos amores —el hortera enamorado, el hortera supercrítico, dirían, de juro, los zoiles de esquina—, que, al presentarse en una función del Teatro Colón capitalino, la concurrencia inició una rechifla contra él, la cual, lejos de amenguar ante el primer gesto de arrogancia, se hizo general y lapidaria. La policía que, como cumple, estaba del lado del "orden", en este caso del orden clásico, se puso a apoyar a los autores del escándalo en la sala, y obligó a Gómez Carrillo a abandonar el teatro. Respaldaban con su autoridad armada, la gloria inmarcesible del autor de *Los Nazarenos*. Pero nadie convenció a Enrique de que su paralelo entre Milla y Teófilo Gautier no era el más justo. *La Novela de la momia,* con sus magníficas evocaciones, dejaba chiquitita la fama de las remembranzas y reconstrucciones coloniales de *Salomé Jil*.

No era popular en la Guatemala del 1889, el mosqueteril y piafante futuro cronista. Rubén Darío, a la sazón en sus 23 años, entendió aquel drama y vislumbró aquel talento. No trepidó en ofrecerle una plaza de redactor en *El Correo de la Tarde,* periódico de que formaban parte, además de Rubén, los escritores guatemaltecos Máximo Soto-Hall, José Tible y otros. En 1890, Enrique Gómez Carrillo, aleccionado por la rechifla del Teatro Colón, más impaciente por renovar el caso, escribía sus primeros ensayos bajo el amparo alcohólico y melodioso de Darío.

El Modernismo estaba en pañales. Las lecturas francesas, que habían sacudido tanto al joven Gómez-Carrillo, recibían ahora las consagratorias aprobación y estímulo del insigne nicaragüense. *Azul* ponía en circulación nuevas formas, al par que nuevos ídolos: Walt Whitman, Díaz Mirón, Catulle Mendés, Julián del Casal, Leconte de Lisle. El tercero y el cuarto hallaron eco en el corazón del novel escritor; del quinto aprendió, además, entonces, la sed de lo desconocido, la incesante procura de horizontes ignotos. Rubén que entendía el naciente drama de esa inadaptación, acudió al Presidente de la República, Barillas, y le solicitó una pensión en el extranjero para su amigo, ya ducho en el arte de la esgrima, de atusarse el ligero bigotillo y alisarse la terca y nigérrima crencha sobre la oreja izquierda. Enrique Gómez Carrillo partió a Europa en 1891, con una pensión de 750 francos mensuales. Iba a descubrir el vellocino de oro.

* * *

El primer libro de Gómez Carrillo apareció en Madrid, en 1892, bajo el título de *Esbozos*. No había su autor cumplido aún los 20 años. El material de sus páginas lo constituyen siluetas literarias de Oscar Wilde, Amado Nervo, Paul Verlaine, Alejandro Sawa, Charles Maurras, Rubén Darío... No se requiere más para establecer los hitos y coordenadas de su arte.

Seducían a Gómez Carrillo los aspectos vistosos y exóticos de la literatura. Era natural que Wilde, con su dandysmo y sus paradojas, ejerciera inevitable señuelo sobre él. Y que Alejandro Sawa, buscador de rarezas y exhibidor de las mismas, le impresionara. En Verlaine encontraba juntamente el lirismo trémulo y penetrante, especie de tropicalismo a la sordina, si cabe. La pungente presencia de lo esotérico se perfilaba en su predilección por Nervo. Rubén compendiaba sus más caras aspiraciones. Había nacido el Modernismo.

No tarda Enrique Gómez Carrillo en publicar dos libros más, entre los 21 y los 22 años, esto es, en 1894 y 1895: *Del amor, del dolor y del vicio,* novela sobre París e impresa en París; y *El alma encantadora de París,* de la cual conozco una edición de 1903: la primera de estas obras acusa en su título el impacto de Barrés.

Aquel endiablado efebo tropical se había adueñado del boulevard, a su manera. Sin quererlo acaso, narrando simplemente cuanto veía, en una como aparente objetividad, Gómez Carrillo había creado un género, que el propio Rubén merodeaba cancerberamente: la crónica. En vez de arrebujarse de suficiencia, prefirió mostrar su asombro ante el milagro europeo. Escritores, tiples, midinetas, cortesanas, actores, beatas, borrachos, cocheros, sabios: la humanidad entera discurría bajo su curiosa mirada. Lo importante no era el asunto, sino la sangre que se ponía en la narración. Dueño de una franqueza a menudo brutal, lo mismo escribía que decía, al compás de sus impresiones.

Tenía una vanidad a flor de piel. Pocas veces gozó tanto como cuando le ofrecieron un banquete a raíz de uno de sus viajes a España, y en él se hicieron presentes Emilio Zola, Salvador Rueda, Benito Pérez Galdós, Ramón del Valle Inclán, Santiago Rusiñol. La cara de Gómez Carrillo, muy ataviado de ceremonia, es la de un reciencasado. Todo, desde la sonrisa bobamente jactanciosa, hasta la vestimenta, irradia euforia de primerizo. Después de todo era aquello una consagración. Salvo Darío y después Nervo y Chocano, ¿quién, qué indoamericano había recibido semejante homenaje?

Como es natural, el orgullo se le subió a la cabeza. Varias veces cruzó el acero de su espada o las balas de su pistola con adversarios duelísticos, por motivos baladíes. Aunque se ha exagerado mucho la fama de duelista de Gómez Carrillo, bueno será recordar que sus lances de este tipo no pasaron de dieciocho, de los cuales dos fueron a pistola. Pero es bueno también agregar que, no obstante el corto tiempo que vivió en Buenos Aires, ahí sostuvo tres duelos en alrededor de un año de permanencia. ¿Está demás mencionar que uno de sus contrincantes fue el historiador venezolano J. Gil-Fortoul?

Cierto: trabajaba de sol a sol. Con su cuadernillo de notas siempre a mano, recorría países, cantinas, suburbios, salones, tugurios. Verlaine y Jean Moréas le tenían por uno de sus mejores compañeros. "Carrillo" era un personaje conocido en los cafés literarios de París y en las "peñas" de Madrid. Sin embargo, repito, no escribió nunca en francés, lengua que hablaba con pleno dominio. Por tal defecto perdió la oportunidad de ingresar a la redacción de *Le Matin*.

* * *

Me he adelantado en el relato.

Gómez Carrillo regresó a Guatemala en 1898. Gobernaba entonces Manuel Estrada Cabrera. El escritor ingresó a colaborar en *La idea liberal*, con Rafael Spínola. Tenía a su cargo lo que entonces llamábase "el folletín". Fue un decidido partidario del incipiente tirano, que dominaría su patria hasta la revolución de 1920.

La adhesión de Gómez Carrillo a Estrada Cabrera melló sustancialmente su prestigio literario. Quien desee informarse acerca de los pormenores de semejante régimen, puede consultar tres libros a la verdad atractivos, cada cual en su campo: *Ecce Pericles*, de Rafael Arévalo Martínez (1945); *El Señor Presidente*, magnífica novela de Miguel Ángel Asturias y (aunque tratara de Barrios) el vigoroso *El Autócrata*, de Carlos Wyld Ospina (1929). Cualquiera de estos libros, especialmente los dos primeros, bastan para justificar la repulsa de los espíritus liberales hacia los panegiristas de Estrada Cabrera, el "Pericles" de la requisitoria de Arévalo Martínez.

Gómez Carrillo no tenía sensibilidad política, ni vocación apostólica. Vivía al día. Buscaba su placer, sin preguntar a menudo el origen. Lo mismo le ocurrió con las mujeres.

En 1900, Estrada Cabrera lo regresó a París, como representante diplomático de Guatemala. Fue entonces cuando se vinculó más a las grandes figuras de la literatura universal y cuando, luciendo esmeradísima ropa de etiqueta, se retrató rodeado por Emilio Zola y los insignes hombres de letras españoles que he nombrado antes.

La situación era distinta a la de 1891, en que llegó a Europa por vez primera. Nadie se atrevía a llamarle, como lo hiciera Verlaine, "Carrasco", en lugar de Carrillo. Verlaine lo hacía así porque lo identificaba, probablemente por analogía fonética, con el Bachiller Sansón Carrasco, del Quijote.

Como en ese tiempo estaba en boga la crítica descueradora de Max Nordau, Gómez Carrillo se volvió rotundamente antihispano. Su exhibicionismo rayaba a gran altura. Hacia 1905 tenía ya hasta un conato de autobiografía *Treinta años de mi vida*. Había viajado mucho. Cada viaje engendraba un puñado de crónicas apretadas y pintorescas, luego agavilladas en sendos libros. Así nacerían: *La Rusia actual*, *El Japón heroico y galante*, la novela *La sonrisa de la Esfinge* (a raíz de su viaje a Egipto),

La Grecia eterna, Jerusalén y la Tierra Santa, de donde extraería motivos para su posterior libro, *Flores de penitencia.*

Evidentemente, entre Loti, Farrére y Queiroz, habían moldeado aquella alma "vágula", pero no "blándula". Rubén Darío contemplaba con reticencia y timidez la eclosión de tan bizarro espíritu.

* * *

El 5 de julio de 1906, Enrique Gómez Carrillo contraía matrimonio en París con Zoila Aurora Cáceres (Evangelina), escritora peruana, unos pocos años menor que él, hija del expresidente del Perú, general Andrés Avelino Cáceres, héroe de la guerra del Pacífico. Se divorciaron en 1907.

Zoila Aurora cuenta cómo fueron aquellos amores, y nos ha trascrito un significativo epistolario. Ella se enamoró de Enrique a través de las crónicas de éste. Los comentó en un artículo en *El Comercio,* de Lima. Gómez Carrillo fue presentado a su entusiasta admiradora, quien tenía en París un "salón", especialmente concurrido por sudamericanos. Hay un relato acerca de esas reuniones en *Variedades,* de Lima, año de 1908, sobre la firma de Raymundo Morales de La Torre. Fue un amor a primera vista. No se podría afirmar la sinceridad del escritor, pero, sí, la pasión vehemente de ella. Zoila Aurora Cáceres era entonces una mujer en la plenitud de su juventud. Tenía un tipo atractivo, sensual y, de contera, gozaba de la leyenda de la riqueza de su padre. Aplicando los patrones centroamericanos, había derecho a pensar que el General dos veces presidente de la República, el único General de División del Perú, con justa fama de héroe y disfrutando de la protección política del Presidente Pardo, poseyera una sólida fortuna. Gómez Carrillo no descuidaba este aspecto, pese a sus ardores de donjuan. Mucho menos para escoger esposa.

La realidad fue distinta. Cáceres distaba de ser rico. Zoila Aurora era celosa y probablemente quiso intervenir en la vida de su marido más de lo que éste, egoísta esencial, podía admitir

Carrillo desapareció un día de París. Se había marchado al África septentrional. El matrimonio terminó en un fracaso.

Muchas mujeres pasaron por la vida del cronista. Quizá más las que parecieron que las que fueron. De todas ellas, ninguna influyó tanto en su destino como la célebre Mata-Hari. Era, como todos saben, una famosísima bailarina, que ejecutaba danzas indostánicas en el bullicioso y novelero París de antes de la guerra de 1914. Durante el conflicto, se descubrió que una misteriosa y eficiente red de espías al servicio de los alemanes, proporcionaban datos acerca de los planes del Estado Mayor francés. Operaban desde la misma Francia y desde España. Informes confidenciales señalaron como una de las más importantes espías, a la Mata-Hari. Ésta viajó a Madrid.

Gómez Carrillo había pasado también los Pirineos, a consecuencia de las restricciones bélicas; allí dirigiría *El Liberal,* en 1917. Era entonces amigo o amante de Mata-Hari. Las autoridades galas ansiaban apoderarse de ella. Mata-Hari apareció de pronto en el otro lado de los Pirineos, presa de la policía francesa. No se hizo esperar la Corte marcial. Un pelotón de fusilamiento puso temprano remate en los fosos de Vincennes a la espectacular existencia de la famosa bailarina.

Circuló la versión de que Gómez Carrillo, valiéndose de su amistad con ella, la entregó a la policía de Francia. El escritor desmintió airadamente la especie. Nadie la ha podido comprobar. Pero, como siempre que circula una infamia, es difícil quitar a los hombres la predilección que tienen por el cieno, Gómez Carrillo hubo de sobrellevar en adelante aquel espantoso estigma.

En 1921 se hallaba Gómez Carrillo con la renombrada tonadillera española Raquel Meller, en Buenos Aires. Ella estaba en su plenitud. Triunfaba con *La Violetera* y su romántico peinado en bandós. Se habían casado. Gómez Carrillo no buscaba mujercitas tiernas, pero oscuras. La dicha duró muy poco: lo que tardó en llegar el desencanto o el tedio.

Después, se casó por tercera vez con Consuelo Suncín, una muchacha vistosa y rica que le acompañó hasta su último momento; por cierto, que junto a ella estuvo Georgette Leblanc, la entonces esposa de Mauricio Maeterlinck, antigua amiga de Enrique. No dejó éste huella imborrable de ternura en sus amantes y esposas. Consuelo se casó después con Saint-Exupéry, el gran aviador y novelista francés, que abrió la ruta de Buenos Aires. Saint-Exupéry se durmió antes de tiempo en el seno del Señor.

La vida amorosa de Gómez Carrillo continuó así dignamente la nota trazada por Edda Christiansen. El exhortera de "La Sorpresa", de la Calle Real de Guatemala, llevó de por vida esa marca, patente en su afición incontenible por lo femenino y decorativo, por la frivolidad y el ingenio, por el viaje y por París.

* * *

¿Fue por eso, Carrillo, un escritor sensual?

Creo que no. Sus figuras de mujer lucen a veces rasgos licenciosos, mas la suya es la ingenua licencia de Mürger. Parece como que su lujuria no se traspasara a la literatura. Su picardía, tan visible en las páginas autobiográficas (*El despertar del alma, En plena bohemia*), posee cierto inocente desparpajo comparable al de la Biblia y al de *Las Mil noches y una Noche*, cuya traducción por J. C. Mardrus, alentó y propagó con entusiasmo.

Lo típico en él era, más bien, la falta de pudor, que no siempre significa lujuria. No tenía empacho en exhibir sus lacerías morales, y hasta las elevaba al nivel de virtudes.

Desprejuiciado en absoluto, nunca puso atención en su nacionalidad, sino para añorar de cuando en cuando la bella y remota patria, y cobrar sueldos de su tirano. Pero, desde 1920, en que cayó Estrada Cabrera, hasta 1927, en que ocurrió la muerte de Gómez Carrillo, se quedó huérfano del amparo que aquél le concedía. Lo propio le ocurrió a Chocano, a quien estuvo a punto de costar la vida la protección de Estrada Cabrera. La amistad de Zelaya, dictador de Nicaragua, no es de lo más enorgullecedor en la biografía de Rubén Darío. Amado Nervo recibió estímulo de Porfirio Díaz. Lugones acabó alabando a las dictaduras y al fascismo. Parece como que el escritor de progenie modernista, ebrio de melodías, olvidó la ética. No fue mal de Carrillo: fue, según el resobado giro de Musset, *mal du siècle*. De toda aquella frivolidad incoercible, brillante, resulta la "confession d'un enfant du siècle".

Al perder el apoyo de Estrada Cabrera, Carrillo volvió los ojos a su lejana América. Cruzó el océano y llegó a Buenos Aires, donde gobernaba Don Hipólito Irigoyen. De aquello nacería *El encanto de Buenos Aires*, libro convencional, tal como de su experiencia de la primera guerra mundial surgiría *Campos de batalla y de ruina*. De la leyenda de sus relaciones con Mata-Hari, brotó un libro alusivo. Pero, de Argentina nació algo más.

Irigoyen, el "peludo" Irigoyen, se prendó del ímpetu mosquetero del escritor, y quiso ayudarle. Decidió nombrarlo Cónsul argentino en París. Dinero y honor juntamente, pero... precisaba ser ciudadano argentino. Irigoyen obvió el asunto con rapidez: concedió la ciudadanía del Plata a Gómez Carrillo, cuya naturalización como argentino se hizo desde París, sin cumplir el requisito de residencia. Cuando murió Carrillo, el Ministro argentino reclamó su preeminencia, en tanto que el de Guatemala no atinaba a hacer presente la suya ante el túmulo del insigne cronista.

* * *

Ceder a la tentación es, según Wilde, la mejor manera de terminar con ella. Así lo hizo siempre Gómez Carrillo. De ahí el grotesco y dramático episodio, que él mismo cuenta, con el andrógino "Ramoncito", el amante de su amigo Miura y Rengifo, en Madrid. Gómez Carrillo vivía entonces con Alice, la querida que más tiempo duró en su vida, y que más se sacrificó por él. Una tarde se encontraron solos, Enrique y "Ramoncito".

> Me acerqué a él hasta respirar sus cabellos rizados, hasta rozar su busto con mi brazo. Él sonreía inmóvil.

> ¿Él? No. No era él. Era ella, una ella misteriosa, una ella irresistible, una ella demoníaca. —Mi Enrique, murmuró—. Y al mismo tiempo lentamente, volviéndose hacia mí, echóme los brazos al cuello y me dio sus labios.

La escena tiene el descaro de un Aretino o un Boccaccio del siglo XIX.

Los amigos literarios desconfiaron siempre de Gómez Carrillo. Había en él algo de "canaillerie", o al menos de "gaminerie". Ante la necesidad de ganarse la vida, lo mismo le daba cocinar un Diccionario que escribir una crónica; ante la de saciar sus pasiones, igual le era engañar a una novia limeña, que burlar a Miura y Rengifo con su "Ramoncito", o, quién sabe, ser causa de alguna imprudencia de Mata-Hari.

Rubén, que le apoyó desde niño, no tuvo jamás confianza en él. En el fondo Rubén temía a Enrique. Lo sabía tempestuoso, inescrupuloso, apasionado. impúdico. No es que le importase la espada de acero; para Rubén era peor el cilicio de su malevolencia. Sentía Rubén. con esa pre-ciencia que le caracterizó siempre, algo que los críticos no han visto aún: a medida que corriera el tiempo, la figura de Gómez Carrillo, oscurecida a raíz de su muerte por un cúmulo de extravíos y errores, se depuraría y cobraría sola sus relieves estéticos. Entonces la crítica acabaría reconociendo, como ya lo reconoce, la enorme deuda de la literatura americana —y aún española— a Gómez Carrillo; pues que si Rubén descubrió la melodía ignota, y Rodó cierta armonía interna, Gómez Carrillo abrió los ojos de un continente al desde entonces desvelado misterio de lo exótico: convirtió en cercanía la remotez; dio facilidades a la sensibilidad: especie de Agencia Cook de la curiosidad espiritual de todo un joven mundo.

Blanco-Fombona comentaba a regañadientes la presencia de Gómez Carrillo. Ambos, matonescos, egolátricos, espadachines, eran amigos, pero no mucho. Para Amado Nervo, Carrillo resultaba un extraño. Demasiado fácil para la sensibilidad de Herrera y Reissig; demasiado superficial, para la de Rodó; demasiado tropical para la de Lugones; demasiado concreto para Larreta; demasiado espontáneo para Valencia; demasiado sencillo para Díaz Mirón, y, sin embargo, por tales contrastes y excesos, fue el verdadero descubridor del mundo de la crónica; fue no el Loti de América, como confesamente lo habría querido ser su discípulo, Ventura García Calderón, sino el Kipling de una selva con monstruos humanos en lugar de zoológicos, y montañas de pasiones, y ríos de pecado.

Gómez Carrillo publicó un libro titulado *El Modernismo*. Conviene olvidarse del título. Es una estratagema publicitaria. Los artículos que lo integran tratan de diversos tópicos literarios, antes que del Modernismo. Pero, Gómez Carrillo fue modernista porque, según la definición de Juan Ramón Jiménez, él tomó las letras como "un movimiento de entusiasmo hacia la libertad". Su estilo, mechado de inevitables galicismos, carece de la pompa clásica, de la grosería naturalista, de los suspiros románticos. La impronta de Verlaine y de Moréas, éste último su amigo predilecto, no permitía que la prosa se le hiciera chabacana ni oratoria. Había "torcido el cuello a la elocuencia" a tiempo. Y si Paul Bourget y Loti le infiltran ciertos resabios retóricos, siempre alcanzó a disponer de energías bastantes para desechar la tentación antes del cuadragésimo día.

> La pasión de los viajes va convirtiéndose... en una pasión inquietante —escribe—: Hay que leer, en efecto, el capítulo que cierra el último libro de viajes de Paul Bourget, para comprender la gran desilusión de los que buscaban una enseñanza filosófica en las excursiones lejanas (*La psicología del viajero*).

En estas palabras se compendia casi toda la obra de Gómez Carrillo.

> Por mi parte (agrega, definiendo su arte) yo no busco nunca en los libros de viaje el alma de los países que me interesan. Lo que busco es algo más frívolo, más

sutil, más positivo: la "sensación". ¿No es acaso tal el credo estético de la vida y la obra del cronista? Buscar "lo positivo", la "sensación".

Escuchemos sus consideraciones sobre este su tema fundamental —el viaje:

> Lo único que no he visto nunca es un paisaje muerto, un paisaje quieto, un paisaje invariable...
>
> A medida que la humanidad se afina, este sólo placer de ver paisajes raros aumenta por fuerza y obliga a viajar...
>
> El placer del viaje está en el viaje mismo...
>
> El que se va no vuelve nunca. Quien vuelve es otro, otro que es casi el mismo, pero que no es el mismo. Y esto que parece una paradoja, no es sino la más melancólica de las verdades.

Ajustemos lo trascrito. Desde luego, se trata de viajar, no de trasportarse, como ocurre con el avión. ¿De dónde le viene este avatar del viaje *per se* a un ciudadano de un país remoto, rodeado de mar y cumbres, de manigua y soledad? Se comprende que los isleños y los habitantes de tierras tendidas al mar, como Chile, sean encarnizados devotos del viaje; pero, los de la cumbre, los conventuales (y Guatemala era sierra conventual entonces), ¿por qué?

Dejando de momento el caso de Gómez Carrillo, bueno será tener presente que gran parte de la literatura guatemalteca se explica sólo a través del viaje. Landívar, uno de sus forjadores, anduvo de la Ceca a la Meca, paseando sus murrias de jesuita expulso. Irisarri no fue ciudadano del Polo porque aún no se había (ni se ha constituido) esa nación, mas, a falta de ello confundió su destino con el de México, Chile, Colombia y su nativa Guatemala. ¿No anduvo también deambulando Batres Montúfar? ¿Y Miguel Ángel Asturias? ¿Y Luis Cardoza Aragón? ¿Y Flavio Herrera? ¿Es que acaso no anda perdido en remotos países Rafael Arévalo Martínez, ciudadano ejemplar de la Utopía? ¿O es que Quezaltenango es Quezaltenango para la insobornable inquietud de Wyld Ospina? No conozco sino un gran sedentario en la literatura guatemalteca: José Milla. Los demás, incluyendo al ya viejo y aposentado Bernal Díaz, viven de Scylla a Caribdis, que no otra es la alternativa que le brinda la fortuna a muchos hombres de América.

Gómez Carrillo, sin embargo, realiza un doble viaje: el del cuerpo y el del alma; el del lugar y el de la época. Señala su deambular el inicio de la edad de los transportes; cierra el de la burguesía. Su bohemia posee elementos distintos a la de Mürger. El bastón se vuelve estoque; la capa, maleta; y Museta, si acaricia pasiones, al menos ha aprendido ya el gesto exacto para aparentar que ha olvidado el corazón, sin deplorarlo.

Era como si dijéramos, el filo de una edad. Pasábase de lo ético a lo estético. Gómez Carrillo no rechaza lo trascendental; sencillamente, lo ignora. Y, si comete pecados, le ocurre lo que a las desaprensiones económicas de Chocano y los arrebatos paganos de Darío: no se da cuenta de lo que hace, pues no ha leído ningún *baedecker* de virtudes en las que no cree y cuya existencia ignora. Sin embargo, en algunas oportunidades deja constancia de su protesta ante las injusticias sociales. En su crónica sobre "Shangai" escribe: "Los dos grandes defectos que los industriales encuentran a sus obreros, en todos los países, es que no sean esclavos y que tengan necesidad de un salario para vivir". Estos desahogos no son frecuentes en él.

Su obsesión, repito, es el viaje. Al respecto, posee técnica tan depurada que el propio Rubén Darío (véanse sus libros *La caravana pasa, Letras,* etc.), sigue los patrones de Gómez Carrillo en la crónica. Me parece que Luis Bonafoux, el vitriólico puertorriqueño, tampoco ignoró aquella manera de encuadernar "sensaciones" (sólo eso) de viaje.

> Un artista del viaje —dice Gómez Carrillo— debe figurarse que escribe para personas que ya conocen el país que describe. Esto evita los detalles baedekeria-

nos. Además tiene que creer que su público es culto... Nada de yo... Nada de egoísmo... Lo que tú haces, no nos interesa... Un pueblo no debe pesar entre las páginas. Y por encima de todo, hay que ser pintorescos. ¡Desgraciado del que no sabe ver con ojos sinceros los bellos paisajes!... Loti y Barrés me seducen por su impersonalidad y su pintoresquismo. Diríamos, mejor, por su ingenuidad. ¡Ah!, pero el viaje no cuenta nada si no es para regresar a París... La mitad de los que salen de París, no tienen en todo el viaje más que un placer, y es de volver a París.

Abundan en las páginas de Gómez Carrillo los detalles tiernos. "Los árboles merecen ser amados en todas sus partes como lo son en Extremo Oriente", donde la buena "religión budista ha puesto en cada tronco, en cada rama, en cada hoja, una sensibilidad, una sentimentalidad, un alma", escribe en su crónica *El culto de la Naturaleza.* En su libro sobre *Jerusalén y la Tierra Santa,* dice:

Y sólo ante el lago (de Galilea), por donde suele pasar en noches de beatitud la sombra divina de Jesús, sólo ante la ciudad milenaria que vio sus milagros y que no creyó en ellos, sólo conmigo mismo y con mis penas y mis congojas, siento subir a mis labios fragmentos dispersos de oraciones olvidadas...

En *Grecia* glosa con sin par delicadeza la Oración en el Acrópolis de Renán, a quien defiende de las imputaciones historicistas de Gebhardt:

Pero, yo prefiero la oración de la tarde, el ave Palas del crepúsculo, la melancolía del recogimiento vespertino. Entre las últimas llamaradas del poniente, el templo de la diosa se destaca, augusto y desventrado, cual si el incendio que consumió hace siglos su flanco santo volviera a encenderse un instante.

Nos habría gustado que el escritor flagelara más su estilo para evitar la indebida asonancia de aquella expresión "flanco santo", mas Gómez Carrillo escribe siempre, de prisa, sin premeditación, y si resulta artístico su estilo es porque él, de suyo, era artista, no porque tratara de parecerlo. La retórica está proscrita de su obra entera.

Las novelas de Gómez Carrillo son así, como sus crónicas, límpidas, frescas. Sus personajes responden a sus propios experimentos. Si se encuentran licencia y sentimentalidad en los protagonistas de *Flores de penitencia,* se debe a que tal era su autor, mezcla de cinismo y humildad, de arrogancia y ternura, de ambición y ahitamiento.

Para todo le faltó tiempo a Gómez Carrillo. Pasó, súbitamente, de la juventud a la antesala de la muerte. Cuando ésta llegó a su lado en París, el 29 de noviembre de 1927, tenía cerca de él a Toño Salazar, otro centroamericano desarraigado, insigne pintor salvadoreño. La bandera argentina cubrió su féretro. Maeterlinck y su esposa Georgette Leblanc acudieron al lado de Consuelo Suncín, esa pequeña "viuda abusiva" como ha llamado a las de su especie, Anatole de Monzie. Guatemala atravesaba momentos de tremenda agitación política. Después la dictadura que se encumbró en 1930 no quiso saber nada del glorioso guatemalteco. Sólo, al cabo de veinte años, en 1947, el gobierno de un escritor y maestro, Juan José Arévalo, decidió rescatar para su patria al insigne y descarriado hijo.

ÍNDICE DEL VOLUMEN I

)TECA ROMÁNICA HISPÁNICA

POR DÁMASO ALONSO

AMPO ABIERTO

ESCRITORES REPRESENTATIVOS DE AMÉRICA

SEGUNDA SERIE

* *

LUIS ALBERTO SÁNCHEZ

CAMPO ABIERTO

ESCRITORES REPRESE
DE AMÉRIC
SEGUNDA SERIE

BIBI
DIRIG
VII.

LUIS ALBERTO SÁNCHEZ

ESCRITORES REPRESENTATIVOS DE AMÉRICA

SEGUNDA SERIE

EDITORIAL GREDOS

N.º de Registro: 1999-63. — Depósito Legal: M. 1850-1963

Gráficas Cóndor, S. A. — Aviador Lindbergh, 5. — Madrid-2. 1876-64

XVII

GUILLERMO VALENCIA

(Popayán, 20 octubre 1873 — 8 julio 1943)

Contradicción viviente, Guillermo Valencia fue ideólogo catolicísimo y poeta laico; moralista ultramontano y amador renacentista; señor de verso castigado y Musa impune; jefe de familia amante y austero, y padre "hors la famille", pródigo, aunque muy escrupuloso; predicaba la dictadura y versificaba a la libertad; cantó al suicida Silva, y legisló a favor de la pena de muerte; era frío de apariencia y ardiente de alma; estirado y amable; hombre del filo de dos siglos: ambivalente y atormentado. Se le volcó la tortura en sus versos. Hasta ahora esperan un exégeta puntual [1].

---

[1] La mejor biografía: Sonja Karsen, *Guillermo Valencia, Colombian Poet,* New York, Casa Hispánica, Univ. de Columbia, 1951; 269 págs.; B. Sanín Cano, *Letras colombianas,* México, Fondo de Cultura Económica, 1944; ibídem, "Guillermo Valencia y el espíritu", en el tomo *Ensayos,* Bogotá, 1942, págs. 57-60; ibídem, prólogo a *Poesías completas,* de Valencia, Madrid, Aguilar, 1949; J. Arango Ferrer, *Literatura de Colombia,* Buenos Aires, Univ. de Buenos Aires, Inst. de Cultura Latino-Americana, 1940, etc.

Obras de Valencia: *Ritos,* Bogotá, Samper Matiz, s. a. (1899), 2.ª ed., Londres, 1914; *Sus mejores poemas,* Madrid, ed. América, 1919; *Poesías,* Bogotá, 1912; *Job,* Cromos, Bogotá, 1927; *Catay,* Bogotá, Cro-

Fue profundamente lugareño y regionalista en política y vida; definitivamente cosmopolita en gustos estéticos. Nació del hogar heráldico de don Joaquín Valencia y Quijano y doña Adelaida Castillo Caicedo, constituido en 1856. Por parte de madre este Guillermo de Jesús, el popayanense, venido al mundo un 20 de octubre de 1873, descendía de don Gaspar Miguel Alonso de Castillo que fuera Gobernador de la Isla de Cuba; por su padre, de una aristocrática familia malagueña, cuyo primer representante en América llamóse don Pedro de Valencia y Aranda. Los abuelos lucharon por la independencia neogranadina al lado de Bolívar.

Valencia estudió en el Seminario de Popayán, bajo dirección de jesuitas. Creció en olor de griego y de latín. Sus primeras lecturas no clásicas serían Quintana, Bécquer y Núñez de Arce, en español; Voltaire, Rousseau, Bentham y De Tracy en otros idiomas. Tenía Guillermo doce años cuando murió doña Adelaida, dejándole privado de la ternura materna; poco después, en 1887, perdía también a su padre. Esta orfandad influirá en su carácter reconcentrado y un poco áspero. Le hará introvertido y cauteloso.

Después de 1888, se matriculó en la Facultad de Derecho de la vieja y conservadora Universidad de Popayán. Nunca se graduó de abogado. Pero, antes de los veinte, ya dragoneaba en la política. Poco después, en 1896 (año definitorio), ingresa a la Cámara de Rrepresentantes como diputado suplente. Tiene que sufrir rudos ataques. Le increpan su excesiva juventud y el

---

mos, 1929; trad. de *Balada de la cárcel de Reading*, de Wilde, Popayán, 1932; *Hojas de Poesía*, 12 sonetos, Bogotá, 1942; *Poesías completas*, Madrid, Aguilar, 1949. Discursos y numerosas antologías.

Discursos (pról. Daniel Samper Ortega), Bogotá, Bca. Aldeana de Colombia, 1936; *Sus mejores versos*, pról. de Rafael Maya, Bogotá, 1944; *Poesías completas*, Madrid, Aguilar, 1948.

Sobre Valencia: R. Blanco Fombona, *El Modernismo y los poetas modernistas*, Madrid, Renacimiento, 1929, págs. 221-235; E. Díez Canedo, *Letras Americanas*, México, Col. de Méx. 1944; Max Henríquez Ureña, *Breve Historia del Modernismo*, México, Fondo de Cultura. 1954.

no haber cumplido los veinticinco que fija la ley. Quien se le enfrenta entonces sería nada menos que don Rafael Uribe Uribe, caudillo liberal, cuyo nombre se cubriría de trágica gloria durante la espantosa Guerra de los Mil Días. El joven Valencia se defiende con denuedo. Para ese año ya ha comenzado a escribir versos, o hacer pública su vocación de tal: para ese año (digo 1896) que es el de dos sucesos importantes: el suicidio de José Asunción, sobre cuya tumba escribe Valencia un largo poema, el primero de *Ritos*, *Leyendo a Silva*, y la aparición cuasi simultánea de *Los Raros* y *Prosas profanas*, con que Rubén Darío sella el estreno del Modernismo. Valencia emplea ya una adjetivación capitosa y rara, nada semejante a la romántica. Ha roto la tradición de los Caro, los Pombo, los Vergara. Exulta de impaciencia. Prueba de ello será un encendido elogio al general Antonio Maceo, al negro Maceo, y a la Independencia de Cuba. Poco después, Valencia emprende viaje a Europa como Secretario de la Misión que encabeza el general Rafael Reyes, destinado a ser uno de los gobernantes "fuertes" de su patria, blanco de los vitriólicos ataques de Vargas Vila. Valencia recorre Francia, Suiza y Alemania. No puede disfrutar tanto como quisiera de aquella romería. La interrumpe la Revolución de los Mil Días contra la que Valencia envía armas desde París. No obstante, siempre le alcanza el tiempo para ciertos contactos literarios. No se olvide que para entonces Guillermo anda enfermo de literatura. Aunque él mismo dirá: "todos los versos de *Ritos* los escribí en la fiebre de aquellos años de vida bogotana entre el 96 y el 97" [2], su mal se acentúa durante el viaje a Europa. En el restaurante Kalisaya de la capital francesa, encuentra a Darío, Gómez Carrillo, Jean Moréas, Ernesto Lajeneusse y, mediante la intervención del segundo, a Oscar Wilde. Era ya en 1900, y el gran escritor británico usaba el triste nombre de Sebastián Melmoth. Valencia, lleno de entusiasmo, de sagrado fuego literario, va en busca de José María de Heredia y, claro,

---

[2] Luis Enrique Osorio, citado por Sonja Karsen, *o. c.*, nota a la página 59.

del suegro de éste, Catulle Mendés, promotor, con Leconte y Heredia, del parnasianismo. Frecuenta al venezolano Manuel Díaz Rodríguez. Intenta visitar a Federico Nietzsche, ya demente, en Sils María. Con todo esto, el joven aristócrata popayenense ha pasado el Rubicón... estético.

Al volver a Bogotá, donde se ha publicado *Ritos* (que "enloqueció a la muchachada") constituye un grupo, la "Gruta de Zaratustra", paralela de la "Gruta simbólica", menos radical ésta que aquélla. Al recibir un ejemplar de *Ritos,* don Juan Valera, empeñado ya en sus *Cartas americanas,* comenta con risible sentenciosidad: "El tono del señor Guillermo Valencia me mueve a reconocer que dicho señor es poeta". Plausible descubrimiento, no muy zahorí.

Aunque demasiado parco, el elogio de Valera encierra algún significado. Menos del que debiera, pues que ya, para entonces, España experimenta el impacto de la nueva poesía proveniente de América. Un año después, en 1902, al circular la segunda edición de *Prosas profanas,* la batalla literaria del Modernismo se traslada de Buenos Aires, Bogotá, México y Caracas, a Madrid.

Entretanto, Valencia ha vuelto a su patria. La lucha entre liberales y conservadores llega a su fin. Aparece otro riesgo, al cual dedica sus desvelos el joven líder político. Se ha ofrecido la posibilidad de un convenio entre Colombia y Estados Unidos para arreglar el asunto del potencial Canal de Panamá. Fracasada la empresa de los franceses, Buneau Varilla, el osado aventurero, ha despertado la codicia del gobierno de Washington. Se propone un acuerdo, el llamado Herrán-Hay, apellido este último del Secretario de Estado de Norteamérica. Valencia, con un criterio realista que no le atrae ninguna popularidad, aboga por la aprobación del pacto; la Asamblea Legislativa lo rechaza. No tarda en producirse el drama: los panameños proclaman su emancipación de Colombia; días después, se firma el Pacto Hay-Buneau Varilla, por el cual los Estados Unidos adquieren la soberanía sobre la faja de tierra excolombiana llamada Zona del Canal. Triste privilegio del político que acierta pronosticando desventuras para su patria.

Ha empezado la carrera política del poeta. El nuevo gobierno presidido por su antiguo jefe, el general Reyes, le designa Gobernador del Cauca (1904). Al realizarse la Tercera Conferencia Panamericana en Río de Janeiro el año de 1907, Valencia concurre como delegado de su país; Rubén Darío por el suyo. Recordemos la *Epístola a Madame de Lugones* del nicaragüense. Como el Partido Conservador ha asegurado sólidamente su dominio, Valencia asciende rápidamente. En 1908 es Senador de la República. La poesía yace como olvidada. *Ritos* alumbra, solitario faro, la fama del poeta. Entre 1912 y 1916, torna a su vieja vocación lírica. En Colombia, al menos, no es malo para un político, escribir versos: lo atestiguan notables conductores: Caro, Núñez, Arboleda, Isaacs, Marroquín. En 1917, Valencia, de cuarenta y cuatro años, es saludado como candidato a la Presidencia de la Nación, por la Coalición Progresista. Su rival es Marco Fidel Suárez, insigne conservador y eminente literato. Con Valencia actúan un sector de su partido, los liberales y los republicanos, cuya personería ostentan el caudillo General Benjamín Herrera, Eduardo Santos (que acaba de adquirir *El Tiempo),* Luis Eduardo Nieto Caballero, periodista liberal, Laureano Gómez, periodista conservador de los más extremistas, etc. En medio de una campaña ardentísima, durante la cual Valencia declamó infinitas veces su poema *Anarkos,* alcanzó la victoria el señor Suárez: la prosa triunfaba sobre el verso. Era en 1918. Poco después, a consecuencia de un episodio que honra la honestidad del presidente Suárez, éste ofreció la dimisión de su alto cargo. Suárez se retiró a su casa en medio de unánime respeto, no compartido por su iracundo y feroz agresor, su correligionario el señor Gómez (1921). Pudo Valencia ser entonces el candidato del Partido Conservador, pero éste designó a Pedro Nel Ospina, apacible caballero, con domésticos antecedentes presidenciales. Ospina gobernó de 1921 a 1925. Durante ese período Valencia viaja a Santiago de Chile, como delegado de su país a la Quinta Conferencia Panamericana (1922). De paso por Lima, le tratamos por primera vez. Era un hombre de mirada huidiza, alto, arisco, de bigote ralo y labio desdeñoso, cuidado y sobrio de palabra, un poco antañón por el atavío. Valencia en el Senado de la República daba su apoyo a diversas medidas drásticas: al fin, señor de horca y cuchillo.

En 1929, el poeta publica *Catay*, su segundo libro, en cuyas páginas campean la originalidad, la inspiración y la sabiduría literarias. Como se acercan las elecciones presidenciales, Valencia es proclamado por un Sector del Partido Conservador. El otro enarbola el nombre del general Alfredo Vásquez Cobo, quien cuenta con el eficaz apoyo del Arzobispo de Bogotá. ¿Es que la dignidad eclesiástica recela del poeta conservador y católico, pero cuya ortodoxia no se manifiesta en el campo estético? Como fuere, el hecho es que la escisión conservadora facilita el camino al Partido Liberal, que, al cabo de cuasi medio siglo de exilio político, surge avasallador y conquista la Primera Magistradura, con el señor Enrique Olaya Herrera a su cabeza (1930-1934). Estaba Olaya en la Presidencia cuando estalló el conflicto peruano-colombiano, a propósito de un triángulo territorial en el Amazonas (Leticia). El Presidente liberal llama como jefe de las tropas encargadas de la campaña militar al excandidato conservador General Vásquez Cobo, y como Presidente del Comité asesor de la Política Internacional a Guillermo Valencia, el otro excandidato conservador (1932). Poco después al realizarse las negociaciones de paz entre ambos países, Valencia, siempre bajo el gobierno liberal, presidirá la delegación bipartita de Colombia, que logra el ajuste de una tregua decisiva: para ello Valencia ha viajado a Río de Janeiro (1933-1934). Estos tratos con los liberales no le impiden abominar del desorden en términos tan excesivos que llega a elogiar al famoso y cerril tirano de Venezuela, Juan Vicente Gómez, sólo porque impuso un "orden" de cementerio en su ardiente tierra. Había Valencia vuelto a su ciudad de Popayán y era de nuevo senador, cuando le sobrevino la muerte, el 8 de julio de 1943.

Valencia había casado en 1908 con una mujer bellísima: Josefina Muñoz Muñoz, de familia ilustre y rica. De ella tuvo dos hijos y tres hijas. Enviudó en 1921. Estaba visto: el amor no le quería acompañar: la soledad le arrebataba gajo a gajo todas las alegrías. Huérfano y viudo prematuro, no le quedaban sino los hijos, los amores fugaces, sus versos y la política. Se hizo duro, a fuerza de soportar dolores. "Yo nací con una sensibilidad enfermiza que me hace sufrir indeciblemente", escribió una vez. Para disimularlo, usaba una tajante arrogancia. Sonia Karsen relata un episodio revelador. Alguien disparó a Valencia un día: "Se dice, maestro, que hay en su poesía un exceso de cautela y de contención que la tornan un poco fría e impávida". Valencia *ripostó* a fondo: "Amigo... en las más altas cumbres hace frío".

Sobre la mesa de trabajo y pendientes de las paredes del cuarto del poeta había una nube de autógrafos, fotografías dedicadas, esbozos escultóricos o dibujados, de Bolívar, José Asunción Silva, Rubén Darío, Gabriel D'Annunzio, Ernesto Renán, Anatole France: gustos todos coincidentes con los de Silva y compartidos con Sanin Cano, cuya amistad se inició desde 1896. Faltaba sólo el retrato de Wilde, a quien Valencia tradujo. Pues, al morir, el poeta poyanense, cristiano de buena cepa, conservador de doctrina arraigada, dejó un testamento que habla muy bien de su conciencia: en él figuran cuantiosos legados a sus varios hijos ilegítimos (Karsen, pág. 49). Patriarca del viejo tiempo, pagará así de una vez el necesario tributo a Dios, a la Justicia y a la Vida.

Sanin Cano ha escrito, en su bello ensayo *G. V. y el espíritu,* que el supuesto parnasianismo del autor de *Ritos* se debe a que en su forma y contenido dejaron honda huella Walter Pater, Carducci y Mauclair, pero que hay en ello también" lampos románticos". Además tomó algo de los impresionistas y los simbolistas, ya que "toda su poesía es espíritu", o sea, "escrita con sangre", según el giro nietzscheano. Nos parece muy digno de ser repensado todo lo dicho por Sanín.

Ahora bien, lo primero que atrae la atención en la poesía de Valencia es su forzada majestad y sus opulentos adjetivos, fruto, sin duda, de largas meditaciones y de una persistente vigilia estética. Veamos algo sobre esto.

Pese a la tajante respuesta de Valencia a quien le hablaba de su frialdad, no se puede negar que su verso es helado. A ratos, sobre todo al comienzo, parecía destilar alguna emoción. Creo que la ahogó un trágico dualismo: entre el creyente sentimental y el ateo estético. ¿Se concibe de otra manera que principie *Ritos* con el poema *Leyendo a Silva,* donde exalta a un suicida, y que traduzca con extraordinaria pasión la *Balada de la cárcel de Reading,* de Wilde? Esta misma admiración y amistad con Wilde, denuncia el fervor artístico, sobre toda otra inclinación, en el poeta de Popayán. Se le denunciará por su parnasianismo. Si esto significa sequedad de expresión, aunque se disfrace de carnosos adjetivos, Valencia lo fue. No obstante, investiguemos. He aquí algunos fragmentos del poema a Silva:

Vestía traje suelto de recamado viso
en voluptuosos pliegues de un color indeciso,
y en el diván tendido, de rojo terciopelo,
sus manos, como vivas parásitas de hielo,
sostenían un libro de corte fino y largo,
un libro de poemas, doloroso y amargo.

Los dos primeros versos uncidos al yugo de la rima no corresponden a la fama del poeta autor del canto, ni a la del poeta cantado. La invocación a Jorge Isaacs, quien, como se sabe, dedicó bellísimo poema a Elvira Silva, no se destaca por su piedad:

céfiro de las tumbas, un bardo israelita
le cantó cantos tristes de la raza maldita
a ella, que en su lecho de gasas y de blondas,
se asemejaba a Ofelia mecida por las ondas.

El pareado es siempre muy exigente, lo cual excusa mucho. Valencia, empero, tocado por la tragedia de Silva, invoca a *su* Señor:

¡Oh, Señor Jesucristo, por tu herida en el pecho,
perdónalo, perdónalo!

Lo decía —y es su mérito— cuando ningún conservador ni católico quería olvidar ese suicidio ni siquiera en aras de la poesía fluyente de aquella herida mortal.

Persistiendo en su obra de corte exacto a lo Leconte de Lisle y a lo Heredia, Valencia cantará a los camellos, a la Esfinge, a Job, a San Antonio y el Centauro, a Palemón el Estilita; traducirá a Li-Tai Pó, a Ovidio, a Anacreonte, a Goethe, a Schiller, a Hugo, a Heredia, a Mallarmé, a Bilac, a Frontoura Xavier, a Hoffmansthal, a D'Annunzio, a Wilde, a Baudelaire, a Verlaine, a Omar Khayyam; a poetas árabes y chinos (de versiones francesas); parafraseará dichos y obras de Nietzsche, de Alberto Durero, de Erasmo, de Barrés. ¿Quién falta en esta nómina de los modernos y de los antiguos? La inquietud literaria de Valencia tratará de saciarse con temas ajenos, pero en formas propias. ¿Poesía? ¿Hasta qué punto? Ensayos de poética, sin duda, y ansias de liberar al verso castellano de coyundas inadmisibles; cierto. Ello se advierte hasta en aquel poema titulado *A la manera moderna*, de *Ritos*, en el cual repite la ya consagrada manera de Darío en su *Responso a Verlaine*, utilizando una estrofa de seis versos (la sextina bienamada de los modernistas, desde Casal), de catorce sílabas graves o esdrújulas en 1.ª, 2.ª, 4.ª y 5.ª, y eneasílabos (otro lujo modernista) agudos en 3.ª y 6.ª

Sorprende en Valencia, más que en ninguno otro, la plenamente revelada pasión por la forma. Hay que encandilar al beocio con piedras deslumbradoras, sean o no preciosas. Sólo que, a ratos, arrastrado por el turbión de la incipiente e irresistible fiebre social del día, deberá hacer una concesión como la de *Anarkos*, en cuyos versos se mezclan Nietzsche, Bakunin y Jesucristo. Mas ¿no hemos visto acaso que, durante la campaña presidencial de 1920, Valencia, puño en ristre, el afilado rostro tenso, declamaba desde la tribuna política aquellos versos de 1896, como invitación a la masa para que le otorgase sus votos?

El vocabulario de Valencia es quizá menos original que el de Rubén y menos inaudito que el de Herrera y Reissig, pero, igual que el de Jaymes Freyre, está cuajado de joyas. Dejando de lado sus caballeros teutones y sus cruzados (rezagos románticos más bien), recordemos su predilección por *seda, felpa, cigüeñas, buhos, lotos, palmeras, cisternas, palomas, violeta, opalino, gris, elástico, fiebre,* todo un lexico insonoro, de matices, extraído del diccionario, como lujo verbal. Mas, ¿acaso el lujo verbal está en riña con la verdadera y entrañable poesía?

Valencia habría querido parecer impasible y preciso. Lo segundo llegó a ser uno de sus logros, no lo primero. La impasibilidad no se adquiere a dosis previstas, sino como coronación de muchas tempestades interiores. Le faltan a Valencia, probablemente, esas tormentas sentimentales, esas alzas y bajas, de *Fêtes Galantes* a *Sagesse,* características de Verlaine, de Wilde y Darío. De ahí, sin duda, su regusto formal. Su necesidad implícita de saciarse en la envoltura, y, por tanto, de hacerla perfecta y melodiosa.

Hay, empero, una composición del Valencia juvenil (no hablo del Valencia de *Catay,* en quien se encuentran los fundamentos de la poesía contemporánea de fines de la Primera Gran Guerra), una composición que encuadra dentro de los más exigentes preceptos parnasianos: *Los camellos:* sigamos el majestuoso ritmo de sus adjetivos:

> *Dos* lánguidos *camellos, de* elásticas *cervices,*
> *de* verdes *ojos* claros, *y piel* sedosa *y* rubia,
> *los cuellos* recogidos, hinchadas *las narices,*
> *a* grandes *pasos miden un arenal de* Nubia.
>
> *Alzaron la cabeza para orientarse y, luego,*
> *el* soñoliento *avance de sus* vellosas *piernas*
> *—bajo el* rojizo *dombo de aquel* cenit *de* fuego
> *pararon* silenciosos *al pie de las cisternas.*

Una exclamación patética estremece de pronto la descripción:

> *¡Tristes de Esfinge, novios de la palmera casta!*

Vale por todo el poema.

Qué diferencia con *Paseando*, estrofa inaugural de *Catay* (1928) atribuida a Chang-Wu-Kien, 1879:

En negras filas cruzan los ánades salvajes,
nidos amarillentos lloran sobre los árboles,
y las montañas sordas
parece que oprimieran con su mudez la tarde.
Hoy encontré tu flauta de jade que perdiste
en el pasado estío. La madurez pujante
de la hierba cubrióla, mas ha muerto la hierba
y tu flauta de jade,
como un ascua fulgía ante mi fuente,
a la luz fugitiva de la tarde.
Y en nuestro amor pensé, que vive consumido
de unos necios escrúpulos bajo el falaz ropaje.

Perfecta composición si no la malograse la trasposición final, emblema de "modo" castellano. En cambio ¡qué severa y emotiva sencillez en este romper de verso de "Li-Tai-Pó"!

Van dos golondrinas, y dos golondrinas
son aves que siempre vagan en parejas
y en torre de jade o en huta pajiza
no posa la una sin su compañera...

Hacia el final de su existencia, Valencia se consagra a cantos civiles y de ocasión. Popayán, Palmira, sus antepasados, sus amigos, reciben la caricia rimada de su estrofa. También, el homenaje de su ira, como aquel "Lope de Azuero", crítico voraz, quien endilga Valencia una pequeña filípica en el colofón o exergo de *La tristeza de Goethe*.

El orador y el político se apoderan del hombre. Luce enamorado de la sonoridad, oyéndose. No es el Valencia del primer tiempo, que se *veía* más de lo que *se oía*. En todo caso, siempre será el sensual, el esteticista, el que no concibe la vida sin arte. Como en su juventud con respecto a Silva, Valencia trazará la rúbrica de su personal indulgencia sobre todo el que, pecador o beato, dejó fluir de su ser un poco o, mejor, un mucho de belleza. Valencia trató de ser un Apolo poético. No se le vitupere si a ratos alcance tan sólo a Ganímedes. De toda suerte su ejemplo de pulcritud causa respeto. En especial, aquí en América donde aprendemos a ser apresurados sin que el tiempo nos urja. Gran señor provinciano, para Guillermo de Popayán las horas guardarían sus mejores frutos. Pudo libarlos golosamente hasta saciarse. Hasta saciarnos.

XVIII

LEOPOLDO LUGONES[1]

(María del Río Seco, Córdoba, 13 junio 1874 — Buenos Aires, 19 febrero 1938)

Difícil enmarcar a Lugones aunque sea a grandes trazos: esta figura aventaja en solidez y magnitud a los más esforzados empeños de abarcarla. Se le dirá poliforme, versátil, voluble, enciclopédico, y nada le describe de veras. Tuvo grandezas y miserias, ascensos y caídas: sin unas y otras, todo retrato suyo resultaría absurdo. Al poeta anarquista le sustituirá un prosador católico; al juguetón de los sonetos, el grave traductor de Homero; al narrador de una guerra bárbara, el comentarista de Einstein; al defensor de la Inmaculada Concepción, el suicida

---

[1] Obras de Lugones: *Los mundos*, Córdoba, 1893; *Las montañas del oro* (poemas en prosa), Buenos Aires, 1897; *Homenaje a la memoria de Emilio Zola*, Buenos Aires, 1902; *La reforma educacional: Un ministro y dos académicos*, Buenos Aires, 1903; *El imperio jesuítico: Ensayo histórico*, Buenos Aires, 1904; *Los crepúsculos del jardín* (poesía), Buenos Aires, 1905; *La guerra gaucha*, Buenos Aires, 1905; *Las fuerzas extrañas*, Buenos Aires, 1906; *Lunario sentimental* (versos), Buenos Aires, 1909; *Las limaduras de Hephaistos: piedras liminares*, Buenos Aires, 1910; *Odas seculares*, Buenos Aires, 1910; *Didáctica*, Buenos Aires, 1910; *Historia de Sarmiento*, Buenos Aires, 1911; *El libro fiel* (poesía), París, 1912; *Elogio de Ameghino*, Buenos Aires, 1915; *El ejército de la*

del Río Tigre; al libertario de 1896, el fascistoide de 1925; al empavesado de 1905 el peatón poético de 1928: todo en él fue contraste, insatisfacción y poder. Quizá la última palabra pueda resumir la peripecia entera: poder. Sí; poder, aplastante poder, poder que avasalló a su propio dueño.

Su primera contradicción se produce en el inicio: desciende de vieja familia linajuda y fundadora. Dirá en *Poemas solariegos:*

Ilíada, Buenos Aires, 1915; *Cuentos,* Buenos Aires, 1916; *El Payador: el hijo de la pampa,* Buenos Aires, 1916; *Rubén Darío,* Costa Rica, 1916; *Mi beligerancia,* Buenos Aires, 1917; *El libro de los paisajes* (versos), Buenos Aires, 1917; *Las industrias de Atenas,* Buenos Aires, 1919; *La torre de Casandra,* Buenos Aires, 1919; *El tamaño del espacio,* Buenos Aires, 1921; *Las horas doradas* (versos), Buenos Aires, 1922; *Acción,* Buenos Aires, 1923; *Estudios helénicos,* Buenos Aires, 1923-1924 (4 tomos); *Filosofículas,* Buenos Aires, Babel, 1924; *Cuentos fatales,* Buenos Aires, 1924; *Romancero* (poesía), Buenos Aires, 1924; *La organización de la paz,* Buenos Aires, 1925; *El ángel de la sombra,* Buenos Aires, 1926; *Poemas solariegos,* Buenos Aires, 1928; *Nuevos estudios helénicos,* Buenos Aires; *La patria fuerte,* Buenos Aires, 1930; *La grande Argentina,* Buenos Aires, Babel, 1930; *Política revolucionaria,* Buenos Aires, 1931; *El único candidato,* Buenos Aires, 1931; *Romances de Río Seco,* Buenos Aires, 1938; *Roca,* Buenos Aires, 1938; *Antología poética* (Recolección de Carlos Obligado), Buenos Aires, 1942; *Diccionario tecnológico del castellano usual,* Buenos Aires, 1944; *Obras poéticas completas,* Madrid, Aguilar, 1952.

Sobre Lugones: Leopoldo Lugones (hijo), *Mi padre* (Biografía de Leopoldo Lugones), Buenos Aires, Centurión, 1949; Mariano Picón Salas, *Para una interpretación de Lugones: modernismo y argentinismo,* en *La Nación* de Buenos Aires, 1 de setiembre de 1946; Carlos Alberto Loprete, *La literatura modernista en la Argentina,* Buenos Aires, Poseidón, 1955, 126 págs.; *Nosotros,* número consagrado a Lugones, 1938; Max Henríquez Ureña, *Breve historia del modernismo,* México, 1955; Juan Carlos Ghiano, *Lugones escritor. Notas para un análisis estilístico,* Buenos Aires, 1955; Roberto Giusti, *Nuestros poetas jóvenes,* Buenos Aires, 1911; Juan Mar y Pi, *Leopoldo Lugones y su obra (estudio crítico),* Buenos Aires, 1911; Carlos Obligado, *La cueva del fósil: Diálogos increíbles sobre la vida literaria argentina:* 1.° *De la poesía de Leopoldo Lugones,* Buenos Aires, 2.ª edición, 1938 (Unión Panamericana), *Diccionario de la literatura latinoamericana argentina,* tomo I, edición mimeografiada, Washington, U. Panamericana, 1960.

En la Villa de María del Río Seco,
al pie del Cerro del Romero nací,
y esto es todo cuanto diré de mí,
porque no soy más que un eco
del canto natal que traigo aquí...

....

Que nuestra tierra quiera salvarnos del olvido
por estos cuatro siglos que en ella hemos servido.

No bien pisa Buenos Aires, a espaldas ya para siempre de su colonial Córdoba nativa, Lugones abraza dos explosivas teorías: en arte, el modernismo; en política, el anarquismo; y como tiene fuerza (poder, recuérdese bien) resulta adalid prematuro. Suponemos que hubo asombro en Rubén al leer, un año después de *Prosas profanas,* ese capitoso y enfático despliegue de figuras titulado *Las montañas del oro* (1897), donde, bajo la apariencia de una prosa rítmica, suele presidir el desfile de sonoras opulencias, el viejo metro peánico, el cuadrisílabo del *Nocturno* de José Asunción, provocando el asombro y el seguimiento de cuantos deseaban adquirir personalidad a costa de perder la que tenían. Lugones evidencia al par su devota actitud frente a Hugo, y su implícita "adhesión-protesta" con respecto a Darío. Creo que éste comprendió perfectamente lo ocurrido y por ocurrir. Una fiel amistad de veinte años la confirmará sin dudas.

Lugones llega a Buenos Aires, en 1896, año decisivo, resuelto a conquistarlo. Trae bajo el brazo sus clásicos del anarquismo y de la egolatría: Nietzsche, Stirner, Bakunin, Kropotkin. Dentro del alma, una sed de grandeza irrestañable.

Triunfa Rubén: es su año cenital. Lugones ingresa a *La Tribuna.* Desde sus columnas catequizará al pueblo para sus intempestivas doctrinas.

Como buen cazador, olfatea el advenimiento de otra Buena Nueva. Publica en 1897, cuando hierven los elogios y diatribas contra el pugnaz y flamante modernismo, su ya citado primer libro *Las montañas del oro.* Las huellas de Hugo, Díaz Mirón y

Whitman parecen evidentes. El poeta se deleita luciéndose positivista, racionalista y ateo:

> *La razón es el lábaro del ideal eterno;*
> *la razón que no admite ni el cielo ni el infierno.*
> *Dios es un viejo amo, desterrado monarca*
> *que agoniza en la inmensa desolación de su arca.*

La última rima es cuasi de pie forzado. Lo serán algunas invocaciones al pueblo. Luego, sobrevienen las embriagadas odas en prosa rítmica: el disfrazado endecasílabo de la *Oda a la desnudez* y *A la Histeria*, etc.; los hepta y endecasílabos de *Rosas de calvario;* las silábicas imprecaciones *A Santa Miseria;* los ritmos peánicos de *El hijo del hombre* y sus secuencias; luego las mezclas de octo y dodecasílabos, todo, cuasi todo, en aparente prosa; el juego silvesco de *El viento,* cuyo remate evoca inevitablemente a José Asunción; y la más libre parte llamada *Tercer ciclo*. Allí está ya la esencia metafórica íntegra del modernismo. No alcanza Leopoldo la gracia de Rubén, pero se le acerca y hasta supera en la borrachera verbal y comparativa. Cuando Darío lanza *Cantos de vida y esperanza,* ceniza sobre la decorada testa, Lugones arroja la diabólica musicalidad de *Los doce gozos,* catalogados luego en *Los crepúsculos del jardín:* ha empezado el cotejo de originalidades con Julio Herrera y Reissig, el de la otra orilla. Lugones ha renunciado a la solemnidad juvenil, y ha aprendido a retorcerle el cuello a la elocuencia, según lo muestra el prefacio, escrito en cuartetas llenas de donaire:

> *Lector, este ramillete*
> *que mi candor te destina,*
> *con permiso de tu usina*
> *y perdón de tu bufete,*
> *no significa en ninguna*
> *forma, un anárquico juego,*
> *o un desordenado apego*

por las cosas de la luna.
Pasatiempo singular
tal vez, aunque harto inocente,
como escupir desde un puente
o hacerse crucificar...

Las reminiscencias de Darío saltan, empero, a despecho del autor: por ejemplo:

Hay una estatua entre la fronda oscura;
abstracto albor su desnudez aviva
(*Cisnes negros*)

¿Será preciso transcribir algún trozo del poema inicial de *Cantos de vida y esperanza*? Es en *Los crepúsculos del jardín*, sobre todo en *Los doce gozos*, dedicado a José Juan Tablada, donde aparece el tipo de soneto lugonesco que será más conocido como "de Herrera y Reissig", no ya por la improbada conjetura de Rufino Blanco-Fombona acerca de la originalidad de Herrera y la imitación de Lugones (cosa que Horacio Quiroga deniega), sino porque Herrera fue perseverante en ese que será su tono, mientras que Lugones anduvo de una a otra forma, cateando bellezas, en acecho del acierto definitivo al cual quizá no creyó haber llegado nunca. Esos versos:

con la ducal decrepitud del raso,
cual al rendirse tu intacta adolescencia,
una resurrección de primaveras
llenó la tarde gris y tus ojeras...

O, sobre todo, aquel que dice:

sobre el broche de tu liga crema
crucifiqué mi corazón mendigo

¿no están, acaso, denunciando a las claras el parentesco con

y bajo el raso de tu pie verdugo
puse mi esclavo corazón de alfombra

de Herrera y Reissig? y ¿no es el último terceto de *Delectación morosa,* una indudable coincidencia con el soneto *La sombra dolorosa,* analogía visible hasta la consonancia de los títulos?

Aparte lo anterior, importa recoger aquí la precisión de las figuras en este Lugones de treinta y un años.

El mar lleno de urgencias masculinas,
bramaba al rededor de tu cintura...;

la maestría de su verso, visible en el juego de "jotas" de "La alcoba solitaria"; la fina galantería de "Camelia":

¿Cómo se llama? El corazón lo augura;
—Clelia, Eulalia, Clotilde— algún prístino
nombre con muchas eles, como un fino
cristal, todo vibrante de agua pura.

Pero, esto, con ser mucho, resulta poco si atendemos a que a tal libro y a tal fecha pertenece *El solterón,* pieza de antología y de tristeza, de las más acusadas. Ahí está el futuro poeta laforguiano de *Lunario sentimental;* ahí están en germen la poesía de Luis Carlos López, y la de Ramón López Velarde, y el degollamiento del cisne de Enrique González Martínez, y una curiosa y "aprosaicada" *(passez-le-mot)* versión de "El cuervo" de Poe. Vocablos renovados ("se agrisa", "soronal") abundan en estas quintillas de abandono, vencimiento y amarga sencillez.

Es curioso que, para entonces, Lugones elabore el libro en prosa *La guerra gaucha,* novela histórica de estilo engrifado. Verdad: hay en el poeta una superabundancia tal de fuerza, una capacidad de renovación, una curiosidad tan ávida, una potencia tal, que se entretiene abordando todos los temas y todas las maneras sin extraviarse, regresando siempre a su ser natural. No le creamos mucho, por eso, cuando en el pórtico de *Lunario sentimental* exalte la claridad y la concisión en el verso. De tan claro, se lanza a la broma. Una poesía chacotera y sarcástica va a envolver los inmarcesibles prestigios de la luna; un metro corto, conveniente a asuntos mínimos; consonancias imprevistas (pingüe-bilingüe; cañutos-tributos; joya-claraboya; ovípara-opípara) contribuirán al aire funambulesco de semejante libro en donde hay una afectuosa mención de Rubén Darío y "otros cómplices".

Lugones, ahí, como en toda su obra, luce una torrentada de energías, a ratos increíble. No reuniría después sólo poemas, sino también piezas teatrales, prosas líricas, un deslumbrante y arrollador conjunto de ironía, metáforas, hipérboles, litotes, deliberados prosaísmos, poesía involuntaria e incoercible. Si en ese momento, bajo el dominio de Sarmiento, cuya prosa trepa como una hiedra por las paredes del castillo interior lugoniano; si en ese momento, digo, Lugones publica la historia del ilustre autor de *Facundo*; y ella parece escrita por su biografiado, culpa será de la porosidad voracísima de quien siempre estuvo dispuesto a adoptar la belleza y el vigor, sin aduanas de arrogancia. Junto con el primer centenario de Sarmiento llega el de la Patria Argentina. Darío ha preludiado ya su *Canto*, lleno de ímpetu viril. Lugones, que a menudo suele cotejarse con el ruiseñor de Nicaragua, lanza sus *Odas seculares:* A la presencia de Hugo y Verlaine, se han sumado ahora las de Verhaeren y Whitman. Con ardides de mago, reduce el énfasis a tono menor. Dicho de otra manera: eleva la palabra corriente a categoría estética. Ahora ya ha degollado al "cisne de engañoso plumaje". Ha retorcido el cuello a la elocuencia.

> Patria, *digo, y los versos de la oda*
> *como aclamantes brazos paralelos*
> *te levantan Ilustre, Única y Toda*
> *en unanimidad de almas y cielos.*

En seguida exhibe todo cuanto constituye el orgullo y el bienestar argentino:

rugosos como frutos los carneros...
sobre sus tiernas patas de alfeñique
jadean las borregas dormilonas,
al mugido remoto y entrañable
que su viril profundidad prolonga...

El lenguaje se preña de vocablos íntimos y vernaculares: se suceden *chala, humita, locro, callana, collas, chicha, chacra, choclo, frijol, pella, camoatí.* Y mezcla ritmos endecasílabos (como los del Himno Nacional), octosílabos, alejandrinos, desprovistos de teatrabilidad, fluidos, naturales, auténticas odas elementales correspondientes a una bien ganada maestría. Lugones no llega aún a los cuarenta.

El libro fiel, que sigue dos años más tarde, regresa, como carambola de lujo, a la sofrenada elegancia de *los crepúsculos.* Empero, subsiste la huella del *Lunario sentimental.* Ya no podrá volver Lugones al absoluto barroquismo de 1905. *Las vidalitas* y *Poemas para guitarra* indican mucho más, en su implicitez, que en su misma expresión tangible. Salpica todo aquello una menuda lluvia de sutilezas: por ejemplo:

Noche oscura, viento leve,
y, sobre la tierra bruna,
diríase que la nieve
va pulverizando luna.

Así persiste Lugones, poeta incoercible, hasta *El libro de los paisajes* (1917), donde resalta *A ti única;* y aparecen los retratos de las aves nacionales, y, en fin, plásticas, interpretación de estados de alma, disfrazados de acuarelas métricas.

Lugones ha viajado mucho por Europa. Ya, desde los días de la revista *Mundial* de París, fletado por los acaudalados hermanos Guido, argentinos, y bajo la amparadora sombra de Rubén, el poeta de Córdoba veía crecer en torno suyo la marejada de adhesiones. Al concluir la guerra de 1914, Europa se estremece de inéditas inquietudes: también la Argentina. Frente a la avalancha bolchevique, salta el fascismo: su atuendo de belicosidad, juventud y poderío, conmueve a quienes aman la aventura arrogante y ostentosa. Lugones acusa el impacto. Es la época en que prepara las páginas de *Filosofículas*. Su nacionalismo poético y su catolicismo litúrgico sienten la conmoción mussoliniana; sin embargo, como para atemperar urgencias de espíritu y de circunstancias, se ha comprometido en una empresa descomunal e inesperada: los *Estudios helénicos*, cuya primera serie contiene dos ensayos: I: *La funesta Helena* y II: *Un paladín de la Ilíada*. Al mismo paso acaba de publicar *Las horas doradas* (1922), poemario en que da el adiós al modernismo y por ende a su juventud. La insistencia con que reitera su monogamia, su fidelidad a Juana González, la *Unicae sponsae Torturae meae Unicissimae* de la dedicatoria de *El libro fiel*, tiene algo de innecesaria fiereza: confesión no pedida: la repite en el umbral de un nuevo libro; se halla éste saturado de poemitas cortos como *hai kais*, de "estampas japonesas", de una multitud de cantos a la rosa, uno de ellos manifiesta homenaje a Rubén:

> *Rosa de nieve, rosa solitaria*
> *que amaba el cisne de Rubén Darío,*
> *blanca flor de pureza y de plegaria*
> *cuyo imposible amor llora el rocío.*
>
> *Bañada en luna te cantó el poeta,*
> *mientras soñabas, entreabierto el broche,*
> *al casto beso de la luz que aquieta*
> *los lagos misteriosos de la noche.*

Aparece allí un "Mensaje a Rubén Darío" ("Maestro Darío, yo tengo un encargo..."), inobjetable testimonio de la amistad entre ambos por lo menos hasta la primavera de 1911, en París, donde y cuando está fechado el poema. A dicho libro pertenece también un soneto evidentemente más antiguo y de inmarcesible recuerdo: "Tarde venturosa":

Al promediar la tarde de aquel día,
cuando iba mi habitual adiós a darte,
fue una vaga congoja de dejarte
lo que me hizo saber que te quería.

Tu alma, sin comprenderlo, ya sabía...
con tu rubor me iluminó al hablarte,
y, al separarnos, te pusiste aparte
del grupo, amedrentada todavía.

Fue silencio y temblor nuestra sorpresa;
mas ya la plenitud de la promesa
nos infundía un júbilo tan blando,

que nuestros labios suspiraron quedos...
y tu alma estremecíase en tus dedos
como si se estuviera deshojando.

Después de este libro, todo lo que viene empieza a ser en cierto modo funeral.

Dijimos: el fascismo tentó a Lugones con su atuendo marcial y autoritario. Tenía que ser. Lugones, a fuer de individualidad individualizada e individualista, abrazó de joven el anarquismo y, luego, centró sus complacencias en el propio ser.

El público de Buenos Aires escuchó de mala gana, en 1923, desde las plateas y galerías del teatro Coliseo, a un Lugones hirsuto, anunciador del reino de la espada. Exigía disciplina y jerarquía. No bien salido de eso —la marcha de Mussolini sobre Roma habíase realizado muy poco antes— publicó *Romancero* y se interesó en las entonces recientemente difundidas teorías einsteinianas sobre relativismo. Einstein había visitado Buenos Aires. La terrible curiosidad de Lugones se arrojó voraz sobre el nuevo cuadro del universo. Entretanto, dejaba fluir sus romances vernaculares; el nacionalismo se le cuajaba en versos. No todavía el tema, pero sí la forma, el montamiento de oropeles, la actitud receptiva frente a la aviesa simplicidad de la vida. "La muchacha fea" es, sin duda, uno de esos poemas imprevistos, donde la vida se vuelca sin reticencias. Y no obstante, aquí, de nuevo, surge el lírico puro y el admirador de Juan Ramón tanto como de Darío; tierna embriaguez de luz, de amor, de melodía.

Empero... Yo le conocí entonces. Lugones era macizo, erguido, troniparlante, enfático. Corto el pantalón, al borde del zapato con caña de ante color perla; rabimermada la americana; los ojos imperiosos tras los lentes tenaces; se puso a hablar de la alzada de unos caballos, en apariencia indiferente a los admiradores del contorno. Pero... Fue cuando el primer centenario de la batalla de Ayacucho en Lima. Pasadas las fiestas diplomáticas, Lugones, Chocano y Villaespesa diéronla en *payar* oficialmente desde el escenario del Teatro Municipal. Comenzaba enero de 1925. Fue cuando Lugones, muy puesto en sin-razón, expuso aquello de la "hora de la espada", de que resultó granjeándose la animosidad de casi todos los escritores de América. Mal momento. Lugones había entrado por los senderos de la ortodoxia religiosa y el autoritarismo político. Había cortado sus amarras con su propio pretérito. Se quedaba sólo. Como para probarse que era capaz de reducir a fórmulas estéticas su exultante nacionalismo, publica *Poemas solariegos* (1927). Estaba retornando a Laforgue y a Whitman y al voluntario prosaísmo de *Lunario sentimental*. Mas ahora debe buscar apoyo en sus antecesores, sin bastarle su propio yo. La tierra nativa no es, pues, para él un pretexto literario; quizá, un escudo. Pero, ¡qué escudo! Aquí, en este libro se quema en holocausto, incienso pródigo, don Leopoldo Lugones. Primero, sí, asesina a la retórica. Después, a la vulgaridad, y abre los brazos a Luis Carlos López, en tono fraterno, y evoca los modos futuristas, y da en una singularísima mezcla de Marinetti y Francis Jammes, Laforgue y Darío, Hugo y Coppée, Fernández Moreno, y... Lugones; sí, también Lugones... Sobre todo en los dísticos:

En Callao y Corrientes, la noche ultramoderna
que entre muslo y sandalia luce toda la pierna,
y emancipa una andrógina melena a la gomina,
como una dactilógrafa que su copia termina...

Para entonces empieza a crecer la fama de Evaristo Carriego, y el grupo "Martín Fierro", a cuya cabeza hállanse el maduro Macedonio Fernández y los jóvenes Jorge Luis Borges, Ricardo Güiraldes y Oliverio Girondo, impone un criollismo estético, distinto del folklórico hasta ayer imperante. No más estampas de "Fray Mocho", pero, sí, —¿y por qué no?— las del General Lucio V. Mansilla (*Una excursión a los indios ranqueles*) y el neolocalismo desatado por la guerra. Lugones, a fuer de diestro acróbata, muestra el hinchado bíceps, pega un salto mortal, cruza por la cuerda floja, se hace *clown*, habla del circo, casi pespunta greguerías... en verso. Leamos, si no, el soneto "El cartel". Nada le devuelve, empero, la perdida autoridad, la fama en adelante esquiva. ¿No sería que, pese a su arrogancia, Leopoldo Lugones comenzó a morirse desde entonces? Todavía luce esguinces sabios:

La sonrisa puntual con que se aploma
recrudece el carmín de su piltrafa.

Eso es técnica, alarde de suficiencia, de esos que, a veces, cuestan la vida. No le basta recorrer toda la gama de la moda. Propone charadas. *Los ínfimos* así lo demuestran: bofetada en *hai kai* al vanguardista, para que no olvide el vigor del que nunca se retrasa:

Y el abejorro borrachón de miel
que tiene una amapola por tonel

* * *

Y la sensible araña que junto al piano
teje a ocho agujas su ñandutí liviano

* * *

Y el grillo
con su sencillo
violín

de negrillo
saltarín

* * *

Y la mosca funesta
que insiste a la siesta
en la nariz funesta
del pedante que contra mi buen humor protesta.

* * *

Y el pueblo en que nací y donde quisiera
dormir en paz cuando muera.

Al terminar el año de 1930, con la crisis mundial, se derrumba el régimen democrático de la Argentina y se proclama la anunciada "hora de la espada". No la usufructuará Lugones; al contrario; pero el orgullo le impide quejarse. Hasta se pavonea en las páginas de un libro promisorio y ufano *La grande Argentina*, cuyo nacionalismo rima con el que está naciendo bajo el empaque autoritario de falaces redentores. Durante esos ocho años dramáticos, de calladas amarguras, provoca comentar la decadente vida del poeta con los versos de su inolvidable "El solterón":

En la alcoba solitaria,
sobre un roído sofá
de cretona centenaria
junto a su estufa precaria
meditando un hombre está.

Tendido en postura inerte
masca su pipa de boj,
y en aquella calma advierte
¡qué cercana está la muerte
del silencio del reloj!

....

¡Y con vértigos extraños,
en su confusa visión

de insípidos desengaños,
ve llegar los grandes años
con sus cargas de algodón!

Lugones colaboraba en *La Nación* de Buenos Aires con artículos defendiendo el dogma de la Purísima Concepción de María. Parecía un creyente exasperado; parecía o lo creía. Un día salió de su casa a paso y subió al tren que conduce al Tigre. Llegado que hubo, pidió una pieza y un whisky. Más tarde le hallaron tumbado, aquel 29 de febrero de 1938; estaba despedazado interiormente por el cianuro. Tal había hecho también Horacio Quiroga. De modo diverso, pero con igual resolución, poco después, se quitaría la vida Alfonsina Storni. Una espantosa desesperación se apoderaba de los intelectuales del Río de la Plata. Las glorias no bastan para saciar corazones sitibundos. No basta. Quizá los exaspera. Poco después del suicidio de Lugones aparecían los *Romances del Río Seco,* continuación de *Poemas solariegos.* No tardó mucho en clavarse la espada, la anunciada espada, en el corazón mismo de la democracia argentina. La muerte salvó al ciudadano Lugones de conspirar contra sí mismo.

* * *

Las pasiones políticas, arremolinadas con entendible furia en derredor del cadáver de Lugones, trataron infructuosamente de disminuir su legado. Ya no. Como decía Pedro Henríquez-Ureña, en un esquema instructivo: a Lugones llegan; de Lugones parten, contra Lugones insurgen, en Lugones se apoyan todos los poetas argentinos entre 1900 y 1930. Llena treinta años con su lección y con su nombre. Dejemos de lado al doctrinario, vehemente, febril, detonante y equivocado. Hasta podemos hacer gracia al prosista y al indagador infatigable. La personalidad subsistente de Lugones es la del poeta. Y es allí donde se deben buscar y juzgar vicios y virtudes literarias.

En conjunto, su obra se resiente de abundancia, como la de Nervo y Chocano. Son estos hombres, realmente, fuerzas de la

Naturaleza, hombres del Renacimiento, menesterosos de resonancia, aunque puros sones ellos en sí. Sin deliberación tomaron sobre sus hombros, atléticamente, la expresión de un Continente, y la realizaron a cabalidad, aunque, a veces, inevitablemente, redundantes.

Podría hablarse aquí del buen gusto. Darío lo tuvo en estupenda dosis. Herrera y Reissig, también, aunque ello resulte más de su obligada parquedad que de su diestra medida. Lugones, Nervo y Chocano, se dejan arrastrar por la seducción del ritmo. Valencia, cautela y cálculo, administra con sagaz sobriedad sus raudales de inspiración y de cultura. De pronto, volviendo a nuestro personaje, digamos que aparece el tema de la rosa: Lugones podría limitarse a un sólo poema; escribe treinta. Se le sube a los sesos la luna, y elabora un libro lunático, entero, y le sobran lunas para otros libros. Concibe el tema de la fidelidad conyugal, y se fatiga de darle vueltas en un libro y retazos de otros libros. Lo más quintaesenciado de su obra *Crepúsculos del jardín,* excede los límites del tomo así titulado; con lo que sobre compondrá un capítulo de otro libro, bajo el mismo título. Claro está que, si Lugones hubiera sido un adocenado, bastaría al antologista con cercenarle sus demasías. Pero poeta cabal, no deja nunca de estampar una metáfora, una frase feliz, una rima sorpresiva, una estrella, en suma, de la que sería más doloroso prescindir que repetirla, corriendo el albur de ser cómplice del redundante. No queda pues ante él, sino resignarse. Igual ocurre cuando le da por la vena gauchesca: se ensaña con ella hasta su último día.

La prosa de Lugones no se aparta de tal camino. Ama los temas grandes, el tono grandílocuo, la apariencia majestuosa. Hasta cuando madrigaliza ostenta pasajeros arrebatos de hombre de a caballo. Está íntimamente persuadido de la divisa familiar:

> *Antiguamente decían*
> *a los Lugones, Lunones,*
> *por venir estos varones*

del Gran Castillo, y traían
de la luna sus blasones.

Es, como Chocano, avasallador de famas. No olvido como les vi, fraternalmente unidos, en la charla diaria y en el fatal empeño dictatorial, en 1924-25. Los dos malos prosistas y grandes poetas, más delicado el argentino que el peruano, pero más íntimo (*Nocturnos*) éste que aquél, y los dos muy oradores, aunque la metáfora se entregara con mayor frecuencia a Lugones que a su compañero de musa. Recordemos, si no, algunas frases inolvidables: "tus uñas, dagas de oro"; "yo pulsaré tu cuerpo, y en la noche tu cuerpo pecador será una lira"; "el agrio cascabel de la locura"; "la costa dentellada"; "el sonrojo de la aurora"; "ascendí suspendido de tu beso"; "en crucificado frac"; "a la hora en que a la tarde le aparecen ojeras"; "el silencioso adiós de tu pañuelo"; "la delgadez aciaga de tus manos"; "su frente, por los cabellos lóbregos vencida, pensaba entre sus manos"...; "los sauces con poéticos desmayos"...; "el seno se encabrita por la brecha"; "la prole empavesada de pintoresco andrajo"... Es también Lugones quien realiza el más serio esfuerzo para poetizar lo cotidiano y practica con donaire la idealización de lo prosaico. De ahí el contrapunto humano de su oratoria. Esa segunda voz no existe en la poesía de Chocano, a quien, sin embargo, vuelve a parecerse Leopoldo por la constante alusión a hechos, personajes y lugares de América, aunque sin incurrir en monocordia alguna, Lugones, desde luego.

Pedro Salinas ha examinado el contenido social de la poesía de Darío, atribuyendo a éste una intención de ese tipo a que nos tiene desacostumbrados la crítica cotidiana. En Lugones lo social es patentísimo. En sus primeros días ensaya el gesto tribunicio —prosa y verso— a favor de los desamparados. Al final adelgazará el empenachado y rutilante verso para ponerlo a nivel de los anhelos de la gente vulgar, del pueblo provinciano argentino. Busca la historia, no solamente para cantar a los granaderos: también al gaucho, y al burrito, y a la carreta, y al fogón, y al gringo organillero, y a la calandria, y al chingolo, al judío mercader, y al árabe, y al italiano. ¡Qué contraste tan insoluble y genial! Ordinario y vigoroso el cuerpo; fino y dilecto el espíritu; la expresión deja fluir acentos de campo e inflexiones de corte; la voz suena ya ronca, ya aflautada, nunca femenina: viril siempre. Combativo, Lugones cultivaba amistades y enemistades con igual esmero. Estaba prendado de la tradición y adoraba las novedades. Su genio se debate en un duelo mortal entre lo autóctono y lo foráneo. Nacionalista rabioso, al final de su carrera, le es, empero, imposible romper con su pasado europeizante. Vuelve el oído a *Martín Fierro;* zumbarán permanentemente en torno de sus orejas los melódicos suspiros del modernismo. El pagano se exalta humillándose ante María; el esteta ante el dogma. Si alguna salida encuentra durante tan amargo combate será la de la liturgia. Pompa y rito lo envolverán, acallando sus postreros escrúpulos. De aquella lucha, no por incruenta menos trágica y fatal, sale retemplado un arte contradictorio, pero siempre deslumbrante. Cuando se harta de destellos y de tinieblas, Leopoldo Lugones, recordando a uno, a cualquiera de los personajes de su adolescencia huguesca al par que "decadente", opta por suprimirse. Llega a la muerte erguido, al menos hasta la víspera, en su actitud externa. Se marcha con una afirmación. Pero, seamos sinceros; ¡nadie sabe qué tremenda agonía del alma, qué vendabal de desencantos y amarguras ahogó aquel perentorio y asertivo tono de capitán en fajina! ¡qué mortífera ceniza tiznó la perenne aurora del insaciable y arrogante heraldo de una nueva Argentina, al tenaz pionero de un nuevo arte literario americano!

XIX

JULIO HERRERA Y REISSIG

(Montevideo, 9 enero 1875 — 18 marzo 1910)

Julio Herrera y Reissig es, sin duda, la personalidad estética más pura del modernismo. Con las inevitables salvedades de tiempo y lugar, puede comparársele a la del Inca Garcilaso. A primera vista esta observación debe sonar a dislate, y puede serlo. Mas, pensándolo de nuevo, hallamos relaciones evidentes, lingüística, el vocablo exacto, la melancolía, el crispamiento envuelto en tersura irreprochable, y acaso, sin que pueda definirlo, la figura física, tangible en el uruguayo, imaginaria en el peruano. Afirmo, en suma, que de haber nacido en el siglo XVI y bajo el mismo signo del mestizaje que el Inca, Herrera y Reissig habría sido como aquél.

Lo dicho encarna, ante todo, una vehemente aureola de americanidad. ¿Podría adjudicarse a Herrera y Reissig? Depende del ángulo en que uno se coloque. Lo americano no resulta sólo del ambiente exterior; es ante todo fruto íntimo, y mucho más de esto que de aquello. Por eso, cuando Guillermo de Torre, en su *Literaturas europeas de vanguardia* (Madrid, Caro Raggio, 1925) buscando los antecedentes del vanguardismo en las proezas idiomáticas de liberación, elogia al poeta de Montevideo, me parece enteramente apropiado su juicio. Herrera y Reissig no se mueve dentro de las apretadas fronteras de un idioma prestado, sino que hace suyo y transforma como raigalmente propio, el lenguaje castellano; la lengua ajena de origen acaba siendo, por transmisión, accesión, ocupación, usufructo y ósmosis, vehículo de propiedad indiscutible, mucho más que en ciertos consagrados "clásicos" americanos, como serían Montalvo, Caro, Palma y Rodó. El modernismo había "desandado", a fines del siglo XIX, el tres veces centenario camino de Colón: la afortunada frase de Rufino Blanco-Fombona se vuelve realidad; Julio Herrera y Reissig avanzó, con su antorcha de pionero, de descubridor melódico e idiomático, más seguro que Darío, convertido ya, él, Herrera, en indiscutible fundador. Conviene repensar este símil, en apariencia solamente literario. En verdad se trata de algo preciso, de perenne valor conceptual.

Un banquero opulento, Manuel Herrera y Obes, de vieja y distinguida estirpe platense, y una bella dama, doña Carlota Reissig, fueron los padres de Julio, el poeta, nacido el 19 de enero de 1875. Hubo otro Julio Herrera, pero Obes de apellido materno, hermano de don Manuel y tío del vate: este Julio Herrera y Obes llegó a la Presidencia de la República del Uruguay imponiendo, desde ella, una lección de elegancia espiritual y decencia política [1].

Ello ocurrió en 1890, cuando el futuro lirida contaba quince años. Era un adolescente mimado y hermoso. Lucía unos grandes ojos azules, bajo la tersa y alta frente, coronada de cabellos naturalmente rizados. Tenía la nariz corta y recta. Como no faltara el dinero en casa, ni escasearan las relaciones, su orgullo creció aunque sujeto por un buen gusto innato que le inclinaba más a la travesura que al desplante, aunque no le disgustara singularizarse de alguna manera y así lo hizo. Después declinó la buena suerte familiar. El joven Herrera y Reissig se vio obligado a buscar empleo, que no fue, claro, recargado ni premioso. Sucesivamente trabaja en una casa de comercio, en la Aduana,

[1] Sobre Julio Herrera y Obes, consúltese el libro de Tulio Manacorda, *El gran infortunado*, Buenos Aires, Club del libro, 1940.

en el Ministerio de Instrucción. Menos mal que el Uruguay era una república pródiga en posibilidades fiscales. Ya para ese entonces, Julio ha cumplido los veinte años, se ha enamorado de una maestra y ha tenido de ella una hija a quien significativamente llama Soledad.

Montevideo respiraba una ardiente atmósfera literaria. Aunque Buenos Aires fuese la Cosmópoli, en la que reinaba Rubén —es allá por el año 96—, en la capital uruguaya se desarrollaba una intensa vida intelectual. Eran los días iniciales de José Enrique Rodó, Carlos Vaz Ferreira, Carlos Reyles, Ángel Falco, Florencio Sánchez, Horacio Quiroga; los años consagratorios de Juan Zorrilla de San Martín, Samuel Blixen y Carlos Roxlo. Días de agudo sometimiento al "decadentismo", palabra sobrecargada de intención, pues, bajo ella, circulaba el pecaminoso y vario contrabando de las delicuescencias literarias de Huysmans, Loti, Farrere, Pierre Louys, Henri Regnier, Albert Samain, Jules Laforgue, Edgar Poe, los grandes maestros franceses —y el gran centroamericano— del momento. Triunfan el desplante del *dandy* y del esteta. Un poeta que así creciera debería ser como fue Herrera y Reissig. No se extrañe nadie de su exotismo ni de su morosa delectación por las orquestaciones y capitosidades verbales. Para él las palabras eran como guantes: calzadas finamente y a cabalidad; el verso era una melodía; acordada sin estridencia (poco de Wagner, mucho de Debussy), pero tampoco con excesiva emoción (poco Beethoven): su música debía ser de Mendelssohn y Brahms, de Chopin a ratos; por sus virtuosismos, de Bach, y por su colorido de Rimsky, Ravel, Debussy y Chaikowsky. Herrera y Reissig se estrena con una pieza teatral: *Alma desnuda*. Los primeros versos tardan hasta abril de 1898. Herminia, su hermana, da otras precisiones [2]. Aceptemos cualquiera: interesa apuntar que en esa época sus dioses penates se llamaban Carlos Guido y Spano, Alfonso de Lamartine, Juan

---

2 Herminia Herrera y Reissig, *Julio Herrera y Reissig. Grandeza en el infortunio*, Montevideo, 1949, passim; Sara Bollo, *El modernismo en el Uruguay*, Montevideo, Imp. Uruguay, 1951.

Zorrilla de San Martín y... Emilio Castelar. Esta última predilección debiera asombrar a quien no tuviera en cuenta, junto a la cuidadosa manera castelariana, su prurito orquestal. En el primer poema impreso de Herrera, titulado "Mirajes", que provocó el premonitorio entusiasmo del crítico Samuel Blixen, me parece advertir la huella del cubano Julián del Casal, no sólo por estar escrito en quintillas decasílabas, sino por la calidad de la música y el léxico: *oro, azul, topacios* y *esmeraldas:* la gama de Rubén Darío. Es indudable que si bien el modernismo no fue una escuela literaria, nadie podría negarle su calidad de movimiento "hacia la libertad y la belleza", como han dicho Rubén y Juan Ramón, y hacia la suntuosidad formal.

Hay otra coincidencia que refuerza el carácter de tendencia uniformante del modernismo: "Mirajes" utiliza, dijimos, el decasílabo, pero perfectamente dividido en hemistiquios de 5 + 5, o sea, en ritmo peánico, que evoca cierta persistencia análoga en el Chocano de esos años. Dice Herrera y Reissig:

Muere la tarde... Copos de llamas
forman las nubes puestas en coro...
velos carmines, vivas soflamas,
sangre del cielo; mil oriflamas,
cráteres rojos que vierten oro;

y Chocano en "Paisaje" que data de 1897:

Agrio bochorno, pesado cielo, campiña suave,

o sea, el mismo ritmo de 5 + 5 + 5, coincidencia subrayable.

Pero ya desde 1897, según un soneto que se mantuvo inédito hasta hace pocos años, surge el corte herreriano en la terminación del último terceto, esa rúbrica de música y luz que caracteriza al uruguayo. 1897 fue, por lo demás, año fecundo: el siguiente a *Prosas profanas* y el de *Las montañas del oro,* este último libro de Lugones escrito en prosa rimada con sonoridades huguescas. Para entonces, ya Herrera y Reissig ha emprendido la busca de sí mismo. Es importante el dato porque zanja así la polémica suscitada por Rufino Blanco-Fombona a propósito de la precedencia de Lugones o Herrera en el uso de cierto tipo de soneto característico de *Los peregrinos de piedra* de Herrera y de *Los crepúsculos del jardín* de Lugones. Recordemos, llegada la hora, que en 1897, Herrera concluye así un soneto.

> *Vas a emprender la idílica campaña*
> *quedando prisionero de tu esposa:*
> ¡borracho soñador de Paraíso! [3].

Pudo existir, y casi existió, la influencia de Lugones sobre él, según trata de demostrarlo Max Henríquez Ureña con convincentes documentos [4], pero es indudable que ambos leyeron a Samain y que Herrera lo tradujo, lo cual explicaría algunas cosas. Por otra parte, recordemos que desde muy niño, desde los cinco años de edad, Herrera sufría un mal cardíaco, que fue el que le frustró en parte la vida y se la arrebató al cumplir los treinta y cinco. Ese mal, unido a la condición de hijo de familia rica (lo que duró casi hasta 1907), el mimo de la madre, la apostura física, el ambiente aristocrático de que se rodeara, la compañía del neurótico Roberto de las Carreras, quien terminó en el manicomio, todo ello acicateaban la rebusca verbal, la fiebre melódica, el quintaesenciado y metafórico léxico característico de la obra del insigne uruguayo.

En 1899, el año de *Ariel,* de Rodó, y cuando el público sudamericano saboreaba el erudito comentario de éste a *Prosas profanas,* Herrera y Reissig furiosamente consagrado a las letras, lanza el quincenario *La Revista,* que duró desde agosto de dicho año hasta julio de 1900. Es ahí donde publica *Psicología de unos*

---

[3] Obras de julio Herrera y Reissig: *Sonetos vascos* (1901); *Los éxtasis de la montaña,* Montevideo, 1904; *Los pianos crepusculares,* Montevideo, 1908; *Las pascuas del tiempo,* Montevideo, 1908; *Poesías escogidas,* Barcelona, Maucci, s. a. (1917?); *Los peregrinos de piedra,* pról. de R. Blanco Fombona, París, H. Garnier, s. a. (1917?); *Poesías completas,* Madrid, Aguilar, 1951, pról. L. Bula Piriz.

[4] Max Henríquez Ureña, *Breve historia del modernismo,* México, Fondo de Cultura, 1955.

ojos negros, dedicados "a mi turca", anuncio claro del futuro exotista de *Los peregrinos de piedra* y de *Las pascuas del tiempo:*

> *¡Profundos ojos de Símbolo,*
> *en cuyas negras elipsis*
> *ríen las Mil y una Noches*
> *y brama el Apocalipsis!*
> *¡Lóbregas linternas mágicas*
> *de un vago kaleidoscopio,*
> *Alcázares de silencio*
> *y Paraísos de opio!*

Esta estrofa, agregada algo después, calza con la versión primitiva, de 1900:

> *¡Como la frente de Jove*
> *tienen la luz que repele:*
> *la luz que dio vida a Baco*
> *e hizo morir a Semele!*
> *Ojos de briosas Medeas,*
> *ojos de antiguas Zoraidas,*
> *arrancados por las Furias*
> *a las sangrientas Danaidas.*

Si uno compara este tono y esa dimensión con lo que después produjo Herrera y Reissig, deberá convenirse en que nació y creció en olor de extravagancia, el cual le era absolutamente convivencial.

En 1902, unido a Raúl Montero Bustamante, empezará a publicar *La Revista Nueva.* La familia se ha trasladado a una vieja casona, que será después llamada La Torre de los Panoramas. Desde ella, se divisa el mar. Será un lugar misterioso y resonante, imitado después por Pedro Prado y "Los Diez de Chile", acogidos éstos a una amplia mansión de aquél (de Prado), en la esquina de las calles Carmen y Tarapacá en Santiago de Chile. Julio Herrera se une al estrambótico Roberto de las Carreras, neurótico vástago de una dama también psicoide. Toda aquella pausa efervescente de literatura se quiebra al conjuro de la guerra civil. Vuelven a pasear por los campos uruguayos las lanzas montoneras, esta vez capitaneadas por la de Saravia. Surge la poderosa silueta civil de José Batlle Ordóñez. Herrera emigra a Buenos Aires donde disfrutará de un empleo mejor pagado, según Bula Piriz —quien se excede en detalles poco importantes—, que el de Lugones, el cual se inició como cartero. Ya Herrera y Reissig mantiene amores con Julieta de la Fuente, aunque los alterne, en Buenos Aires, con los fugaces de Malena. Es Oficial de la Oficina del Censo. No se sabe si empleado cumplido. Probablemente, no. El *Parnaso Oriental*, que se publica en 1903, incluye diecisiete composiciones de Herrera, consagrado ya, por tanto. Entre Lugones y Herrera y Reissig tienen entonces conmovidas, primero, a las dos bandas del Río de la Plata, luego a toda la América antes hispana, y por fin, a todo el idioma. No tardarán en sobrevenir acuciosos comentaristas. Uno de ellos, Juan Mas y Pi, sobresale entre todos por su pericia y generosidad. Manuel Ugarte rendirá su elogio al inasible coetáneo. Pero la gloria tiene siempre su contrapunto. En 1907 muere don Manuel, el padre de Julio, y sobreviene la crisis familiar, como en el caso de José Asunción Silva. El 4 de setiembre del año siguiente, muere la madre. Poco antes, Julio se casa con Julieta: ocurrió el 22 de julio de 1908. En medio de esas penas, José Enrique Rodó, encargado de seleccionar los materiales uruguayos para la *Biblioteca Internacional de Obras Famosas* [5], escoge muchos poemas de Herrera y Reissig, dándole así un evidente espaldarazo.

No obstante el bullicio de la loca compañía del poeta, la vida no se compra con sonetos. El 10 de febrero de 1910, Julio debe transigir, aceptando un modesto cargo de archivero y bibliotecario. El gobierno que le negara antes un viceconsulado, le otorgaba un cargo impropio, pero oportuno. Fue por muy corto

---

[5] Esta Biblioteca se publicó en 27 volúmenes, entre 1910 y 1912. Véase *Repertorio de la literatura latinoamericana*, por L. A. Sánchez, Santiago, Universidad de Chile, 1954.

tiempo. El corazón herido desde la niñez no permitió que prosiguiera en una carrera burocrática el "triste corderito ciego" de tanto viaje alucinante: el 18 de marzo, un mes después, terminaba súbitamente la existencia de Julio Herrera y Reissig. Sólo en 1943 serían trasladados sus restos al Panteón Nacional.

Es indudable que a Herrera y Reissig se debe un acento nuevo en la poesía castellana, tanto quizá como a Rubén; en todo caso, más apretado y exquisito el de Montevideo. Traductor de Samain, Baudelaire y... Zola; admirador confeso de D'Annunzio y Verlaine, su poesía deja entrever otros hilvanes, todos fundidos en la armoniosa trama de su obra, difícil de comparar. Podría decirse que leyéndolo se asiste al desenvolvimiento del simbolismo, desde las viejas simientes baudelairianas, pasando por el contrapunto Verlaine-Rimbaud, el preciosismo enigmático de Mallarmé, las preocupaciones rítmicas de René Ghil y Gustavo Kahn, las acrobacias de Jules Laforgue y remontándose a la admirable embriaguez de Isidore Ducasse, otro montevideano de nacimiento, como Herrera y Reissig y como Jules Supervielle. Nada importa que, basándose en el testimonio de Quiroga, tanto Zum Felde como Henríquez Ureña [6] se pronuncien por la prioridad formal de Lugones, frente a Blanco-Fombona que afirma lo contrario. Lo decisivo es que fue Herrera quien impartió al soneto castellano una dignidad desconocida, pues, quitándole todo rumor de solemnidad, le otorgó el don de la elegancia sin estiramiento y la novedad con buen gusto. "Precursor genial, incógnito y desconocido", le llama Guillermo de Torre, refiriéndolo al renacimiento o establecimiento de los modos y modas de Góngora, Rimbaud y Mallarmé, en nuestro idioma. También habla de la "inquietud ideológica" y del "barroquismo formal" [7] presentes en la poesía de Herrera, a quien señala como precreacionista, aludiendo así al vínculo, voluntario o no, entre el

---

[6] A. Zum Felde, *Proceso de la literatura uruguaya*, Montevideo, 1930, vol. III, Buenos Aires, Claridad, s. a.; Max Henríquez Ureña, *ob. cit.*; R. Blanco Fombona, pról. a *Los peregrinos de piedra*, París, Garnier, s. a.

[7] G. de Torre, *Literatura europea...*, *ob. cit.*, págs. 114-120.

uruguayo y el chileno Huidobro. Pudo indicar otros lazos: uno de ellos el visible entre la forma y las comparaciones de Herrera y Reissig con la de Neruda y Vallejo en sus comienzos. "Su radio de influencias directas o mediatas llega hasta nuestra generación de vanguardia", sigue diciendo De Torre. El "neo barroco" herreriano, añade, es un "maravilloso conjunto de imágenes del más puro y novedoso lirismo". El crítico uruguayo Julio J. Casal habla de "la vocación de cielo" que caracterizaría a Herrera y Reissig [8]. Insiste en el barroco esencial del poeta. Estos juicios, menos anecdóticos que los de Roxlo y Zum Felde, se hallan coronados amplísimamente con la relectura y cotejo de la obra. No hablaremos, sino de paso, de la *coincidencia* con Lugones, basada en su mutua comunión con el autor de *Le jardin de l'Infante*. Horacio Quiroga, que publicó su único libro de versos, *Arrecifes de coral*, en 1901, confesaba que él aprendió lo que después se caracterizaría como "la manera de Herrera", leyendo *Los doce gozos* de Lugones, publicados desde 1898 en las revistas *Iris* y *La Quincena* de Buenos Aires: es sólo un testimonio individual.

Yo no encuentro esa voceada identidad de Lugones con Herrera y Reissig salvo en el ritmo verbal. A primera vista salta la predilección descriptiva de Lugones y su regusto por los vocablos eruditos, o sea, reencontrados; en Herrera y Reissig los vocablos son fruto de invención y predominan la *impresión*, más que la descripción. Además, la fuerza pictórica del último terceto en Herrera no admite paralelo. Oigamos a los poetas en una especie de "payada" de quintaesencias:

(De Lugones)

DELECTACIÓN AMOROSA

La tarde, con ligera pincelada,
que iluminó la paz de nuestro asilo,

[8] J. J. Casal, *Exposición de la poesía uruguaya*, Buenos Aires-Montevideo, Claridad, s. f. (1950?).

apuntó en su matiz crisoberilo
una sutil decoración dorada.
Surgió enorme la luna en la enramada;
las hojas agravaban su sigilo,
y una araña en la punta de su hilo,
tejía sobre el astro, hipnotizada.
Poblóse de murciélagos el combo
cielo a manera de chinesco biombo;
tus rodillas exangües sobre el plinto
manifestaban la delicia inerte,
y a nuestros pies un río de jacinto
corría sin rumor hacia la muerte.

(De Herrera y Reissig)

LA SOMBRA DOLOROSA

Gemían los rebaños. Los caminos
llenábanse de lúgubres cortejos;
una congoja de holocaustos viejos
ahogaba los silencios campesinos.
Bajo el misterio de los velos finos,
evocabas los símbolos perplejos,
hierática perdiéndote a lo lejos
con tus húmedos ojos mortecinos.
Mientras unido por un mal hermano
me hablaban con suprema confidencia
los mudos apretones de tu mano,
manchó la soñadora transparencia
de la tarde infinita el tren lejano
aullando de dolor hacia la ausencia.

Lo que aquí constituyera una modalidad momentánea, de Lugones, salvadas las diferencias de que ya se habló, fue el modo continuo de Herrera y Reissig, su personalidad estilística.

Esta típica expresión poética, tachonada de verbalizaciones audaces e inesperados adjetivos, es lo que constituye la personalidad neobarroca del poeta. Pasemos revista a algunas de ellas:

> *Llovió.* Trisca a lo lejos un sol convaleciente,
> *haciendo entre las piedras brotar una alimaña,*
> *y, al son de los* compactos resuellos del torrente,
> *con áspera sonrisa* palpita *la campaña.*
> *Rumia en el precipicio una cabra* pendiente;
> *una ternera rubia baila entre la maraña,*
> *y el cielo campesino contempla ingenuamente*
> *la* arruga pensativa *que tiene la montaña.*
>
> *(El almuerzo)*

> No late más que un único reloj: *el campanario,*
> *que cuenta los dichosos hastíos de la alcoba.*
>
> *(La huerta)*

> *Humean en la vieja cocina hospitalaria*
> *los rústicos candiles... Madrugadora leña*
> *infunde una sabrosa fragancia lugareña;*
> *y el desayuno mima la evocación agragia.*
>
> *(El alba)*

> *Él pasa del hisopo al zueco y la guadaña;*
> *él* ordeña la pródiga ubre de su montaña
> *para encender* con oros el pobre altar de pino;
> *de sus sermones fluyen* suspiros de albaca; *él*
> *el único pecado que tiene es un sobrino...*
> *y su piedad* humilde lame como una vaca.
>
> *(El cura)*

Sin embargo, esta hermosa constelación de figuras, no guarda estricta relación con las sublimaciones de *Los parques abandonados,* donde campea un simbolismo aterciopelado y polícromo, exornado de cegadoras metáforas. Poeta al par madrigalesco y profundo, sus sonetos carecen de antecedentes en el idioma, pese a la preexistencia del Marqués de Santillana y Boscán, de Garcilaso y Góngora. Bastaría un modelo, en el que resulta inútil subrayar, como en los ejemplos citados, cada expresión, cada giro, cada hallazgo adjetival:

DECORACIÓN HERÁLDICA

Señora de mis pobres homenajes,
débote siempre amar, aunque me ultrajes.
(Góngora)

Soñé que te encontrabas junto al muro
glacial, *donde termina la existencia,*
paseando tu magnífica opulencia
de doloroso terciopelo oscuro.
Tu pie, decoro del marfil más puro,
hería con satánica inclemencia,
las pobres almas llenas de paciencia
que aún se brindaban a tu amor perjuro.
Mi dulce amor que sigue sin sosiego,
igual que un triste corderito ciego,
la huella perfumada *de tu sombra,*
busco el suplicio de tu regio yugo,
y, bajo el rasgo de tu pie verdugo,
puse mi esclavo corazón de alfombra.

Diferente a este prodigio de gracia y ternura serán las décimas funambulescas de *Las Pascuas del tiempo* y otras estrofas laforguianas, sin par en nuestra lengua:

Ya las luciérnagas —brujas
del joyel de Salambó—
guiñan la marche aux flambaux,
de un aquelarre de brujas.

Da nostalgias de Cartujas
el ciprés de terciopelo,
y vuelan de tu pañuelo,
en fragantes confidencias,
interjecciones de ausencias
y ojeras de ritornelo.

Todas las estrofas de esta *Tertulia lunática* —¿otra coincidencia con Lugones, el del *Lunario sentimental,* también laforguiano?— repiten la misma palabra al final de los versos primero y cuarto, martilleo caprichoso, pobreza voluntaria, franciscanismo rítmico. El disparate acude presuroso en varias de ellas, en un presentimiento de *Dadá,* pero tres lustros antes que Tristán Tzara. Así transcurre la poesía de Herrera y Reissig: juego y pasión, elegancia y jactancia, incomparable combinación de todas las sensaciones, hasta la que se luce en el soneto "en U mayor", vivo recuerdo de Gautier y Rimbaud.

La prosa de Herrera no está a la altura de su verso. No obstante en ella deslíe algunos ingredientes indispensables para aquilatar su poesía; pero no su vehículo cabal. Éste consiste en sus giros poéticos, en la adorable contradanza de meteoros de que se compone su poesía, joyel insólito, burla inaudita, ufanía de dominio lexical y de opulencia fantástica. Si hay poetas millonarios, ninguno iguala a Julio Herrera y Reissig. Por eso es el más característico de todos los modernistas, sin concesiones a la pasión humana ni a la simplicidad desgarradora que, a la postre, se apodera de Rubén, de Chocano y de Nervo. Herrera y Reissig muere como si dijéramos aún adolescente, pese a los treinta y cinco años que duró su peripecia terrestre. Su obra queda, igual que la de Rimbaud, como un soberbio e inacabable alarde de venturosa y gallarda juventud.

XX

FLORENCIO SÁNCHEZ

(Montevideo, 17 enero 1875 — Milán, 7 noviembre 1910)

Dolorosa y patética figura la de Florencio Sánchez: con él rrumpe el teatro platense en la esfera del universal, salvadas nevitables distancias de temática, auditorio, atmósfera y, por anto, técnica. Podría decirse que con Sánchez también empieza concluye una primera etapa, la que se inició con los Podestá, ›ara renacer mucho después por distinto modo.

Florencio Antonio Sánchez y Musante fue el mayor de once ıermanos, nacido en un modesto hogar de Montevideo, el 17 le enero de 1875 [1].

Sobre la infancia y la adolescencia de Florencio han circuıdo versiones contradictorias, debidas a admiradores espontáeos. Es Fernando García Estrella quien presenta mayor acopio, unque no orden, en los datos respectivos [2]. Según ellos, Flo:ncio Sánchez era en 1820, esto es, a los quince, empleado en

---

1 Lo más completo sobre Florencio Sánchez es la tesis de Ruth Riıardson, *Florencio Sánchez and the Argentine Theater*, New York, stituto de las Españas, 1933, 243 págs. y el libro de Giusti que se cita ás adelante.

2 Fdo. García Estrella, *Vida de Florencio Sánchez*, 2.ª ed. Stgo., Erla, 1939, 300 págs.

una Junta administrativa. En ese tiempo, comenzó a colaborar en *La Voz del pueblo* de Minas. Su primer artículo se tituló *Crrric* y lo firmó *Jack sin destripador* y no "Jack the Ripper" como afirman Mertens y Richardson. Por entonces actuó como improvisado actor en una comedia de Bretón de los Herreros. De allí arrancó su afición a la escena; entre 1891 y 1894 ejerció el periodismo; poco después, desempeñó un cargo civil en la policía argentina (1897). Luego, Sánchez empezó a colaborar en *La Razón* de Montevideo. Dirigía este diario don Carlos María Ramírez. Fue allí donde Sánchez adquirió alguna destreza literaria y no pocas relaciones sociales y literarias, entre éstas, las de Acevedo Díaz, Samuel Blixen, Julio Piquet, Enrique Larreta y Eugenio Garzón, este último poco déspués voluntariamente exiliado en París hasta casi la fecha de su muerte. Fue en aquel periódico donde Florencio publicó su primer cuento bajo el seudónimo de "Ovidio Paredes".

El período presidencial de la República uruguaya bajo Iriarte Borda, se vio señalado por multitud de abusos y exacciones. Ello movió al viejo caudillo "blanco" Aparicio Saravia, a sublevarse. Otra vez surcaron las pampas uruguayas las lanzas, los chuzos, los rifles, los facones y las carretas de las montoneras. Florencio, veterano como "blanco" pero no por filiación política, no resistió al señuelo de la revolución y se enroló en el batallón "Patria" acantonado en la frontera con el Brasil. La guerra anduvo mal para el viejo Saravia. Uruguay reaccionaba contra los motines. Abre las puertas a la democracia efectiva. En la batalla de Cerro Blanco se produjo tal desbande de sus huestes que el aguerrido caudillo, desde su caballo, espetó una palabra desdeñosa y lapidaria a sus correligionarios fugitivos: "flojos". Probablemente de allí nace el título de las *Cartas de un flojo* que sobre ese y otros episodios de la vida nacional escribiría Florencio Sánchez. Además, de esa época data un diario de campaña manuscrito que hizo circular entre los revolucionarios, documento titulado *El Combate*. El encabezamiento del primer número dice: "julio 29 de 1897. Campamento en marcha. Año I, Número 1. E

Combate. Director: Juan El Tano; Secretario de Redacción: Roberto el Diablo"... [3].

El periódico tuvo fortuna... hasta que hizo perder la de su redactor Menas. El jefe del batallón en que servía el soldado Florencio Antonio Sánchez, juzgó un día demasiado picantes las expresiones de la hoja, hizo llamar a su director, lo vejó de palabra y acaso de obra, y el vejado no tuvo otro remedio que desertar y dirigirse subrepticiamente al Brasil, en donde pasó algún tiempo.

Escamado de los atropellos que cometía en Río Grande do Sul cierto poderoso político brasileño apellidado Souza, Florencio Sánchez optó por descender al Río de la Plata, y finalmente dar con sus huesos, a la verdad harto descarnados, en Buenos Aires, donde reinaba a plenitud la escuela y tropa de Rubén Darío. No era lo más cónsone con Florencio, excepto el aspecto individualista, digamos mejor, anarquista del movimiento, visible en Lugones e Ingenieros, dos de los más conspicuos contertulios del "Auer's Keller" y del "Café de Los Inmortales". Ésa era también la actitud de Roberto Payró, Alberto Ghiraldo, Manuel Ugarte, tres temperamentos bravíos. La juventud modernista rendía culto a la belleza y a la acracia. Entusiastas de Nietzsche, creían no sólo en el Superhombre, sino en que todo ser humano llevaba en germen a Zarathustra. Se apacentaban con briosas lecturas de Bakunin y Kropotkin, de Malatesta y Matilde Serao. Prestaban juramento de fidelidad a "la voluntad de poder", y al odio contra el orden filisteo, beocio o burgués de que se hallaba afectado el mundo. Un artista debía creer en la incapacidad de someterse y en la inextinguible chispa divina que todo hombre lleva dentro de sí. El propio Guillermo Valencia, el aristócrata poeta colombiano, que acompasaba sus versos esteticistas y lascivos con su cerrada adhesión a la Iglesia Católica y a las ideas conservadoras, paseaba en triunfo un poema de exaltación individualista y demoledora: "Anarkos".

---

[3] García Estrella, *o. c.*, pág. 47.

Se había formado además el grupo llamado "La Siringa", especie de sociedad esotérica y revolucionaria de temple bohemio. El mismo grupo de "Los Inmortales" asistía a las reuniones de "La Siringa". Entre sus miembros se deberá mencionar a Enrique García Velloso, crítico y autor teatral, cuya influencia sobre Florencio sería considerable, y un español, autor de novelas por entregas, Lasso de la Vega, que intimó con Sánchez. Es posible que Rubén estrechara alguna vez la mano de éste en aquella época: circulan vagos testimonios al respecto. En todo caso, hubo ocasión para que ocurriese, pues el nicaragüense no abandona Buenos Aires sino al año siguiente, 1898, que es cuando Sánchez firma contrata con el brillante Lisandro de la Torre, como redactor del diario *La República* que aparecía en Rosario del Litoral. Rosario fue una de las Mecas del anarquismo mediterráneo. Hasta hace pocos años, los escaparates de sus librerías mostraban lo más representativo de la literatura de ese color políticosocial. Las convicciones de Sánchez se vieron robustecidas con aquellos contactos: cuando, a poco de tal fundación, vuelve a Montevideo, será el más fervoroso propagandista de la acracia universal, tanto en las tertulias de *La Razón*, como en las del "Café Polo Bamba", en el Centro Internacional de Estudios Sociales y también en sus fugaces visitas a "la Torre de los Panoramas", regida por los anárquicos y exquisitos escritores Julio Herrera y Reissig y Roberto de las Carreras.

En este período publica en *El Sol* sus *Cartas de un flojo*, que previamente leyera en reuniones del Centro Internacional de Estudios Sociales, y hace representar una pequeña pieza titulada *Ladrones*. La salud de Sánchez empieza a desmejorar. Menos mal que por entonces conoce en Buenos Aires a Catita Rabentós. Ella sería la clave y salvación de su vida.

Decidido ya a dedicarse al periodismo y al teatro, Florencio compone su primera comedia orgánica, *Los Curdas* (o *Los Kurdos*). En ella trata del problema de un borracho, que desafina en su hogar tranquilo; Sánchez —aunque asombre— encomia a la templanza. No hubo empresario para la pieza, que no sería representada sino casi ocho años más tarde, en 1907: el gran

Pepe Podestá le compró a Florencio el original, con el derecho a modificarlo a su antojo, por la suma de cincuenta pesos. El segundo ensayo dramático, titulado *Gente honesta,* fue una sátira contra la vida social de Rosario, adonde había vuelto Sánchez. Tampoco tuvo éxito: la policía se negó a permitir su representación. Había sido escrita, como todas las de Florencio, de una sola tirada, como quien no puede callar más; en realidad escribió cada acto en una noche. La proeza se repetirá cada vez que le tiente un argumento. *Los muertos,* con sus tres densos y patéticos actos, encarará el problema del alcoholismo y la abulia que aquél engendra. Ahí tajantemente dirá el personaje central: "un hombre sin voluntad es un muerto que camina"; al final el protagonista se suicida. Sánchez escribió *Los muertos* en un día y dos noches.

El procedimiento es siempre el mismo: primero se satura del tema, viviéndolo a plenitud, dolorosamente; segundo, se satura de alcohol; bebiéndolo también a plenitud hasta el borde del delirio; tercero, produce de un golpe, sin pausas, con frenesí, incapaz de deternerse hasta que no acaba de verter su tremenda confesión ante el público; cuarto, el mejor desenlace que se le presenta, como sanción o redención de los pecados del protagonista, es el suicidio. La atmósfera de estos dramas es tensa y patética, no excluye empero apuntes cómicos. Sánchez sabe ironizar, aunque de paso y excepcionalmente. Su veta es la dramática. Mejor sería decir: la trágica, pues que sus personajes aparecen sometidos a la fatalidad. No hay otro modo que el de la muerte para redimirlos del alcohol, de la abulia, de la incomprensión. Cada ser trae su destino marcado a fuego, indeleblemente. El de Florencio fue así.

Desde luego, la lectura de los grandes autores teatrales de la época influyó decisivamente en los dramas de Sánchez: Ibsen, Hauptmann, Echegaray, Bjornson, D'Annunzio, Bernstein, Además se advierte en el teatro de Florencio la huella de los grandes actores: está muy presente Bracco, Zaccone, que visitaron Buenos Aires y Montevideo o que, como la Duce, tuvieron avanzadas discípulas argentinas, tal Angelina Pagano alumna de ésta. Los personajes lucían caracteres y usaban palabras conmovedoras y solemnes. No reinaba la gracia ni predominaba el matiz. Se vivía a pasión plena, en carne viva. Los caracteres desequilibrados (*Los espectros*, de Ibsen; *El ladrón*, de Bernstein; *Los muertos*, de Sánchez) imponían su tremenda marca al teatro de la época.

Sánchez había aprendido directamente las crudezas de la realidad. Así, por ejemplo, durante sus tiempos de periodista no dispuso de otro papel para escribir que el de los formularios del telégrafo, ni otro estímulo que el aguardiente barato. Como le azotaba la tuberculosis, su excitabilidad era mayor que la normal. Vivía perseguido por la falta de dinero, de salud y de facilidades: lo último fue palpable cuando trató de casarse con Catita, hazaña coronada sólo después de largos años y más largos sacrificios.

Por otra parte, su posición en el teatro platense fue demasiado singular y dramática. En realidad, sólo desde alrededor de 1880 el público de Buenos Aires había empezado a asistir a espectáculos de teatro nacional. Según se sabe, fueron los Podestá quienes, primero como miembros de un circo en el que representaban una pantomima folklórica a propósito del gaucho Juan Moreira, invento de Eduardo Gutiérrez, dotaron de palabra y auditorio a la comedia argentina. Populista, folklórica, valentona, declamatoria, la musa teatral del Plata se valía más de los gestos que de las palabras, y entre aquéllos, de los más amplios y rotundos. Sánchez cayó como un rayo sobre aquel medio informe. No pudo, empero, librarse de innumerables concesiones a la idiosincrasia declamadora y sensiblera del público platense. De ahí el tono hoy desmesurado de sus piezas, y el choque estridente entre los elementos de sus temas.

Volvamos a *Gente honesta*. Las consecuencias de aquella frustración fueron varias: por una parte, Florencio se vio despedido del diario por el propietario, señor Schiffner, a quien el novel comediógrafo había llamado Chifle en su pieza; y, por el otro, como represalia, Florencio fundó el periódico *La época*

(Rosario, 26 junio 1902) con el objeto de publicar *Gente honesta.*

El contacto con la colonia italiana rosarina le inspira entonces el argumento de otro drama, *La gringa,* pero no lo estrenará y acaso no lo concluirá hasta años después.

El primer estreno formal de Sánchez será, pues, el de *Canillita,* siempre en Rosario, el 2 de octubre de 1902; fue representada en el teatro de la Comedia de Buenos Aires, el 4 de enero de 1904. *Canillita* consta de un solo acto. El título de la obra proviene del nombre del personaje: para aquilatar la popularidad de la pieza basta recordar que, a raíz de ella, todos los vendedores de diarios de Argentina, profesión del protagonista, fueron llamados con el nombre del protagonista de aquella pieza: *canillitas.* El nombre traspasó el Río de la Plata y la Cordillera de los Andes: se lo usa hoy, con igual acepción, en Uruguay, Chile, Bolivia y Perú.

La verdadera presentación de Sánchez como autor dramático no se producirá, sin embargo, sino el 13 de agosto de 1903, en el mismo Teatro de la Comedia de Buenos Aires, con *M' hijo el dotor.*

Fue su consagración [4]. Era también, en parte su propia historia.

---

[4] En el citado libro de Ruth Richardson se da la cronología de las obras dramáticas de Sánchez, con las circunstancias de sus respectivos estrenos. La lista es la siguiente: *Canillita,* un acto, 1902; *M'hijo el dotor,* 3 actos, 1904; *Cédulas de San Juan,* 1 acto, 1904; *La pobre gente,* 1904; *La gringa,* 4 actos, 1904; *Barranca abajo,* 3 actos, 1905; *Mano santa,* 1 acto, 1905; *En familia,* 3 actos, 1905; *Los muertos,* 3 actos, 1905; *El conventillo,* zarzuela, 1 acto, 1906; *El desalojo,* 1 acto, 1906; *El pasado de una vida,* 3 actos, 1906; *Los curdas,* 1 acto, 1907; *La Tigra,* 1 acto, 1907; *Moneda falsa,* 3 actos, 1907; *El cacique pichuleo,* zarzuela, 1 acto, 1907; *Nuestros hijos,* 3 actos, 1907; *Los derechos de la salud,* 3 actos, 1907; *Marta Grumi,* con notas musicales, 1 acto, 1908; *Un buen negocio,* 2 actos, 1908. De este conjunto de 20 obras, todas, menos la primera que se estrenó en Rosario, y las tres últimas en Montevideo, se dieron por primera vez en Buenos Aires (Richardson, *ob. cit.,* págs. 229-230). Suman las veinte obras un total de 41 actos, escritos y representados en un lapso de apenas cinco años y nueve meses. Sin que

La trama de *Canillita* encierra un retazo de la vida de Florencio Sánchez, su experiencia vital, de niño pobre. Se trata del conflicto entre un padre, gaucho y viejo, y su hijo, un "dotor" de la ciudad, imbuido de ideas nuevas, es decir, entonces de ideas anarquistas. La pieza motivó apasionados comentarios. La impronta autobiográfica imperaba sobre el significado literario. No pudieron librarse de tal exorcismo quienes primero se encargaron de comentar la vida y la obra de Florencio. En ello cae Roxlo igual que Zum Felde, Souza Reilly y García Estrella. Por subrayar la parte episódica de la vida de Sánchez, reflejada en la comedia, dejan escapar la esencia misma de ella y de su estilo, que debieran referirse en todo caso a las condiciones de la época [5]. Dada su circunstancia de pionero, el teatro de Florencio Sánchez fue esencialmente de acción y de tendencia doctrinaria, un teatro docente monologal y algo mímico, como todo

---

ello implique la fecundidad de Lope, representa mucho, si se consideran otras circunstancias y tipos de actividad.

Hay dos colecciones importantes de las obras de Sánchez, aparte la edición de cada pieza: *El teatro del Uruguay. Florencio Sánchez*, Barcelona, Cervantes, 1926, la cual consta de 3 volúmenes en que se reúnen las nueve obras representativas del autor. Cada tomo precedido de sendos prólogos debidos a Vicente A. Salaverri (I y II) y a Juan José de Soiza Reilly (III) y *Teatro completo* con prólogo de Dardo Cúneo, Buenos Aires, Claridad, s. a. Además: Florencio Sánchez, *El caudillaje criminal en Sudamérica*, Buenos Aires, Imp. El Teatro Nacional, s. a.; *Cartas de un flojo, Diálogos de actualidad*, Estudio sobre *João Francisco*, Montevideo, Archivos de Psiquiatría y Criminología, 1914, etc.

[5] Carlos Roxlo, *Historia crítica de la literatura uruguaya*, Montevideo, 1915, tomo IV; A. Zum Felde, *Proceso intelectual del Uruguay*, Montevideo, 1930, tomo II, y M. B. Bosch, *Historia de los orígenes del teatro nacional y la época de Pablo Podestá*, Buenos Aires, 1929, caps. IX a XI y XVII a XX; V. Martínez Cuitiño, *Florencio Sánchez y su obra, Ensayo crítico*, Buenos Aires, Teatro Popular, año 1, núm. 5, 1919; Juan Pablo Echagüe ("Jean Paul"), *Una época del teatro argentino, 1904-1918*, edit. América Unida, Buenos Aires, 1918; Alberto Lasplaces, *Opiniones literarias: prosistas uruguayos*, Montevideo, 1919; Roberto Giusti, *Florencio Sánchez (Su vida y su obra)*, Buenos Aires, 1920; Ricardo Rojas, *La literatura argentina*, 2.ª ed., Buenos Aires, Roldán, 1924, tomo VIII.

teatro primitivo. Los caracteres y el diálogo juegan papel de segunda importancia. El argumento y su consecuente lección ocupan el primer lugar y, como siempre, nadie puede ofrecer mejor lección que la que cada cual necesita, o cree necesitar, o sea, la que corresponde a un déficit de la propia personalidad. Podría asegurarse que el escritor enseña siempre lo que quisiera aprender, al revés del maestro que aprende lo que pretende enseñar. Obsesiona a Sánchez el tema de la abulia provocada por el alcoholismo; trasluce cierto tipo de semidemencia, de manquedad espiritual, cuyo origen se halla acaso en una profunda incompletación familiar, en la mala vida, en el presentimiento de la muerte.

Sánchez se vio obligado a vender sus primeras comedias a vil precio. No obstante, los éxitos intelectuales compensaban en algo los fracasos económicos y la falta de salud. Cuando Florencio se casó con Catita, "La Siringa" le ofreció un banquete al que concurrieron José Ingenieros, Carlos de Soussens (el sanssous de los retruécanos de café), Ricardo Rojas, Manuel Ugarte, Roberto Payró, Ortiz Grognet, Enrique García Velloso [6]. Era en 1903, recién estrenado *M' hijo el dotor*. Pero, ni esto ni aquello, ni los elogios a *Los muertos*, ni las aclamaciones a *Nuestros hijos*, nada podía detener ya la carrera hacia el abismo: Florencio se emborrachaba con cualquier dosis de alcohol, tosía, había enflaquecido, escribía sin revisión ni tregua, se consumía a ojos vistas. Su teatro seguía la huella de su vida... cada vez más declamatorio, entrecortado, monologal y amargo. Por último se perfiló una sola solución personal: alejarse de Montevideo y Buenos Aires, trasladarse a Europa, abrir la perspectiva de una existencia distinta. Se apeló al gobierno uruguayo: como en el caso de Horacio Quiroga, Rodó y tantos otros el gobierno permaneció peor que sordo: indeciso. Por fin, el Presidente Williams comisionó a Florencio Sánchez a Italia para que estudiase la posibilidad de que Uruguay tomase parte de la exposición artística en Roma. Al partir le entregaron la mitad de sus ho-

---

6 García Estrella, *ob. cit.*, pág. 133.

norarios; la otra mitad le sería —y le fue— entregada al llegar a Europa. Florencio se embarcó en el barco "Príncipe di Udine". Curiosa coincidencia: a bordo viajaban el gran actor italiano Dario Nicodemi y la actriz francesa Rejane.

Florencio abandonó Uruguay el 25 de setiembre de 1909; llegó a Génova el 13 de octubre. No fue una permanencia dichosa la que empezó aquel día. Sánchez deambula por la cuenca del Mediterráneo, entre preocupaciones oficiales, inquietudes artísticas, estrecheces económicas, derrotas físicas, nostalgias de Catita. Va en busca de sol y paz, aquel no le da ésta. Finalmente, el 7 de noviembre de 1910, después de larga y dolorosa agonía, exhala el último suspiro en la ciudad de Milán. Ahí le entierran. En 1913, la ciudad de Minas, donde transcurriera su infancia, dio el nombre de Florencio Sánchez a una de sus calles; en 1915, se repatrian oficialmente los restos del dramaturgo; en 1927, se inaugura su estatua en Montevideo; en 1931, se desvela una réplica de la misma en Buenos Aires.

A partir de 1920 aproximadamente, el teatro de Sánchez sale a conquistar el mundo de habla castellana. José Tallaví, famoso actor español, había ya estrenado la primera obra de Florencio en España; en 1922, la compañía argentina de Camila Quiroga ofreció varias obras de Sánchez en Madrid y diversas capitales latinoamericanas; lo mismo había hecho, en 1916-17 la compañía platense de Arturo Mario y María Padin. El teatro de Sánchez llegaba demasiado tarde a públicos saturados entonces de Benavente, Linares Rivas y los Quintero y de la alta comedia francesa, traspuesta ya la era del drama heroico a lo Marquina y Villaespesa.

Resulta difícil establecer los saldos actuales del teatro de Florencio Sánchez. Como se ha dicho antes, su repertorio de temas, atmósfera y caracteres no es variado, pero sí intenso. Borrachos, neurasténicos, presuicidas, madres abandonadas, padres incomprensivos, hijos arrogantes: he ahí la caravana psicológica y social de sus comedias. Seres vencidos o mal contentos, problemática del infortunio, itinerario de la angustia, la enfermedad y el desamparo. Los diálogos, repito, son más bien intermonólogos. Sánchez no elude el anacronismo del soliloquio teatral; es su propio problema expresivo de solitario esencial. Aunque ya el monólogo había sido abolido por pesado, falso y declamatorio, apela a él, para exponer ideas a través de sus personajes. En ello sigue las huellas de Shakespeare y de Ibsen, es decir, de todo trágico, pero Sánchez utiliza un lenguaje en exceso cotidiano. Rehuye toda exquisitez verbal, o simplemente no la domina. Escapa a cuanto sea matiz, y en ello revela su antimodernismo intrínseco: sus temas, escenas, diálogos y personajes oscilan entre un extremo y otro. Podría decirse de este autor, al revés de lo que Verlaine pedía al poeta en su *Art poétique, que su precepto fue: pas de la nuance, tout de la couleur.* De establecerse esta contradicción, habría que concluir aceptando una antinomia vitanda entre Florencio y sus coetáneos, los modernistas, aunque, recordemos, se tenderían, en cambio, sutiles, numerosos y apretados lazos entre Sánchez y su compatriota Quiroga, ambos marcados por la desesperación y el suicidio, de un modo u otro, lento o veloz, de toda suerte extinción a voluntad o sin oponer resistencia.

Este acento de angustia, sostenido y fatalista, rodea al teatro de Sánchez de un aura de trascendental pesimismo. Los personajes, tomados de la realidad, adolecen de cierto aire caricaturesco, con una evidente deformación de caracteres. Casi ninguno de ellos se comporta, salvo en breves episodios, como ser normal. Tampoco lo fue Sánchez. Había nacido con demasiada debilidad física, con demasiada sensibilidad, con demasiado anacronismo —él, un Ariel en salsa de Calibanes— para que pudiera resignarse o para que pudiera vencer. Se entregó, pues, a plenitud a su exasperación, escribiendo dramas exasperados. Su teatro, es, por eso, exagerado, a veces monstruoso y no pocas, grotesco. Sucesión de contrastes, de altibajos, de vigilante mal gusto en numerosas ocasiones, surcado, empero, por tan poderosos rasgos de talento y hasta de genio, rasgos violentamente luminosos o tremendamente oscuros, que hace olvidar los desmaños para dar relieve tan sólo a la invencible razón humana que anima escenas tan tremantes y sobrehumanas como la final de *Los muertos*, o el segundo acto de *Los derechos de la salud*, verdaderas sorpresas en una historia teatral calva, desprovista de cumbres, como era la de América Latina hasta ya entrada la segunda mitad de nuestro siglo.

La cultura de Florencio Sánchez no se destaca por su abundancia ni por su esquisitez. Se ve en él la huella de Ibsen, Bracco, Gorki, Zola, que, aunque parezca paradójico, rivalizan con Verlaine y Samain entre los modernistas.

El teatro de Florencio responde, además, a las peculiaridades de la sociedad en que vivía. En ese tiempo empezaba el crudo antagonismo y su consiguiente amor, entre los elementos criollos y los extranjeros —los gringos—, y se constituían los primeros núcleos de "gauchos judíos" (Alberto Gerchunof), "la pampa gringa" (Alcides Greca), los gallegos de *La fonda* (José y Gabriel), los anarquistas de *La ciudad perdió la voz* (Rosario, en la novela de "Mateo Booz"). Es el forastero que mediante su trabajo, se apodera naturalmente de la tierra; es el criollo que se angustia por su desalojo y pugna por detener el avance incontenible de una sociedad nueva. El teatro de Sánchez refleja todo eso, además de las íntimas cuitas de su autor.

De ahí que, no obstante sus defectos y repeticiones, lograra el éxito que salta a la vista; y obtuvo para la desgarbada y melancólica vida del dramaturgo, respeto, adhesión y ternura.

XXI

ENRIQUE LARRETA

(Buenos Aires, 4 marzo 1875 — 6 julio 1961)

A pocos escritores como a Enrique Larreta, ha asistido tan súbita y cambiantemente el favor del público. Influyeron en ello causas ajenas a la literatura. Porque, si desde el estricto punto de vista de ésta, no cabe sino alabar las excelencias de su magnífica prosa, por barroca y desusada que ahora se la considere, la circunstancia de las modas del día y las provenientes de la alta posición social y el largo estar en Europa que singularizan a Larreta, no le fueron propicias ante un gran sector de sus lectores. Podría decirse, con exigencia extrema, que fue el autor de un solo libro, *La gloria de don Ramiro,* a pesar de haber publicado más de una docena. No le quita eso importancia ni brillo, pues se trata de un libro ejemplar, en el que se funden, con rara perfección, aromas del viejo tiempo y todos los perfumes a veces escandalosos del modernismo. Si esto último suscita, por un lado, la vehemente e injusta censura unilateral de Martín Aldao, por el otro provoca la penetrante y elogiosa crítica de Amado Alonso. Como quiera que se tome a Larreta, si de algo no se le puede acusar es de poco interesante o neutro, lo cual indica mucho [1].

---

[1] Obras principales: *Artemis,* Buenos Aires, Bca. de P. Groussac, 1896; *De camino,* Buenos Aires, s. a. (1901); *La gloria de don Ramiro:*

El padre de don Enrique fue uruguayo y se llamó Carlos Rodríguez Larreta; su madre, también uruguaya, Agustina Maza y Oribe, dos troncos ilustres de la Banda Oriental del Plata. Su verdadero nombre fue pues, Enrique Rodríguez Larreta y Maza. Se graduó de abogado en la Universidad de Buenos Aires. Muy joven empezó a colaborar en *La Nación*, de la misma ciudad, diario cuyo fundador y propietario, el general Bartolomé Mitre, ilustre escritor, distinguió a Larreta con su rara amistad. Eran los tiempos en que Rubén Darío habitaba en la capital argentina; los tiempos de Rubén y del humanista y belicoso francés Paul Groussac, con quien Larreta colaboraría en 1896: el año de *Prosas profanas*. Es entonces cuando publica *Artemis*, un relato *pastiche* grecobizantino, al modo de las retóricas reconstrucciones de Flaubert, Anatole France y Pierre Louys, que deslumbraron a nuestros modernistas, especialmente a Pedro César Dominici, a Rubén, a Lugones y a Larreta. Naturalmente, figuran en la obra del último un atleta olímpico, Dryas, una hetaira, Myrcia, y la diosa Artemis, la casta, que salva al campeón de derrochar sus energías en el amor y no en la justa olímpica.

Hacia 1901, Larreta viajó a Francia y España: a Francia, para compenetrarse del espíritu literario de su tiempo; a España, para documentarse a fin de escribir una vida de Santa Rosa de Lima. La obra estuvo terminada a fines de 1906. No fue ya la glorificación de la santa limeña, sino muy paradójica-

---

Una vida de tiempos de Felipe II, Madrid, Sopena, 1908; *Zogoibi*, Buenos Aires, 1926; *Las dos fundaciones de Buenos Aires*, Buenos Aires, s. a. (1933); *Tiempos iluminados*, Buenos Aires-México, 1939; *Tenía que suceder*, novela dramática, Buenos Aires, 1944; *Jerónimo y su almohada, y notas diversas*, Buenos Aires, 1946; *Orillas del Ebro*, novela, Madrid, 1949; *En la pampa*, novela moderna, Buenos Aires, 1955; *El Gerardo*, primera y segunda parte, Madrid, 1956. Además: *La calle de la vida y de la muerte*, versos, Buenos Aires, 1941, y para el teatro: *La Lampe d'argile*, Paris, 1918; *El linyera*, Buenos Aires, 1932; *Santa María del Buen Aire*, drama en 3 actos, Buenos Aires, 1936; *Tenía que suceder*, versión escénica de la novela, Buenos Aires; *Obras completas*, Buenos Aires, 1957.

mente la de "don Ramiro". Haciendo gala de profundo conocimiento de la historia y del idioma, revivió y situó en la claustral Ávila, una vida humana de fines del siglo XVI, la del personaje núcleo de la obra, el hidalgo don Ramiro, vástago de casa grande, atenaceado por los más encontrados sentimientos, premonición viviente de cualquier neurótico "fin de siglo... XIX", cuya infancia crece enardecida por los relatos de un campanero fantasioso, a cuya mujer, Aldonza, entrega el genial caballerete el primer holocausto de su fiebre sexual. Había acrecido su deseo el trato cuasi íntimo con unas primas, una de ellas, Beatriz, su tentación de adolescente. Ramiro se lanza luego a la vida. Deambula por diversos lugares de España, hasta que, en Sevilla, conoce a la morisca Aixa, de quien se prenda. Aquel ardiente concubinaje no calma la pasión física del joven hidalgo, pero enciende en cambio su inconformidad espiritual. Para ponerse en paz con Dios, no vacila en entregar al brazo del Santo Oficio a la morisca, la cual es quemada en un auto de fe, que Ramiro presencia lleno de cristiana congoja y culpable deseo. Al fin, para huir de sí mismo, se embarca al Nuevo Mundo. Llega a Lima. Muere lleno de arrepentimiento el mismo día que se realiza el sepelio de Rosa de Santa María. Ésa, la muerte contrita, el destino chafado, constituirán irónicamente toda la soñada "gloria de don Ramiro".

Aunque se ha dicho que Maurice Barrès ejerció gran influencia en Larreta, a través de tres obras suyas, dos de ellas rebosantes de misticismo hispanizante (*El Greco, o el secreto de Toledo; Sangre, voluptuosidad y muerte,* y *El jardín de Berenice*), sabemos también cuán profunda fue en Larreta la impronta de Anatole France, de Gabriel D'Annunzio (sobre todo en los cuadros evocativos de *Il trionfo della morte* y de Remy de Gourmont, quien tradujo al francés la novela larretiana. Lo que sí no admite duda es que la reconstrucción del siglo XVI-XVII se lleva a cabo en un estilo "decadente", propio del siglo XIX-XX. Ello, que es pie de la fundada y tendenciosa crítica de Martín Aldao, me parece que constituye precisamente el mejor logro de Larreta. En eso concuerdo con Amado Alonso, autor de un magnífico trabajo sobre esta tan discutida obra [2]. Aldao, novelista también, contemporáneo de Larreta, y autor de *Escenas y perfiles* (1902) y *La novela de Torcuato Méndez* (1912), usó para la primera edición de su diatriba el seudónimo de "Luis Vilá y Chávez". Su crítica trató de barrer todo mérito imputable sin discusión a Larreta. Le acusó de glorificar al prototipo de la infidencia y la deslealtad, como paradigma del caballero de la época de Felipe II, puesto que Ramiro traiciona a su prima Beatriz, traiciona al campanero que le enseñó a ser hombre, traiciona a la morisca Aixa que le brindó su amor. Además, Aldao pretende negar todo valor estilístico al libro larretiano aduciendo que mezcla términos antiguos, o arcaísmos, con inaceptables neologismos como es el caso del adjetivo *glauco*, el abuso del color *lila*, etc. Mas justamente, en esa insólita y magnífica simbiosis de lo nuevo y lo viejo, de lo clásico y lo modernista, de lo castizo y lo afrancesado, del vocabulario arcaico y el ritmo eléctrico, es en lo que reside el encanto y la personalidad de Larreta, y es ello lo que reviste de vigor y gracia a *La gloria de don Ramiro*. Azorín, crítico nada descuidado, pero tampoco mezquino, se perturba empero cuando pretende juzgarlo desde el punto de vista de su exactitud arqueológica; no obstante lo cual reconoce "una luz que se proyecta sobre el tiempo y el espacio en este libro seductoramente idealizador y romántico" [3]. Rubén Darío, con su irrefrenable y congenial grandeza, escribe:

---

[2] Amado Alonso, *Ensayo sobre la novela histórica: El modernismo en "La gloria de don Ramiro"*, Buenos Aires, Universidad, 1946; Martín Aldao, *El caso de "La gloria de don Ramiro"*, París, 1913, 2.ª ed., Buenos Aires, 1937; Cfr.: Carmelo M. Bonet, *Los valores eternos en la obra de Enrique Larreta*, Buenos Aires, 1946; Raimundo Lida, *La técnica del relato en "La gloria de don Ramiro"*, Buenos Aires, Cursos y Conferencias, año V, tomo IX, núm. 3, junio de 1936; Roberto Giusti, *La gloria de don Ramiro*, por E. L., Buenos Aires, rev. "Nosotros", año III, vol. IV, núms. 18, 19, enero-febrero 1909; Max Henríquez Ureña, *ob. cit.*, pág. 210; Rafael M. Arrieta, *Historia de la literatura argentina*, Buenos Aires, Penser, 1959, tomo IV, págs. 250-260 (Unión Panamericana), *Diccionario de la literatura latinoamericana*, Argentina, tomo II, Washington, D. C., Unión Panamericana, 1961.

[3] Azorín, *Clásicos y modernos*, Buenos Aires, Losada, 1939, pág. 140.

> Según mi entender [la novela de Larreta] es la obra en prosa que en América se ha acercado más a la perfección... Tengamos el orgullo de Larreta como tenemos el orgullo de Lugones y algún otro orgullo.

De esta frase se origina el subtítulo de un capítulo del libro de Carlos Loprete sobre *La literatura modernista en la Argentina:* "Los dos orgullos" [4]. De toda suerte es evidente que *La gloria de don Ramiro* reúne condiciones impares y encendió, no sólo en su tiempo, sino hasta ahora mismo, una hoguera de admiración. Frente a este hecho, nada valen las objecciones de tipo menudo, como lo subraya Loprete. Tampoco tienen importancia las infidelidades históricas en las *Tradiciones peruanas* de Ricardo Palma, ni nadie se pregunta frente a la *Afrodita* de Pierre Louys, si los hechos novelados corresponden cabalmente a la realidad evocada. Existe, no se olvide nunca, una verdad literaria o estética, que puede apoyarse o no en la verdad histórica o natural, pero que, de todos modos, engendra una verdad *per se,* de características propias. Lo importante será siempre en la obra narrativa, si es de creación como en este caso, el ímpetu y la sugestión del narrador, su capacidad de retener el interés de los lectores y de impresionarlos haciéndoles aceptar como certidumbre inconcusa los frutos de la fantasía del artista. En *La gloria de don Ramiro* se alternan curiosos y hasta inconciliables elementos formales, fundidos y armonizados por la destreza y el exquisito buen gusto de Larreta. Cierto, que el campanero habla en un rancio castellano, seco y cortante como una espada. Cierto también que el autor describe los paisajes con gula de modernista, con ojos tropicales. Cierto que la melancolía se da cita con la solemnidad, y que hay momentos, como en algunos pasajes al describir los arrobos de Ramiro y Aixa, que uno no acierta a discernir si se trata de una prosa lujuriosa o contrita, si pinta el pecado para exaltarlo o si lo arroja al rostro

[4] Carlos A. Loprete, *La literatura modernista en la Argentina,* Buenos Aires, Poseidón, 1955.

de los pecadores como una afrenta. Lo indudable es que los vocablos y expresiones se suceden en ritmo alterno y hasta contradictorio, pero nunca desmayado. Y que se *sienten* el paisaje, la pasión, la serenidad, la pena, la alegría, la malicia, todo cuanto contribuye a conformar ese ambiente y ese relato, difíciles de igualar. La prosa modernista logra aquí su mayor esplendidez.

A quien hubiere leído los versos de Larreta no le puede llamar la atención el preciosismo ni el conceptualismo que se disputan la prosa de *La gloria de don Ramiro*. Así los primeros oscilan entre deliquios del Arcipreste y éxtasis teresianos. Andando el tiempo, conforme Darío prosifica en verso, y Lugones se arramplona adrede para idealizar y estilizar la ramplonería, Larreta seguirá ese mismo sendero, inevitable en todos los modernistas, y acabará "prosificando" densamente, él también, como en el soneto de despedida a Lugones:

Doblen, doblen campanas, por Lugones, Lugones;
y serraniegas flores sepulcrales de aroma,
con sus blancas espinas cubran el suelo, como
como sus amarguras, como sus ilusiones.

Llamadores de Córdoba, silencio de crespones,
¡Ya le llevan a pulso! ¡Ya sellaron el plomo!
¡Ah, su piedad, aquella de la faz de Ecce Homo,
y aquel nuevo perfume de Dios en sus canciones!

¿Por qué, por qué? todos se han preguntado.
¡Callad y daos con una piedra en el pecho!
Él abrevió su pena con su propio despecho:

mas no se crucifica solo el crucificado,
ni fueron forasteras las manos que esto han hecho:
¡Tú, destructora tierra, tú misma lo has matado!

El tono de este soneto fúnebre pertenece a la escuela post modernista. Revela que Larreta podía adoptar cualquier patrón y que no estaba forzado a la manera neobarroca del primer modernismo, a que corresponde *La gloria de don Ramiro*. Si al guien lo dudara, bastará citar su segunda obra famosa: *Zogoibi*, vocablo árabe que significa "desgraciadillo": novela aparecida casi simultáneamente con *Don Segundo Sombra* de Güiraldes (1926) y dentro de la órbita neocriollista desatada por el grupo "Proa", al cual estaba adscrito Jorge Luis Borges [5].

En *Zogoibi* traslada Larreta parte de su propia experiencia de trasplantado. El europeizante Federico Ahumada, "alto y ojiazulado", regresa a su patria, y titubea entre el amor de Lucía, "la ingenua novia morena" y criolla, y el de Mrs. Wilburns, una rubia sensual y exquisita, cuyo alojamiento en plena pampa tiene todos los atributos de una casa de París. Los personajes episódicos que alternan con los protagonistas básicos de este idilio alegórico tienen perfiles realistas, como muchos de *La gloria de don Ramiro*: así, el comodón Pepe Domínguez, el botarate Cecilio Maldonado, que dilapidó su fortuna agraria en París, el gaucho andaluzado Benavente. Uno puede comparar ciertos dichos criollos con los del escudero Medrano de *La gloria*, y aun equiparar ciertos arrebatos de Lucía con los de Aixa, pero lo que se propone Larreta ahora es demostrar la subsistencia de la tierra, como valor esencial, como *raison d'être*, tal cual la presentan y exaltan Eugenio d'Ors (Xenius) en *La ben plantada* y Maurice Barrès en *El jardín de Berenice*. Son "la tierra y los muertos" en agria disputa con el cosmopolitismo que representa la civilización advenida. El mismo tema de *Los muertos mandan* de Vicente Blasco Ibáñez. Mala estrella la de *Zogoibi* al coincidir en su aparición con *Don Segundo*, obra que responde a otra teoría sin duda más nueva, aunque no menos sincera y honda.

Larreta sufrió sin duda las consecuencias de cierta extemporaneidad en su presentación del tema criollo. Llegó tarde. Hay que declararlo. No obstante, si en algo coinciden ambas novelas ya próceres, es en cierta dosis invívita de veracidad, más visible en la de Larreta que en la de Güiraldes. Se explicaría de suyo,

---

5 Cfr. L. A. Sánchez, *Proceso y contenido de la novela hispanoamericana*, Madrid, Gredos, 1953, págs. 182 y 183.

porque, según Carmelo Bonet, las obras más características de Larreta caerían bajo el dictado del realismo. "Larreta es, por temperamento, realista", afirma Bonet [6]. De donde *La gloria de don Ramiro* escaparía a la clasificación de novela histórica, si ésta se basa en el romanticismo. Para corroborar su dicho, Bonet transcribe párrafos como el siguiente:

> Un aire abrasador se amodorra en las navas y el cielo sin nubes embravece su tinta, como el esmalte en el horno. La peña cruje bajo la rabia del sol, el árbol se tuesta. Aquí y allá, a lo largo de los caminos, la recua o el rebaño levantan grandes nubes de polvo, cual si fueran ejércitos...
>
> Después de tres días, como Medrano no llegaba, Ramiro resolvió continuar sin esperarlo. Era una mañana esplendorosa de principios de mayo. Había sacado su cuartago al soportal del mesón, y ya iba a poner el pie en el estribo, cuando sus ojos, un tanto ofuscados por el reflejo de las encaladas paredes, vieron venir sobre una jaca, a un donoso pajecillo que parecía hacerle señas desde lejos. Llegó por fin el tal pajecillo junto a él, y apeándose de la cabalgadura, encogido y lloroso, demandóle una y otra manos para besárselas. Era Casilda, con ropas de lacayo, pero sus pestañas, su guedeja y sus facciones estaban tan cubiertas de polvo que Ramiro tardó en reconocerla.

Con todos los respetos debidos a don Enrique Larreta y al doctor Bonet, la perfección del párrafo se lastima con ciertas cacofonías como las del comienzo: "Como Medrano", "Ramiro resolvió": *peccata minuta, si peccata.* El propio Bonet resalta, ahorrándose el trabajo del cernido, expresiones como éstas: "Grandes nubes iluminadas viajaban en el augusto silencio", "Oíase el jadear de los fuelles y el repique de las bigornias",

---

6 Carmelo M. Bonet, *Palabras,* Bca. del Colegio de Graduados, Buenos Aires, 1935, págs. 56-77, art. "*La gloria de don Ramiro* en el taller".

"Un taladro dejó de roer", "andaban siempre con la boca hinchada de obscenidad", etc. No cabe duda de que Larreta fue un eximio manejador del idioma, dueño de un léxico incomparablemente rico engastado en un estilo de un barroquismo esencial, por encima de preferencias y de imitaciones.

A pesar de méritos literarios tan evidentes, nadie podría negar notoria resistencia del lector hacia Larreta, sobre todo a raíz de *Zogoibi*. Es curioso cómo las nuevas promociones argentinas se lanzaron en pos de Güiraldes, pese a su origen también burgués, seguramente porque le descubrían menos extemporáneo.

Creo que en esa injusticia vitanda se advierte la presión de un hecho inevitable y en cierto modo ridículo: dar mayor importancia a la posición diplomática de Larreta que a su talento literario, al juzgarlo literariamente.

Volvamos a la biografía de Larreta. Después del rápido y agobiador éxito de *La gloria de don Ramiro*, su autor regresó a la Argentina. Luego, en 1910, ejerció la representación diplomática de su patria en París. Rodeado del necesario lujo propio del representante oficial de un país rico, avivado esto por su propia riqueza personal, Larreta concitaba la envidia y los celos de los argentinos y demás sudamericanos avecindados o transeúntes en París. Antes había ejercido la cátedra de Historia Medieval en el Colegio Nacional de Buenos Aires (el lapso entre 1909 y 1910, año del centenario). Los amigos que frecuentaban la Legación eran sobre todo escritores: Paul Fort, Jules Supervielle, Remy de Gourmont, Henry Regnier, Maurice Barrès, y, a veces, Anatole France, entre los franceses; Rubén Darío, los García Calderón, Amado Nervo, Antonio Sawa, entre los americanos. Cuando volvió a Buenos Aires, ungieron a Larreta de cargos honorarios: Presidente de instituciones culturales, de organismos literarios, etc. España, más que la Argentina, acudió a exaltarle cuantas veces fue menester, como en 1941, en que fueron instituciones hispánicas las que le propusieron para el Premio Nobel de Literatura, o como en 1949, cuando le fue concedido el premio Miguel de Cervantes.

De ahí, quién sabe, la antinomia larretiana entre el personaje de la novela y el de la vida real. Pese al dictado de realista que le diera Bonet, los protagonistas de Larreta salen de su fantasía, se nutren de ella, aun cuando la atmósfera de que los rodee parezca estrictamente real. El autor mismo parece que vive en un ambiente de sortilegio, ambiente en el que, sin embargo, cada cosa está situada en su lugar, inequívocamente. A propósito, me ha ocurrido a menudo pensar en los dramas de Eduardo Marquina a propósito de las novelas de Larreta. Marquina llegó a ser tan sujeto vital de sus sujetos literarios que uno no sabe cuándo habla Don Diego, el de *En Flandes se ha puesto el sol,* o don Eduardo, el suave poeta de *Elegías*. Tal, Larreta: se embebió de tan feroz manera en sus personajes, se hizo tan a la medida de su Medrano, su Ramiro, su Gonzalo, su Beatriz y su Aixa, su Zogoibi, su Federico y su Lucía, y los instaló en localidades tan inalcanzables al tacto, que todo él, su estilo, todo su argumento se desliza como con pies de nubes, por el escenario ceniciento y nacarado de sus estampas y evocaciones, de sus aventuras.

La obra teatral de Larreta adolece de lo mismo que sus novelas: de realista irrealidad. El narrador deja ver los pespuntes, teje la urdimbre, planta los hilvanes, como si todo hubiese ocurrido de veras o como si pudiese ocurrir en cualquier instante, el hablista se emborracha de palabras y hace perder el hilo al narrador. El manjar se vuelve golosina: victoria del retórico sobre el novelista y el poeta. Pero, Larreta dibuja tan bien, imagina tan a lo serio, que el lector acaba no sabiendo a quién creer: si al imaginista o al descriptor. Al cabo, como en las tragedias de García Lorca, no se oye sino la voz y no se escuchan sino palabras apenas moduladas, más que expresadas. Todo resulta drama lírico, no relato. Los seres se desenvuelven oyéndose, como en la ópera, haciéndonos también oírlos. El modernismo poseyó su clave, tuvo su auditorio, halló su misterio, y lo desveló entre orquestaciones wagnerianas. Los tiempos posteriores trataron de hallar también su propio misterio, sin conseguirlo y sin orquestamiento. No se impute al logro ni al acompañamiento la causa de nuestra adhesión o nuestro disgusto ante partituras tan perfectas. La de Larreta lo fue, y en grado eximio. Como él, hubo pocos en América que la usaran con semejante señorío, riqueza, propiedad y melodía. Si algo hay que reprochar a Larreta es que, cuando ya Rubén había cancelado sus excesivas concesiones al ritmo y *a la musique avant toute chose,* él, el autor de *La gloria de don Ramiro,* siguió creyendo en sus antiguos mitos, con la misma terquedad con que los viejos paganos persistían en adorar a sus ídolos, a sus manes y penates, aunque vieran prodigarse por los caminos del mundo y de las almas la desnuda limosna de la caridad cristiana, el estremecido e imponderable amor de un Dios-Hombre, ante quien se hinojaban cada vez mayor número de gentes, entre ellas el mismísimo Emperador de Roma.

Larreta nos ha dejado tan contagiosa lección de énfasis, precisión y armonía, que no es posible comentarle sin caer en sus redes, sin caer en su involuntaria trampa.

XXII

FRANZ TAMAYO [1]

(La Paz, 28 febrero 1879   29 julio 1956)

Sin duda, Franz Tamayo es el primer poeta de Bolivia, aunque tan retórico como otro gran lírico del mismo país: Ricardo Jaimes Freyre. El haber vivido sólo en su patria, no ha favorecido la celebridad de Tamayo. Si su coterráneo y antecesor (cronológico no más), Ricardo Jaimes Freyre, no hubiera residido en Argentina, tampoco habría alcanzado fama; ni Alcides Arguedas, si no publica su obra en París, Barcelona, Santiago de Chile y Buenos Aires. Bolivia, rodeada de cumbres, sin acceso directo al mar (exactamente desde que nacieron Tamayo y Arguedas), vive como soasándose en sus propios jugos. En Tamayo el enclaustramiento se agravaba con sus personalísimas condiciones de vida. Gustaba de la soledad; apenas salía de su vasta y solemne mansión en la calle Loayza, una de las más espinadas de La Paz. Le abroquelaban además la leyenda de su orgullo y

---

[1] Sobre Tamayo véanse: F. Díez de Medina, *El hechicero del Ande,* La Paz, 1942 y 1944; *Literatura boliviana,* La Paz, 1953; Enríquez Finot, *Historia de la literatura boliviana,* México, 1943; José Eduardo Guerra, *Itinerario espiritual de Bolivia,* Barcelona, 1936; Carlos Medinacelli, *Estudios críticos,* Sucre, 1938; Guillermo Francovich, *La filosofía en Bolivia,* Buenos Aires, y muchos ensayos y artículos dispersos en revistas y diarios.

su hurañeza, y la absoluta grandeza de su poesía, que él aquilató demasiado y administró mal. ¿No lo prueba acaso la forma asaz violenta como recibió y refutó el elogioso libro que le dedicara el entonces joven crítico Fernando Díez de Medina, bajo el título de *El hechicero del Ande* (Buenos Aires, 1942)? ¿No es el folleto *Para siempre* (sin fecha ni pie de imprenta, pero hecho en La Paz y en 1942; 16 páginas) una demostración de la apasionada y apasionante soberbia del poeta?

Tres veces he visitado La Paz: en 1941, en 1943 y en 1953, y nunca me puse al alcance del gran lírida. Mis guías se excusaron de la presentación. Me he quedado sin el goce de ver a Tamayo en funciones, frente a un admirador con cierto aire crítico.

En la última ocasión que pude enfrentarle, él publicaba unos ardientes, altaneros y bien fundados artículos sobre política militante. Porque Tamayo no sólo era poeta, sino también el profeta de Bolivia. Para aceptarlo o rechazarlo no se podía prescindir de su punto de vista; muchísimo menos de su contrapunto metódico.

La polémica entre Tamayo y su panegirista Díez de Medina tiene raíces familiares. No interesan aquí. Bastará decir que Tamayo defendió en su airado folleto, nobilísima causa: la de sus ascendientes, innecesariamente aludidos en su libro destinado a examinar al escritor, no a rastrear su genealogía.

Aunque puede afirmarse que Franz Tamayo fue poeta y sólo eso, conviene recordar que él ejerció la política, sobre todo en lo concerniente a la educación, tanto en las escuelas como en la plaza pública y en la prensa. Fue Ministro de Instrucción Pública, miembro del Parlamento y, durante la infausta Guerra del Chaco, candidato a la Presidencia de la República.

Sus colaboraciones periodísticas se refieren a candentes asuntos de actualidad para su país. Por lo general, su pensamiento luce heterodoxo. No mucho antes de su muerte, en mayo-junio de 1953, increpaba desde las páginas de *Última hora* de La Paz, a la revolución nacionalista boliviana, sus excesos y malogros; aceptaba pública polémica con el mismo ardor de un escritor joven, a los 74 años de edad. Volvamos al poeta [2].

Yo supe por primera vez de Franz Tamayo en 1917, en Lima y en la cantina del Teatro Excelsior. Allí hojeé su libro *La Prometheida,* que lo tenía no recuerdo si Ezequiel Balarezo Pinillos (Gastón Roger) o Federico More, el cual se preparaba a partir a Bolivia.

Hasta ahora creo que el más logrado libro de Tamayo, siendo todos singulares, fue *La Prometheida,* escrito hacia sus treinta y cinco, y publicado hacia sus treinta y ocho. Aunque a menudo se lo ha considerado artificial por su impulso helenizante, nadie negará su pulcritud de forma, su riqueza lexical, su destreza rítmica, su audacia metafórica y, algo que no se menciona con tanta frecuencia, su profunda angustia, su tremenda emoción hasta el punto de que aún hoy me pregunto si se trata de una proeza lírica tan sólo, o si además (entiéndase: además) no hay en ello una confesión indeliberada (también entiéndase: indeliberada o irreprimible) de la colectiva e individual tragedia boliviana: su mediterraneidad y su aislamiento entre las cumbres. Igual puede ser Prometeo que otro ser o entidad quien exclama:

¡Odio los montes, odio!
Toda altura es funesta.
O es pedestal de gloria,

2 Tenemos a la vista las siguientes obras de Franz Tamayo: *Odas,* La Paz, 1898; *Proverbios sobre la vida, el arte y la ciencia.* Fascículo primero, La Paz, 1905; *Crítica del duelo,* La Paz, 1908; *Creación de la Pedagogía Nacional,* 1.ª ed. 1910, 2.ª ed., La Paz, 1944, 264 págs.; *Horacio y el arte lírico,* La Paz, 1915; *La Prometheida o las Oceánides.* Tragedia lírica, 1.ª ed., La Paz, 1917; 2.ª ed., La Paz, Imp. Don Bosco, 1948, 219 págs.; *Proverbios,* etc., Fascículo segundo, La Paz, 113 páginas; *Nuevos Rubayat,* La Paz, 1927; *Scherzos,* La Paz, Imp. Tip. Salesiana, 1932; *Scopas,* Tragedia lírica, La Paz, Imp. Tip. Salesiana, 1939, 117 págs. (con un total de 1.509 versos); *Para siempre,* s/pie de imprenta, 167 págs. (siendo posiblemente en La Paz, 1942); *Epigramas griegos,* La Paz, Imp. Tip. Salesiana, 1945, 125 págs.; *Tamayo rinde cuenta,* La Paz, 1947.

o es pena de suplicio.
¡Todo igual! Mas el hombre,
trasunto de ave, pájaro
que en vez de volar, piensa,
miró siempre nostálgico
al sol y a los azures:
tal su amor de la altura.

(*Prometheida*, pág. 46)

El prólogo contiene una bellísima confesión del autor, llena de hallazgos verbales y de una contenida y prieta emoción. El exterior clásico no oculta, ni mucho menos, el tremor romántico, la estremecida confidencia:

Unía el alma a un vuelo de falena
una certeza y rigidez de dardo,
aún era terra incógnita *la pena.*

La senda florecía rosa y cardo,
y era ya, de mirar flores y setas,
un manso Abel que fuese un Abelardo.

Hada rosada o bruja de mil tretas,
la vida amanecía fascinante:
¡Risas y rosas, tórtolas inquietas!

Y así, con mi ceguez de luz delante
y el olvido detrás, llevando iba
paz de paloma y calma de elefante.

Así fluyó la infancia pensativa,
claro arroyo escondido, perla a perla,
fugitivo cristal, de riba en riba.

Llegó la hora del ardor. Al verla
cantaba el mar. El mar era mi alma
con voz de ola y tez de madreperla.

Fastigio del laurel, prez de la palma,
osadías que sois corceles rápidos,
¡cómo turbasteis la impoluta calma!

Águilas fieras, dáctiles impávidos,
¡cómo saltasteis en tropel, entonces
de alas flamígeras y picos ávidos!

....

(*Prometheida*, págs. 2-5)

Al fin mostró su faz el Dios bifronte;
bajo el azur cantaba el mar su oda,
y el ensueño llenaba el horizonte.

Carne vil y alma luz, celeste boda,
trenzaron sus nupciales frenesíes,
¡y sólo una flor la vida toda!

¿Podría pensarse que en este prólogo tan personal se escucha el eco del que Rubén estampó en el pórtico de *Cantos de vida y esperanza*? Algo, así: la intención y la riqueza formal; pero en Franz Tamayo el acento es otro. Cierto que su insistencia de mar, acusa más apetencia que realidad, habida cuenta de que su natalicio ocurrió precisamente cuando su patria dejaba de tener acceso al océano. Detalle trivial: la coincidencia de los momentos vitales se repite en todos los seres, llámense Darío o Tamayo: en su expresión es donde radica la diferencia fundamental. Y no se puede dudar de la gracia, diría la bienaventuranza poética de Tamayo, palpable en la lluvia de esdrújulos eruditos en las puntas de los versos; su entronque modernista (visible en la frecuencia de ciertos vocablos, tales como: *rosa, raso, azur, moaré, mar, oro, pálido, palor, laurel, gerifalte, alma, flor*, etc.); su destreza melódica, que establecen, por modo irrefutable, la categoría poética (neomodernista de la más singular cepa), característica de Franz Tamayo. Aquí, aunque ni Darío, ni Herrera y Reissig, ni Hugo, desde luego, se hallen ausentes, es indudable que su influencia aparece amortiguada o enriquecida por otros elementos: la adustez y la soledad del poeta, su intimidad con autores latinos y griegos, sobre todo, Esquilo, ser tremendo en cuyo verso el águila desaloja al cisne y el dolor reemplaza a la melancolía. Franz Tamayo, hombre del Ande, ensimismado y contenido, convierte en épico el lírico acento modernista. Si, como Guillermo Valencia, busca tragedias extrañas, no lo serán tanto que él mismo no participe de su propia obra.

Un buscador de literatura comparada podría encontrar en este libro de Franz Tamayo (de antes de 1917) coincidencias con el Paul Valéry del *Cementerio marino*; y, a ratos, ecos de Díaz Mirón. Todo ello nivela su época, y todo eso revela su circunstancia personal. Si terso, débelo a su propia actitud de meditador y silencioso. La cronología podría demostrar —si fuese decisiva— antecedentes de Valéry en el boliviano; sesgos imprevistos y originales en todo su arte exquisito: por ejemplo:

Desde que alzaron a correr los ríos,
menos aguas fluyeron a los mares
que lágrimas bebió la tierra estéril;
mas tú, doliente, enloquecida ninfa,
¿por qué nuevo Titán plañiendo imprecas?
¿Quién te arrancó de la espumante y fresca
gruta marina en que jugando moras,
y en pos de ti, las ninfas acorrimos
cual blanca grey que lleva dulce esquila?
¿Qué nuevo afán tu corazón remuerde
como oruga voraz en tierna rosa?
¿Qué me traes al pie del bronco monte,
trofeo de dolor, lugar de oprobio,
y reabres fiera el manantial de lágrimas?
¿Qué sendero fatal tu planta busca,
qué fuente ignota el sitibundo labio,
qué sombra de árbol tu rendida frente?
Di, ¿qué dolor debo llorar ahora,

constante adormidora de tormentos,
perenne arrulladora de tristeza?

(*Prometheida*, pág. 35)

Hija del mar, jamás en el verdoso
palacio especular de jade límpido
sentí lamento más desesperado,
ni supe cómo puede ser en veces
la vida más amarga que la muerte.
¿Cabe tanto dolor bajo del cielo?
¿Puede algún corazón, sangrante crío,
sangrar así sin estallar mil veces?

(2.ª ed., pág. 56)

Hijo del modernismo y precursor de las acrobacias verbales del ultraísmo, interesante confluencia con la gracia musical de Huidobro (sobre todo el de *Altazor*), Franz Tamayo se encanta, ya entonces, en juguetear con los vocablos, millonario de similicadencias y juegos de palabras

La noche inmensa te saluda muda,
....
cual insonoro son que sueña en sueños
....
sus hielos y sus hieles
toda virtud ponzoñan...
....
Luz de lis, miel de flor
....

Lo que sigue es plenamente "creacionista", diría Huidobro: lujo de los mejores momentos de placidez de Rubén; evocación del lúcido arte de *Las pascuas del tiempo* de Herrera y Reissig; pero más sostenido aún y rico de toda riqueza verbal:

MELIFRÓN (ruiseñor invisible)

¡Oh vilo, vilo, vilo!
Roto el fatal sigilo,
¡Oh, vilo, vilo, vilo!

IRIS

¡canto de ruiseñor, voz de la noche!

APOLO

Resuena el monte al canto de la ninfa.

ARES

Es el cristal fatal del eco hueco.

ATHENA

¡Es la canción del pájaro profeta!

MELIFRÓN

Oílo, oílo, oílo
tremar como un pistilo
eréctil y vibrátil,
era el misterio umbrátil.
Sutil, sutil, sutil,
Gentil como el abril
y hostil como el reptil.
Era el misterio errátil,
¡volátil y versátil!
Roto el fatal sigilo,
oílo, oílo, oílo.
Oílo, oílo, oílo.

....

Y reílo, reílo
mi pico cual un filo,

punzón de oro afilo,
y en él como un cairel
baila el misterio aquel,
y es el secreto hilo
que en mi trinar deshilo.
¡Oh son que el bosque cela
y ulula, alela y vuela!
Rompí el fatal sigilo
y reílo, reílo, reílo.

La embriaguez no es tan sólo del ruiseñor: es también, y muy de veras, embriaguez del poeta.

El segundo libro de poemas de Tamayo dista del primero tanto en localización cronológica como espiritual: *Scherzos* (quince años después de *La Prometheida,* o sea, a los 53 años de edad) resulta frío y monótono en su perfección marmórea. Hay algo de iracundia o sátira, en los lapidarios tercetos del preludio:

Era un país de flores comestibles.
Vino volátil embriagaba el aire
y agoraba en zampoñas invisibles.
Lloviznaba el azar como al desgaire.
A un cielo sin recuerdos ni esperanzas
era el sol risas y el vivir donaire.
Pensar era un bajel sin lontananzas,
sentir, un vuelo sin remordimientos.
¡El aura, música; el bosque, danzas!

Las diez partes del libro están escritas, salvo breves interludios, en estrofas de siete versos combinados así: heptasílabos: 1.º, 3.º y 6.º; pentasílabos: 2.º, 4.º, 5.º y 7.º; rimando 1.º con 3.º, 2.º con 4.º, 5.º con 7.º y dejando libre el 6.º, ejemplo:

Para tejer su veste
hila azul y oro.
¡La hilandera celeste,

risas y lloro!
¡En tintas únicas
de rosas de la vida
Tiñe sus túnicas!

(Scherzos)

La predilección por la *rosa,* el *azul,* el *néctar,* los *amores,* los *jardines,* es más acentuada aún que en el primer libro, sobre todo en "El canto de Anacreonte". "El Scherzo del ruiseñor" encarna una auténtica proeza melódica y metafórica; igual la "Balada de Claribel".

En la desolada tarde,
Claribel,
al claror de un sol que no arde
Claribel,
me vuelve el amante alarde
Claribel,
aunque todo dice "es tarde,
Claribel".

El interludio séptimo es un "Soneto en honor de don Luis de Góngora y Argote", dedicado —dato importante— a don Daniel Salamanca: empieza diciendo:

Gran don Luis, la rosa ha florecido
en vuestras manos de oriental orífice.
A un pagano donaire de pontífice
el garbo unís de príncipe garrido,

y remata con la riqueza lexical que le es propia.

Todo el volumen encierra un alarde retórico. En "La víbora invisible, romance aymara" insiste en el regusto por la dificultad vencida:

¡Qué sabor tiene el perfume
que exhala tu oscura tez!
Como una flor se consume

mi beso en tu oscura tez.
¿Qué tibio imán invisible
envuelve tu oscura tez?
—Una víbora invisible
virtió su magia en tu tez.
Desmayan en pleno vuelo
las aves si oyen tu voz.
Dulce, envenenado anhelo,
la muerte fluye en tu voz.
¿Qué caricia aborrecible
rompe en cristales tu voz?
—Una víbora invisible
canta ardorosa en tu voz.
Amor tu cadera enarca
y vierte su fiebre en ti.
Como en mecedora barca
mi afán apareja en ti.
¿Qué sortilegio terrible
sacude tu cuerpo así?
—Una víbora invisible
baila enloquecida en ti.

De semejante tendencia vernacular es "Cusi Coyllur, idilio trágico", pero menos inspirado, en el cual, empero, surgen destellos como éste:

AMAUTA: *¡Estrella de la mañana*
sonrisa de la alegría!
¡Ola azul y aurora liviana,
todos te susurran "mía"!

Con todas estas terribles perfecciones, *Scherzos* es, como su título, colección de esbozos, esguinces, escapadas e interludios de clásica perfección. Apenas asoma en ellos la profunda pasión de *La Prometheida*. Reaparecerá en *Scopas* (1939), libro del dolor, angustia cuajada en cristales límpidos, pero profunda y ardiente. El argumento, como en todo poema que se respeta, se reduce a casi nada. Scopas es un escultor, a quien disputan su ánimo y su carne dos hetairas: la generosa y amante Aglaé y la sensual y celosa Doris. Aparte de ello, el libro (sin duda autobiográfico: pues Scopas podría identificarse con Tamayo) está dedicado a Ruy Gonzalo Tamayo, hijo del poeta, muerto a temprana edad y "en servicio militar", poco después de que su padre tratara de ganar la Presidencia.

La elegía *Adonáis,* con que empieza *Scopas,* es de una conmovedora transparencia. El eco de Rubén Darío, palpable en su inicio y su remate (recuerda la "Canción de otoño en primavera"), se deslíe bajo la gravedad del dolor paterno.

En torres de cristal campanas de oro
repicaron al alba de tu muerte.
En estuarios de luz dio el sol su lloro.

No ya en violas de tristeza inerte,
labró de lazulitas sus terlices
y topacios, la pena de perderte.

Gloria y dolor fundieron sus matices.
Tanta belleza y juventud perdidas
desgarró entrañas cual sangrantes raíces.

....

Adonáis, Adonáis, que alegras
la sombra atea, cual el gozo fuiste
del día efímero que ya no integras.

¡Adonáis, Adonáis, que diste
al suelo júbilo, y al cielo envidia,
íncola fúlgido de un mundo triste!

....

"Pasó algún dios efebo", el bosque dijo;
y lejos, un espectro moribundo:
"Era un niño adorable y era mi hijo".

¡Limosna de agua al labio sitibundo!
¡A la agonía exangüe, aliento vivo!
¡Soplo de abril al piélago iracundo!

(*Scopas*)

Los 304 versos de este prólogo (101 tercetos y un verso final) son dignos de la más exigente antología; bastan para consagrar la fama de un autor. El poema que sigue no le va en zaga al prólogo. El diálogo entre las dos hetairas encierra irrepetibles aciertos, blanduras de epitalamio, suave zureo de paloma enamorada. Los hallazgos metafóricos y verbales son de una hermosura ejemplar. Verbigracia:

SCOPAS

... Bajo el cielo zarco,
sois como estatuas vivas, si en reposo;
si en movimiento, como flores que andan.

DORIS

Me siento para siempre desdichada.
Rival vencida de una estatua muda,
ya que hiciste a las piedras tus queridas.

AGLAÉ

Hay un demonio en él ineluctable,
que le hace grande y a nosotros tristes.

DORIS

Mármol ladrón, por eso odio su gracia,
pues me lo roba a mí para otros ojos.

SCOPAS

Déjala delirante, Aglaé hermosa:
Doris cuanto más ciega, es más divina.

CORO DE ESPERANZAS

No el pan que come, sino el pan que espera
sustenta al mundo...

AGLAÉ

La obra de belleza es para siempre...

ESFINGE

Perdura el hombre en su obra eternamente...

Epigramas griegos (1945) y *Los nuevos Rubayat* (que no tenga a la vista) completan el bagaje poético impreso de Franz Tamayo. Sin duda, hay en ambos libros alardes de maestría. Con todo, aunque el orgullo ha crecido ciclópeamente, también la melancolía, o, más propiamente, el dolor a grito mondado, que es distinto al de grito herido. El poeta ensaya versos métricos, que, traducidos al lenguaje de los silábicos, hasta donde es posible, resultan en curiosas combinaciones de decaheptasílabos (descompuestos en 5 y 7), decaexasílabos (8-8 a menudo, agudos, el primero hemistiquio esdrújulo).

Guardo en redomas mi pena mortal. Tu sed las prefiere
más que mis ánforas que han vino de gloria y el sol.
¡Nadie contó las estrellas del cielo, fúlgida arena!
Nadie tus ansias de amor, alma, inextinto volcán.

(*Epigrama* 14)

El exceso de maestría conduce a veces al poeta a rasgos de inútil prosaísmo; arrastrado por el juego de sonidos, dirá:

¡Cielo estupendo, por siempre nos dejas estupefactos!
¡Guarda! que tanto estupor mude y nos dé estupidez.

(*Epigrama* 18)

Conviene olvidar este y otros versos, como en Manuel González Prada, a quien tan frecuentemente evoca la tendencia helenística y omarkhayanesca de Tamayo; se deben olvidar ciertas concesiones a la befa, disfrazadas de verso, especialmente en las *Presbiterianas* y aun en ciertos fragmentos de *Exóticas* de González Prada. Al terminar el *Epigrama 302*, el autor confiesa que ha tratado de imitar la *Antología griega*, siguiendo un consejo de Goethe: "acercándose a la forma antigua". Cada ejemplar de este libro (como los anteriores) lleva una generalmente precisa fe de erratas, en este caso mecanografiada; en los otros, con correcciones a mano del autor, escrupuloso minero de formas intachables.

Probablemente, Tamayo fue uno de los escritores sudamericanos más cultivados y con más sólida formación clásica. Dejando de lado su interesante aspecto de pedagogo *(Por una pedagogía nacional)* y sus artículos de prensa, y conservando de su producción en prosa, por lo que atañe a su personalidad física y literaria, sólo dos de sus publicaciones *(Proverbios* y *Para siempre)*, se puede afirmar que sus autores predilectos eran todos los griegos (en especial Homero, Píndaro, Platón, Esquilo, y los poetas menores de la Antología), los latinos, sobre todo Virgilio y Lucrecio; de los castellanos, Cervantes, Góngora, Gracián y Quevedo; de los ingleses, Shakespeare, Bacon, Berkeley, Pope; de los alemanes, Goethe, Klopstock, Heine, Uhland, Nietzsche, Schopenhauer; de los franceses, Voltaire, Hugo, Chateaubriand, Mallarmé, Verlaine, Leconte de Lisle, Rimbaud, Baudelaire; de los indoamericanos, Darío, Rodó, Herrera y Reissig. Dato importante: Tamayo defiende la autonomía de Rimbaud y Herrera y Reissig.

He aquí algunos conceptos de Tamayo:

> La juventud francesa hoy se cree obligada a crear un arte y una poesía de postguerra. Error, porque no hay arte obligatorio. Primera inferioridad imitar al Rimbaud de las *Iluminaciones*, no siquiera al del *Navío ebrio*. No se imita lo inimitable y menos del genio.

> Imitando la creatura se cree imitar la creatividad... (págs. 107-108). Para ser un buen rimbaudiano habría que escribir en 1924 cosas que dejasen estupefacto al mismo Rimbaud, pero éste bosteza desde su tumba ante su prole adoptiva.
>
> Los franceses son maestros de sociabilidad y civilidad; pero no saben vivir solos, y, para crear, la soledad... El señor Bergson está ayudando a muchos niños a hacer tonterías —es lo de menos— y a perder su talento —es lo más grave—... Lo mejor del nuevo arte francés: la inquietud...

Un rasgo definitorio: este hombre que manejaba numerosas lenguas viejas y modernas (sánscrito, griego, latín, inglés, francés, alemán, italiano y un espléndido castellano), reitera su fe en la capacidad creadora de los americanos:

> Para la obra artística, los griegos enseñan la medida, los romanos muestran su fuerza, los ingleses su libertad; pero la facultad desconocida será para nosotros de origen indo-español (*Proverbios*, 2.° fascículo, pág. 10).

Agrega:

> Los que hablan de latinismo en América, creen que su hispanofilia tiene mucho que ver con el verdadero latinismo, que floreció en el Mediterráneo y ascendió hacia el norte... Nos viene de España una tendencia purista que pretende inmovilizar la lengua y petrificarla, y de la que hay que guardarse; y hay otra en América que procura desorganizarla al contacto francés u otro, y de que hay que guardarse más (*Proverbios*, pág. 58).

De nuevo, llama la atención la similitud entre estos arranques del maestro de Bolivia y los del maestro del Perú, Manuel

González Prada, también de origen noble, pero sin nada de indio en su sangre. Incidentalmente, Tamayo escribe: "el origen de los Tamayo es peruano. Fueron caciques —léase príncipes indios— ennoblecidos con nobleza española por el Emperador Carlos V en el siglo XVI" (véase, Tamayo, *Para siempre*, pág. 5). González Prada representa en el Perú la soledad creadora, la impecabilidad social, el artista depurado, el devoto de griegos y latinos, el arremetedor contra el prosaísmo académico, el ensalzador de los dioses antiguos, el traductor de Omar Khayam, el panegirista de Renan, de Hugo, de Cervantes, Gracián y Quevedo; y el atento secuaz de Schopenhauer, pero sin el satánico orgullo tamayense.

Hombres que sintetizan una época en sus aisladas personas. Pensamientos vestidos de melodía para su goce y el de sus coetanos. Desmesurados en el afán moralizador, en la pasión de levantar sus pueblos; delicados en el expresarse, miniaturistas y sobrios por fuera, pese al volcán que llevan dentro. En ambos la pasión lo explica todo: pasión por dignificar a sus conciudadanos, pasión por la verdad, pasión por la perfección formal. Pasión que conduce inexorablemente a la soledad, a la apasionada soledad cuyo único consuelo es crear. Los Tamayo, "Marqueses de Villahermosa de San José de Moquegua", y los González de Prada, descendientes del paje real y del Brigadier y Gobernador Intendente Don Joseph, aristocráticos de nacimiento, tratan de elevar a sus pueblos hasta ellos por medio del arte simbólico y la verdad apostólica. Curioso contraste: prosa ululante de profetas, verso delicadísimo de trovadores. Después de todo, América es así.

> El mal de los mejores como Rodó, viene del mero traslado de ideas y calco de estilo franceses. Se es nadie cuando no se es uno mismo (*Proverbios*, pág. 86).
>
> Herrera y Reissig tiene ya la gloria de algunos grandes: primero desconocido y después robado (92).

La apreciación crítica de la poesía de Tamayo no es tan uniforme como debiera, si se atuviera sólo a sus valores literarios.

A menudo se mezclan a ella conceptos de otro origen: patrióticos y políticos. No se observa que en su poesía concurren dos elementos diversos: los que podríamos llamar espontáneos y los intelectuales o cultistas, y que la ecuación debe surgir del balance de ambos. A algunos les fatiga y exaspera la continuidad del neo-culteranismo que exhibe toda la obra de Tamayo; a otros, los deslumbra hasta conducirlos a elogios desmedidos. Uno de éstos es Fernando Díez de Medina, quien, en su *Literatura boliviana* (La Paz, 1953, págs. 289-292), considera a Franz Tamayo, porfiando en un antiguo panegírico, no sólo el primer poeta de su país, sino mayor que Herrera y Reissig, Valencia y que el propio Rubén Darío: juicio expreso —convicto y confeso diríamos— (pág. 290). En cambio, Gustavo Adolfo Otero, en sus *Figuras bolivianas* (Quito, ed. Ramiñahui, 1952), no incluye a Tamayo y, al referirse a Ricardo Jaimes Freyre, lo califica de primer poeta boliviano "de todos los tiempos" (pág. 301). Como de costumbre, en las buenas lides intelectuales, es aconsejable no exagerar en uno ni otro sentido.

Desde luego, Tamayo deslumbra o desorienta según los casos, con su vocabulario excepcionalmente rebuscado. No debe de ser espontáneo y sin propósito de encandilamiento usar, por ejemplo: *albeo* (por blanqueo), *algor, abscóndito, bucos, bulbules* (recuérdese a Darío), *córego, córtice, cinge, cínifes, concento, contienio, dedalia, estrofeas, escuóreo, epithymbios, excídeo, favilas, filomelas* (recuérdese a Darío), *falenas, fusa, galaxias* (término científico entonces ignoto), *gémulas, glauco, hibernal, hiante, híspido, hebeo, infracto, insomnial, insculpe, intáctiles, gnomónicas, limes, liquidambar, lúnulas, lazulitas, ninfal, nivel, ortivo, ósmicos,* y otros como *pelágico, pálpebras, plutonio, primevo, proboscidio, ptongal, pronas, rododáctilo, sacral, caucedal, sicambros, álicos, sátivos, terlices, tepor, trépido, tábida, tipoy, úbero, umbrátil, volitar, zafira* (poner de color de zafiro), etc. El uso de las contracciones y apóstrofes "l'alma", "d'eternidad". La superabundancia de eruditescos esdrújulos; la alteración también cultista de ciertas voces corrientes: *clausas* por cerradas, *zenit* por cenit, *flórido* por florido, *sidérea* por sideral, *femíneo* por femenino, *chimera* por quimera, *lébil* por débil, *lumínea* por luminosa, *róseas* por rosadas, *ovo* por huevo, *súplice* por suplicante, *sápido* por sabroso, *inmáculo* por inmaculado, etc., revelan que para Franz Tamayo el ejercicio poético descansa, y no poco, sobre una base de hermetismo y de enrevesamiento, y que él es de los que piensan que la poesía necesita un lenguaje especial, un idioma poético, tendencia contra la cual reacciona toda la poesía posterior a Darío, buscadora de esencias y honduras, de expresar antes que de impresionar, de simplificar y sugerir, hiriendo no sólo la inteligencia sino directamente también el corazón.

Si prescindimos de este aspecto de la poesía de Franz Tamayo, el que se apoya en los vocablos eruditos, en los esdrújulos, en las difíciles estrofas de origen helénico, ¿qué permanece de ella? Descascarado el misterio ¿hasta dónde cala? Y como este poeta cala mucho, no sólo gracias a su envoltura barroca, sino a pesar de ella, como su confrontamiento con el misterio, la muerte, la alegría son de fundamental verticalidad, bellos y profundos, y como, no obstante se entronca tan a las claras con el modernismo, sabe sacudirse de él escapándosele por cauces imprevistos, el del helenismo adaptado al mestizaje americano por ejemplo, he aquí cómo Franz Tamayo resulta un poeta insólito, imprevisto, y por sobre eso, de una fuerza conceptual y una armonía formal realmente magistral.

Él ha tratado, desde luego, de ordenar como preceptos sus predilecciones estéticas. Él las recuerda, hasta parecer a ratos repetición, ciertos conceptos de González-Prada. P. ej.:

Lengua vocal de Castilla. En tus linfas ya hay nuevas ondas,
nieve de monte y tepor de hondo Amazonas caudal.
Mas a tus críticas fuentes mezclóse linfa sagrada,
nieve como un despertar, roja cual tintas de sol.

(*Epigrama* 88)

¡Cuando el espíritu falla, la forma, templo desierto,
cede en colapso glacial, gélida tumba del Dios!

(*id.*, 89)

Guerra a la mueca plebeya, la lira no es para eunucos.
Sobre coturno viril pasa cantando el peón.
Linfa que salta de roca rompida es lírico canto.
No baba fácil y vil, sangre de herida más bien.

(*id.*, 87)

Todas las músicas pierden su lustre, telas raídas.
Ya todas son, toto ton, tañe, rajado esquilón.
¿Dónde la nota recóndita, leve toda alma y vida?
¡Indio profundo! ¡Tal vez guardas la tónica tú!

(*id.*, 102)

La obsesión de la originalidad vernacular aparece patentemente en toda la obra de Franz Tamayo: pedagogía poética, pero hallada a través de la forma helénica, de un joyero exquisito amo de palabras raras, de un afán cultista para nadie misterioso. ¿Cómo, pues? Si España no, ¿cómo Grecia?, y si nada exótico, ¿cómo lo autóctono? [3].

Preguntas ociosas. A los poetas se les da admiración, no sufragios. De ahí que en la medida en que el político quedó en descubierto, el artista afianza su dominio. Gran poeta (¿a qué discutir si es el más que o igual a o menos que, torpes e incomprobables afirmaciones, útiles en la Bolsa de valores de cambio, no en la del Parnaso?), hijo del modernismo y aislado en una isla mediterránea y tocante a los cielos, su gloria se conserva en natural refrigerador, ajena al calor de las pasiones vulgares, témpano perfecto: aislado y perenne.

[3] El ordenamiento de sus ideas pedagógico-nacionalistas consta en el libro *Creación de la Pedagogía Nacional*, 1.ª ed., La Paz, 1910, 2.ª autorizada por el autor, La Paz, Ministerio de Educación, 1944. Son 55 artículos, repartidos en 9 secciones. Fueron publicadas en *El Diario* de La Paz. Libro retórico: sostiene el concepto de la raza o de sangre, y así cree que la sangre negra es inferior a la blanca y proclama que la aimara vence a todas; que el cholo boliviano se caracteriza por su persistencia y su resistencia; que debe considerarse el ser boliviano para aplicarle una pedagogía adecuada y no tratar de constreñirlo a un europeizante imposible.

XXIII

ALCIDES ARGUEDAS[1]

(La Paz, 16 julio 1879 — 6 mayo 1946)

Sin que la vida le brindase muchas oportunidades de lo que se llaman aventuras, fue la suya una existencia a puro riesgo. Objetivamente, carece la biografía de Arguedas de muy numerosos episodios llamativos; sin embargo, tres o cuatro de ellos bastan para llenar una existencia. No reside allí el atractivo del gran escritor: está en su obra misma. Plagada de violencias y

---

[1] Obras de Alcides Arguedas: Novelas: *Pisagua (ensayo de novela)*, La Paz, Imp. Artística de Velarde, 1903; *Vida criolla (La novela de la ciudad)*, París, Librería Ollendorf (1912); *Raza de bronce*, La Paz, 1919; *Wata Wara*, La Paz, 1904, que fue amplificada, reedición de Buenos Aires, Losada, 1945. — Sociología: *Pueblo enfermo (contribución a la psicología de los pueblos hispanoamericanos)*, Barcelona, Vda. de Luis Tasso, 1909; 2.ª ed., misma editorial, 1910; tercera, Santiago de Chile, Ercilla, 1937. — Memorias: *La danza de las sombras*, 2 tomos, Barcelona, Vda. de Luis Tasso, 1944; I tomo, *Viajes y literatura;* II, *Política.* — Historia: *La fundación de Bolivia*, La Paz, Tip. Colegio Don Bosco, 1920; *Los caudillos letrados (1828-1848)*, Barcelona, López Robert, 1923; *La plebe en acción (1848-1857)*, misma ed. 1924; *De la dictadura a la anarquía (1857-1864)*, misma ed. 1926; *Los caudillos bárbaros: Historia y resurrección. La tragedia de un pueblo*, Barcelona, Tasso, 1929; *Historia general de Bolivia*, La Paz, Arnó, 1922, 2 vols. Sobre Arguedas: Gustavo A. Otero, *Figuras de la cultura boliviana*, Quito, Casa de

contradicciones, no la podríamos explicar sino en función de sus ideas y de su conducta privada y pública.

Después de muchos años, he vuelto a leer los volúmenes que constituyen el bagaje literario de Arguedas. Debo confesar mi sorpresa. Al iniciarme con la parte histórica, me sublevé contra el estilista; al consagrarme a la novelesca, me enfadó la ingenuidad de asunto y desarrollo; pero, al releer al memorialista, tuve la sensación exacta de aquel gran apasionado, para quien escribir no fue un alarde, sino una exudación intelectual, un "sudor de sangre", como León Bloy titula uno de sus libros.

La órbita vital de Alcides Arguedas encierra fechas decisivas para su patria. Si fuéramos supersticiosos, tendríamos allí una fuente de sugestiones.

Llega a la vida en 1879, el año en que estalla la Guerra del Pacífico, tras la cual Bolivia pierde su litoral. Muere en 1946, cuando su patria asiste al paroxismo del odio, y un Presidente de la República, caído en desgracia, mece su mutilado cuerpo en un farol público. El espanto callejero, la ira de los poderosos, la desesperación de los débiles, los rencores irrestañables, las protestas ciudadanas fermentan, como en diabólica retorta, al transcurso de tales años. Son, después de la época de Melgarejo y Morales, "caudillos bárbaros", los más cruentos y amargos lustros de la vida de Bolivia. Guerra del Pacífico, anarquía después del desastre, pugna de facciones, Guerra del Chaco, dictadura militar, liquidación del jamás aplicado pero clásico concepto de la democracia decimonónica: Arguedas sufrió eso cual un protagonista, más que cual un lúcido y apasionado espectador. Su obra entera, sobre todo *Pueblo enfermo*, refleja esa agonía.

---

la Cultura, 1952; Enrique Finot, *Historia de la literatura boliviana*, México, 1943; Augusto Guzmán, *Historia de la novela boliviana*, La Paz, 1938; Fernando Díez de Medina, *La literatura boliviana*, La Paz, 1953; Hugo Villela, *Alcides Arguedas y otros nombres en la literatura de Bolivia*, Buenos Aires, 1945.

Obras completas, México, Aguilar, S. A., 1959 y 1960, I tomo, *Novelas, Memorias, Sociología;* II tomo, *Historia*, Prólogo de Luis Alberto Sánchez.

I

Alcides Arguedas Díaz, nació en la Paz, Bolivia, el 16 de julio de 1879, del matrimonio de don Fructuoso Arguedas y doña Sabina Díaz. En la silueta del escritor, inserta en el libro *Figuras de la cultura boliviana,* por Gustavo Adolfo Otero, éste nos da algunas referencias sobre la juventud y vida escolar de su personaje: no son muchas. Por él sabemos que se graduó de Bachiller en 1898 y que, ese mismo año, participó en la revolución liberal. Informes proporcionados por la familia, en especial por doña Stella Arguedas de Ackermann, nos indican que Alcides hizo sus estudios en el Colegio Nacional Ayacucho y, después, en la Universidad Mayor de San Andrés, ambos planteles de La Paz, y que se graduó de abogado en 1901. Cumplió lo último sólo para acatar designios paternos.

Arguedas empieza a publicar en *El comercio* de La Paz. Pero su verdadero bautismo literario será *Pisagua,* novelita sentimental aparecida en La Paz (1903), donde juega papel principal un joven idealista, inconforme con la realidad. La anécdota sirve para pintar aspectos del ataque de Melgarejo a la capital, así como el inesperado asalto de las tropas chilenas contra Pisagua. Conviene destacar que, en 1903, se discutía acerbamente la exigencia de la Cancillería chilena para refrendar el Tratado de Paz y Amistad entre ambos países, Bolivia y Chile. Tratado por el cual aquella república perdió toda su costa marítima. Se explica, pues, la furia del novelista contra los chilenos.

Don Fructuoso Arguedas costeó a su hijo un instructivo viaje a Europa. Todo 1904 permaneció Arguedas entre Francia y Suiza. A su regreso, finando 1904, publica un libro de profunda inspiración romántica y vehemente sentimiento proindígena: *Wata Wara.* Quizá editó en Europa un folletito amargo, de tono apocalíptico, cuya ampliación sería el discutido volumen *Pueblo enfermo.* No está muy claro para mí si fue en ese viaje o en el siguiente cuando aquel primer original estuvo listo; lo que, sí, no cabe dudar es que la impronta de Vargas Vila y de Max Nordau marca visiblemente ese y los restantes libros de nuestro personaje.

El público y la crítica de Bolivia recibieron mal o en silencio, a *Wata Wara*. Tampoco fueron muy clementes para con los artículos periodísticos de Arguedas. Éste regresó a Europa; se matriculó en la Escuela de Altos Estudios Sociales de París; recorrió Fracia, Suiza, Italia, Inglaterra, Alemania, Bélgica y Holanda; adquirió nuevas amistades, entre ellas la de un grupo de jóvenes intelectuales sudamericanos autoexiliados (por ejemplo, los García Calderón), y se dedicó a ampliar el texto de *Pueblo enfermo*. Le precedían ya Carlos Octavio Bunge, quien, en 1903, había publicado un enfático y "cientifista" análisis de América y en especial sobre Argentina, *Nuestra América;* el perentorio y breve *Continente enfermo* de César Zumeta, y ya apuntaba la misma tendencia en los primeros escritos de José Ingenieros, ferviente discípulo entonces de Comte, Spencer, Lombroso, Ferri y Nordau.

1909 es un año decisivo para Arguedas. Las prensas de la viuda de Tasso, Barcelona, publican la primera tirada de *Pueblo enfermo,* cuyo subtítulo —según veremos luego— denuncia la mente del autor, el cual suprimirá dicho membrete de la edición tercera y definitiva. Ramiro de Maeztu escribe el prólogo. Útil será subrayar la preferencia: Maeztu era un hispanista *enragé,* un creyente en la jerarquía. Su concepto del patriotismo coincide con el del boliviano, quien, según testimonio de Otero, solía recitar de memoria, ya entrado en vejez, párrafos íntegros de aquel preámbulo consagratorio. En Bolivia, el acre libro produjo rabia. La prensa atacó al "pesimista". En cambio fuera de Bolivia, la obra causó otra impresión. La pluma de Miguel de Unamuno dedicó hasta tres artículos en *La Nación* de Buenos Aires, a tal trabajo. Arguedas diría de ello, conforme me lo transcribe su hija Stella:

> (Es) la mejor recompensa a mis afanes y anhelos de tres años de labor. Me elevan un poco en mi propio

concepto, y me convencen de que toda labor seria y honrada tiene muchas probabilidades de alcanzar recompensa algún día.

A los elogios de Unamuno se agregarán los de Vicente Blasco Ibáñez, Rafael Altamira, Amado Nervo, Emilio Bobadilla (Fray Candil). Cuando Arguedas regresa a Bolivia, se piensa en elegirle diputado por La Paz. Los enemigos utilizan en su contra párrafos de su propio libro. Arguedas declina la nominación. Le venga de tanto sinsabor una inmediata segunda edición de *Pueblo enfermo*, en 1910, por la misma editorial.

Se casa con doña Laura Tapia y se dirige de nuevo a París, como segundo Secretario de la Legación de Bolivia. En algunas páginas de *La danza de las sombras* se leen alusiones a tal período, así como en los prólogos de otras obras suyas. Los otros hispanoamericanos —"criollos en París"— que deambulaban por bulevares y casas editoras (en especial las de Garnier y Ollendorf), rara vez coincidían en actitud con Arguedas, hombre oscuro y trágico, de palabra parca y apasionada. Rubén Darío, Vargas Vila, Nervo, Gómez Carrillo, Hugo D. Barbagelatta, a veces Manuel Ugarte y Rufino Blanco Fombona constituyen su grupo. Él, aunque afectuoso y cordial, siempre resulta un visitante dramático. Cuando, en 1912, publica Ollendorf *Vida criolla (La novela de la ciudad)* se advierte su pasión romántica, la misma que en *Wata Wara*, aunque el escenario y los personajes sean diferentes. La crítica a La Paz que ahí aparece coincide con la que otro boliviano, Armando Chirveches, haría en *Casa solariega* y *La candidatura de Rojas*, las que Díaz Rodríguez había formulado en dos novelas memorables; era como una extensión novelada de *Pueblo enfermo*. No faltaba en ella el juvenil moralista de *Pisagua*. La actitud era la misma.

Por aquella época, un grupo de estudiosos franco-hispanoamericanos había decidido, bajo la dirección del insigne Seignobos, organizar, escribir y publicar una historia de las diversas repúblicas del Continente, y había encargado la de Bolivia a un profesor liceano francés. Arguedas refiere la historia en el prólogo de *La fundación de Bolivia.* Por esa razón dedica dicho tomo a sus animadores. El profesor francés renunció al trabajo; lo reemplazó Arguedas. La guerra deshizo el plan. Tardaría ocho años en aparecer el volumen preparado por el escritor boliviano.

Arguedas investigó en las bibliotecas de París y Londres, a donde le destinaron como Primer Secretario a comienzos de 1913. Como al finalizar ese año, en octubre, le transfirieran a Buenos Aires, y eso le obligaría a interrumpir sus estudios, renunció a la carrera diplomática. En 1916, el Partido Liberal propuso a Arguedas como candidato a una diputación. El documento en que acepta la postulación es de una claridad meridiana. Arguedas ingresó por primera vez a la Cámara. En 1918, su gobierno le mandaba como agente especial de propaganda, a Europa, para el intento de reivindicación portuaria que precedió a la firma del Tratado de Versalles y a la Constitución de la Liga de las Naciones. Ocupado, a su retorno a la patria, en redactar el alegato boliviano ante la Liga sobre el referido asunto, hubo de abstenerse de asistir a las sesiones de su Cámara. Ésta le suspendió del ejercicio de su cargo. Tan absurda y tortuosa jugada heriría en lo vivo el orgullo de Arguedas. No lo olvidó nunca. Lo revela el texto de sus ácidos comentarios a la vida pública criolla. Por no tener a quien culpar del asunto, optó por responsabilizar a los mestizos. Ellos pagarían los agravios al escritor.

1919, en que publica *Raza de bronce*, o sea, una refundición total de *Wata Wara*, y 1920, que señala *La fundación de la República*, marcan a fuego la vida literaria de Arguedas. Más aún 1922, en que lanza su *Historia General de Bolivia.* Lo que allí anuncia sobre su país y sus hombres, equivale a un corte de amarras con todos los intereses locales. Arbitrario y apasionado, arremete contra unos y otros, en una suicida actitud de apóstol desesperado. No obstante, su Gobierno le nombra Cónsul General en París. Intuyendo, acaso, la posibilidad de un dilatado exilio, impuesto por su propia voluntad, se hace acompañar de su esposa y sus tres hijas (Ivette, Stella y Clelia) y pide que le envíen todo su archivo y biblioteca. Probablemente, le asaltan amarguras. En Bolivia le atacan. Aparece un libro destinado a rectificar su historia, y su autor, Macedonio Urquidi, tilda de "libelista" al vehemente sagitario. Entre sus consuelos de entonces, está su recién anudada amistad con Gabriela Mistral, a quien conoce a bordo del "Orcoma", en que viajan él a Europa, ella a Nueva York y México. Gabriela recordará siempre al oscuro y triste boliviano cuyos silencios interrumpían vigorosos anatemas.

Aparece en Valencia, y con prólogo de Rafael Altamira, la segunda edición de *Raza de bronce;* edición silenciada, detenida por la incuria de sus impresores. En 1924, Arguedas publica el segundo volumen de su Historia, el titulado *Los caudillos letrados,* también impreso en Barcelona. Simón Patiño, el potentado cosmopolita, auspicia la obra. La Universidad de La Paz encomienda algo semejante a otro escritor.

El Congreso de Bolivia rechaza una solicitud de apoyo a Arguedas quien adquiere una casa quinta en Couilly-Seine-et-Marne, desde la cual continuará su ya ininterrumpible tarea. En 1925 aparece, siempre en Barcelona y ya con menos erratas, el tercer tomo de la Historia: *La plebe en acción.* Un dato de aquel tiempo, transmitido por su hija Stella, indica que, a través de una encuesta promovida por *El Diario* de La Paz, Arguedas es consagrado como el autor nacional más leído en 1927. Publica entonces *Anarquía y dictadura,* y, en 1929, *Los caudillos bárbaros,* que vienen a ser el cuarto y quinto tomos de la Historia, anunciada en ocho. Ese mismo año, es nombrado Ministro en Colombia, en lo que permanece hasta junio de 1930. Ha estallado la Guerra del Chaco, si no en plenitud, ya en sus prodromos. Arguedas regresa como Cónsul General a París, le arrancarán de allí los rumores de la guerra. Convencido del error que ella representa, dirige una carta al Presidente de la República, Daniel Salamanca, anunciándole el potencial desastre, no tardan en destituirle del cargo, en la forma por él relatada en *La danza de las sombras.*

Nuevamente libre, se consagra a su obra de espontáneo celador de la conducta pública. En 1932, *Raza de bronce* aparece en francés amparado por el semanario *Amérique Latine* de París.

La Guerra del Chaco destruye la flor de la juventud boliviana; aniquila sus fuentes de recursos económicos; introduce la anarquía. Arguedas regresa a su patria en 1934. Al año siguiente, publica dos tomos de *La danza de las sombras*, con el cual obtiene el Premio Roma. El 19 de noviembre de dicho año muere la esposa de Arguedas. En setiembre de 1936 asiste al Congreso Internacional de los P. E. N. Clubes, en Buenos Aires.

Allí le conocimos. Tornará de nuevo a Buenos Aires, en 1938, para el Congreso de las Academias de la Historia, y presentará una valiosa ponencia sobre la importancia histórica de la documentación ilegal o clandestina. Después de una rápida visita a Francia, se instala de nuevo en La Paz, y acomete la terrible empresa de analizar los antecedentes y desarrollo de la Guerra del Chaco en una serie de artículos insertos en *El Diario*, bajo el epígrafe general de *Cosas de nuestra tierra*. Uno de ellos será la famosa *Carta abierta al Presidente de la República*, que era el Coronel Germán Busch. Éste, soliviantado por el acre tono de la misiva, llama a Arguedas al Palacio Quemado, le increpa su conducta y le golpea malamente. Arguedas se convierte en el símbolo de la oposición. Durante semanas, publicará clandestinamente una hoja de crítica, titulada *La campana de cristal*. El Partido Liberal, designa por aclamación a Arguedas, como su Jefe. Gana la elección (de Senador por La Paz) en 1939, después de haber lanzado un manifiesto en el cual estampa estas frases: "Desprecio al candidato que cohecha, y al elector que se cotiza".

El Presidente General Enrique Peñaranda le nombra Ministro de Agricultura: permanece siete meses en la cartera. Prefiere la vida libre de escritor.

Ya está cansado y enfermo. Los años de 1941 a 1943, en que vive como Ministro de Bolivia en Venezuela, los ocupa con menesteros de archivero y coleccionista. Rehace sus papeles. Prepara el texto de los doce volúmenes de sus Memorias, que sólo verán la luz después de cumplidos varios años de su muerte.

Ha llegado la hora de la cosecha. Se halla en diciembre, visitando a Lima, en tránsito a La Paz, cuando le llega la noticia de la caída del General Peñaranda y su reemplazo por jóvenes militares y por el Movimiento Nacional Revolucionario, al cual se vinculara el finado coronel Busch. Arguedas renuncia irrevocablemente la Plenipotencia y vuelve a su patria. Sus adversarios le colman de improperios. Él sigue escribiendo cada vez más cáustico y solitario.

Falta poco para terminar la jornada. A fines de 1944, por causas de salud, se dirige a Buenos Aires; regresa a Bolivia en febrero de 1945. La Comisión de Cooperación Intelectual argentina le invita a dictar conferencias en Buenos Aires, y él acude, y aprovecha el viaje para arreglar la tercera edición de *Raza de bronce*. Para entonces, y desde 1937, tiene ya publicada, inmensamente corregida y añadida, la tercera edición de *Pueblo enfermo* de que me ocupé personalmente.

En julio de 1945 está de nuevo en Bolivia. El mal decisivo se hará ostensible entonces. Como el 6 de abril de 1946 se sintiera muy decaído, los médicos ordenan que se le traslade a Chulumani, valle cercano a La Paz. Allí morirá el 6 de mayo siguiente, "a las tres de la tarde rodeado de sus hijas", y cuando en Bolivia se perfilaba la horrible catástrofe que produciría el martirio del presidente Villarroel, de quien Arguedas fuese tenaz enemigo. El documento necrológico, partida número 38, indica que "Alcides Arguedas, escritor, viudo de sesenta y seis años, de raza blanca" falleció a las trece y treinta (13 y 30) de "glomérolo nefritis difusa aguda post neumonia", a manos del doctor Teófanes Carreño Vergara, dejando tres hijas de veintiséis, treinta y uno y treinta y dos años. Firma la partida el Oficial de Registro Civil, Manuel Paz Rocha, el 15 de mayo de 1946, dejando constancia de que el fallecimiento ocurrió el 6.

II

El primer libro de Arguedas fue *Pisagua*, subtitulado *Ensayo de novela*, es un relato de 196 páginas, dedicado a los padres del autor. El argumento revela lo que Arguedas tiene reconcomiéndole por dentro hasta el fin: la tragedia de un intelectual idealista, a quien aplasta la realidad.

La segunda novela (saltemos *Wata Wara,* puesto que se refunde 15 años más tarde en *Raza de bronce), Vida criolla,* ostenta como subtítulo *La novela de la ciudad,* y lo pretende ser. Empero, se advierte en todo caso al rústico encandilado. Aparece editada por Ollendorf. La trama de *Pisagua,* en donde los episodios de la toma de La Paz por Melgarejo y la de Pisagua por los chilenos, imprimen un tono épico al relato, se reproduce con atenuantes en *Vida criolla.* En ésta, la guerra civil sustituirá a la internacional.

En *Raza de bronce,* Wata Wara, la india, es una bella moza, a quien conquista por amor y casorio, Agiali, indio de fuerte carácter y nobles sentimientos. El idilio de ambos tiene como contrapartida los abusos del cacique o gamonal Pantoja, y la descripción de los sufrimientos de los "huasicamas" y "huasipongos". Muere el viejo cacique, pero su hijo es tan abusador como el padre, y más. Es su afán de imponer su capricho lo que provoca la tragedia, nudo de la novela. Pantoja y sus amigos describen a Wata Wara, que se halla encinta, y deciden poseerla. Tratan de violarla en una cueva; durante la refriega, la matan. Agiali lo sabe y, aconsejado por un indio viejo, Chokehuanca, atraen a un lazo a los "blancos", incendian la hacienda y los hacen perecer. Contra toda su obra, aquí Arguedas reivindica al indio, a punto que una nota epilogal, fechada en 1945, confiesa la esperanza del autor en que su obra no ha sido inútil, pues en ese momento se reúne un Congreso Indigenal en La Paz. Como estilo, este libro, con *La danza de las sombras,* es el más depurado de cuantos escribió Arguedas; carece, sí, pese al tema, de la avasalladora fuerza de *Los caudillos bárbaros.* Me atrevo a pensar que en *Raza de bronce* estuvo el verdadero camino de Arguedas: la sociología debía ser para él demasiado subjetiva y moralizante: la historia, casi ajena y nada atractiva. Como excepción en su orientación, *Raza de bronce* cubre, sintomáticamente, un muy largo período de la vida y la obra de su autor:

de 1904, en que aparece la primera forma, Wata Wara, a 1919, en que ésta se convierte en *Raza de bronce*, y luego, de 1919 a 1945, en que Arguedas la entrega definitivamente al juicio de la posteridad.

Ninguna de estas obras acusa a un imaginativo. Los elementos de que se valen están tomados de la vida inmediata. Con todo, *Raza de bronce*, *Los caudillos bárbaros* y *La danza de las sombras*, donde el soñador y el creador prevalece sobre el documentalista, son los mejores libros de Arguedas, sus más representativas obras literarias, sin duda alguna.

Y con el amor a contrapelo, con el odio cabalgante, con un sentimiento de frustramiento incoercible, se escriben las páginas corrosivas y martirizadas de un libro espantoso: *Pueblo enfermo*.

Como se advierte en otro lugar, la primera edición de Barcelona salió en 1909; al año siguiente, se imprime la segunda, siempre en la Imprenta de la Viuda de Tasso, Barcelona. Pasarán cinco lustros para que el escritor autorice una tercera edición, y tan modificada, ampliada y corregida que resulta obra nueva, con un texto tres veces y medio mayor que el original: así lo vemos en la edición de 1937, hecha por la Casa Ercilla, de Santiago de Chile, que consta de 281 páginas en tipo 8, texto apretado y formato mayor.

La tercera edición, suprime el capítulo "Una terapéutica nacional", que pasa al II tomo de *La danza de las sombras*, y contiene varias fundamentales adiciones, que se describen aparte.

La tesis de Arguedas es desgarradora, aunque Maeztu la explique en su carta-prólogo. Bolivia, según aquél, está perdida a causa del cholo y el mestizo. La tesis racista no nace de Hitler; puede desembocar en él; proviene de las teorías sociológicas, del biologismo de fines del siglo XIX; se inspira en H. S. Chamberlain, Gobineau y Novicow; descansa en ciertos postulados abstractos de Le Bon y Nordau; adora confesamente a Carlos Octavio Bunge, también campeón del antimesticismo, furioso europeizante en *Nuestra América*, a quien Arguedas acata sin debate; y tiene constante devoción por Francisco García Calderón (*Les democraties latines de l'Amérique*), José Vasconcelos, el de la etapa segunda (págs. 90-91 de la tercera edición).

Pueblo enfermo, correspondiente a la serie que César Zumeta, el venezolano, iniciara con *Continente enfermo*, queda bajo la órbita de Nordau, a quien admiraron todos los de aquella generación, tanto por su bulliciosa y discutida *Die Entartung* (*La degeneración*), como por la generosidad con que elogiaba a los autores sudamericanos, paralela a la dureza a veces teatral con que censuraba a los grandes europeos. Mas aparte ese aspecto, hay en el libro de Arguedas algo de apasionado, de frenético, de trágico, de terriblemente desolador, que atrae como ciertos frutos malsanos.

Posiblemente, a la larga sea un libro destinado a producir menos frutos. Un pueblo tan duramente vapuleado, por quien es carne de su carne y copartícipe de sus errores, debe reaccionar corrigiéndose. En ese sentido, aunque censurado, el libro de Arguedas ha contribuido a esclarecer la psicología del pueblo boliviano, y, de contera, el sudamericano, aun cuando la pública vinculación de Arguedas con el millonario Simón II Patiño y su grupo, invalida en cierto modo, no la sinceridad, que eso no se discute, sino el acierto de los juicios contenidos en dicha obra.

III

Tal vez, Arguedas será más recordado, especialmente en su patria, por su obra como historiador. Él dijo, en uno de sus prólogos, que la historia es "la moral en acción". Si se prescinde de tal criterio, no se entenderá jamás la tarea histórica del apasionado moralista y panfletario. En aras de lo último, perdonados le sean sus numerosos yerros de expresión, fruto de apresurada composición y de mal oído literario, amén de un excesivo apegamiento al francés, de donde arrancan algunos de sus vicios expresivos.

Tales erratas y errores causan desaliento, al principio uno no se da cuenta de que la expresión "ambos dos", el uso de "complascencia", la confusión de "rebelión" con "revelión", *quid pro quo* como el de los supuestos "hermanos Ulloa", la confusión de fechas, el empleo de "solo" en lugar de "único" al modo francés, la forma de manejar el "que" en locuciones imperfectas como "es así que sucedió", y sobre todo un acezante, tenaz, ininterrumpido uso de la conjunción copulativa "y", en cierta manera infantil, afean el lenguaje y quitan fe en la capacidad del literato; pero, a poco, se eleva éste en grandes giros, domina los defectos, surgen sus magníficos cuadros, y se impone su estupenda personalidad, cargada de prejuicios, pasiones, odios, amores, toda ella subjetividad quintaesenciada, personalidad insoslayable, definida y definidora. Y la historia resulta monumental e insólita.

Uno de los *leit motif* de Arguedas es la esterilidad del trabajo intelectual. Siempre se queja de lo mismo. Aquí, como en todas sus obras.

Los caudillos letrados continúa en parecido tono. En la Advertencia da gracias a Simón I Patiño, a quien se ha de presentar a su tiempo, en las páginas de este libro, como el prototipo del hombre moderno, hijo de sus obras, lleno de energía para el trabajo fecundo y de un nacionalismo ferviente y generoso (pág. V).

Sostiene que cobrar sueldos es el origen de todos los disturbios políticos bolivianos. Ennegrece demasiado a Gamarra y califica de "saña enferma" la actitud de Ramón Castilla, peruano, contra el boliviano Ballivián. Afirma: "La Universidad, fábrica de holgazanes" (capítulo XI), concordando con ciertas absurdas generalizaciones del positivismo criollo. Del representante Castro, por ser mestizo, dice que obedecía a su "atavismo impuro" (pág. 259).

La plebe en acción está dedicada al eminente jurisconsulto boliviano, doctor Arturo Loayza, iniciador de la idea de poner la *Historia General de Bolivia* bajo los auspicios de Simón I Patiño. Allí nos cuenta que el Senado Boliviano negó apoyo pecuniario a la obra, contrariando la propuesta de don José Parravicini, y que la Universidad había ordenado una obra paralela.

En *La dictadura y la anarquía* se desorienta el lector al comprobar la forma tan peculiar con que Arguedas enfoca la política.

Luego, en 1929, publica *Los caudillos bárbaros,* su obra cumbre, como historia, como ensayo, como alegato, como novela.

Las páginas de *Historia General de Bolivia,* donde condensa toda la obra incluyendo los tres tomos no publicados hasta hoy, exudan las mismas pasiones. Así, al expresidente Daza le tildará de "nuevo mandón mestizo" (pág. 370) y de "cholo vulgar" (pág. 368), no obstante lo cual, en otro lugar, se expresará con elogio de "los bravos cholos". El Pueblo le inspira calofríos a Arguedas: lo tratará de "chusma" y "plebe", y lo aludirá como "la cabeza del monstruo". En su ataque a Baptista, involucrará una ofensiva general contra los mestizos. La obsesión racista nubla la preclara visión dramática.

La danza de las sombras reúne fragmentos del acucioso diario que Arguedas llevó de 1901 a 1946, y revela al escritor en su verdadera esencia. Oigamos sus confidencias:

> Desde muy joven he caído en la manía pueril y presuntuosa de tomar notas sobre los hechos, los nombres y las cosas ordinarias de la vida, y las notas al cabo de los años han llegado a formar una enorme montaña de papel (I, VII).
>
> Yo estoy negado de este don de asimilación rápida (Couilly, marzo 1934).

En *La historia de mis libros,* conferencia de 1922, a los estudiantes de La Paz, descubre mejor su alma. Recuerda allí su iniciación en *El Comercio* de la ciudad, con una "fantasía"; y a su abuelo español, Pedro Díaz, de cuya seriedad se proclama heredero. Califica a su *Pisagua* de "canto épico", y recuerda que Tomás O'Connor la elogió mucho. Agradece a Eduardo Zamacóis, que acogió sus colaboraciones en *Pluma y lápiz* de Madrid, y a Bautista Saavedra, con quien viajó a Europa, en 1923. Confiesa que *Wata Wara* se inspiró en "Copacabana" de los Incas, de su deudo el P. Juan Vizcarra. Nos refiere que *Vida criolla* fue prologada por Julio César Valdez y que años más tarde, en 1911, la reescribió de principio a fin, lo que plantea el hecho de una edición antes de la de Ollendorf, la cual no ha llegado a mis manos. *Pueblo enfermo* fue compuesto en París y Normandía, en 1908. La primera edición data de mediados de marzo de 1909.

La vida en Bogotá está lindamente pintada. Arguedas se muestra en su auténtico esplendor como novelista, narra con vivacidad y elegancia, y con ironía.

Arguedas no publica nuevos libros en los doce años de vida que le quedan. Ya sabemos que no se apartó de la vida pública. Estaba casado con la Moral Política, y debía cumplir cabalmente sus deberes hasta el último instante. Parco, de estatura más que mediana (Otero le llama alto), muy moreno, calmoso, la cara larga, los ademanes parsimoniosos. Era un tímido evidente, su vehículo fue la pluma; su expresión, la escrita; su plataforma, la historia; su vocación, la de misionero o novelista. Comenzaron no escuchándole y acabaron pendientes de sus palabras. Un hervor de pasiones, un censor implacable, un insobornable avizor de porvenires y amargo narrador de desventuras. El mismo, un caudillo divorciado de la acción. Cualquiera que sea la opinión que de él se tenga, nadie podría regatearle la frase con que Martí despidió a Cecilio Acosta: "Cuando partió, tenía limpias las alas".

XXIV

HORACIO QUIROGA

(El Salto, 31 diciembre 1879 — Buenos Aires, 19 febrero 1937)

¿Cómo podía ser este cuentista, después de su amarga y accidentada peripecia vital? Recapitulemos: su padre murió trágicamente, cuando Horacio no llegaba al año de edad; fue a consecuencia de un tiro escapado de la escopeta con que solía salir de cacería. Su madre, a quien Horacio adoraba, casó en segundas nupcias con Ascesio Barcos; después este señor cayó, víctima de un derrame cerebral, en desoladora afasia, y no halló otro remedio a sus males que matarse. En 1902, Quiroga pertenecía al "Consistorio del gay saber". Su amigo y compañero Federico Ferrando se trabó en ardua polémica con otro escritor, polémica que hacía presumir un duelo. Preparándolo para el lance, se escapó un tiro de la pistola de Quiroga y mató a su amigo. Hay más: Quiroga se casó dos veces: la primera enviudó a consecuencia del suicidio de su esposa, cuando vivían en la selva de Misiones. Más tarde, el cáncer hizo presa de Quiroga y éste acudió al inapelable remedio del cianuro con lo cual se eliminó del dolor y de la vida. Dos años después de su suicidio, su hija mayor, Eglé, tomó la misma ruta que su padre [1].

---

[1] Sobre Quiroga: "Enrique Espinosa" (Samuel Glusberg), capítulo en *Trinchera*, Buenos Aires, Babel, 1932; el cap. se titula "H. Q. hom-

En los primeros años, Quiroga, que era un muchacho flaco, alto y melancólico, se dedicó a los versos. Dedicaba sus favores a Bécquer, Bartrina y Federico Balart, amén de Lugones, cuyos *Doce gozos* y cuyas *Las montañas del oro* apacentaron los primeros ensueños del futuro cuentista. Se menciona el hecho de que existe entre sus papeles una copia de puño y letra de la "Oda a la desnudez" de Lugones, así como una paráfrasis de la misma, escrita allá por 1898. Más tarde confesará que sus primeros poemas se inspiraron en los de Lugones, y contribuirá a disminuir, si posible, la gloria de su compatriota Julio Herrera y Reissig: sañuda coterraneidad.

Entre 1894, esto es, desde los quince años, hasta 1897, o sea, hasta los dieciocho, compone versos, rivalizando y acompañándose con Alberto Brignole y Julio Jaureche. Es la época en que colabora en *La Revista* de El Salto. En 1898, bajo el seudónimo de "Guillermo Enyardt", protagonista de una novela de Max Nordau, publica artículos en *Gil Blas*, otra revista. Luego edita *La Revista* de El Salto. Se halla profundamente saturado de decadentismo. Lee asiduamente a Edgar Poe y se siente tocado de la divina amargura del autor de *The Raven* (1899) [2]. Creo que ésta es la impronta más visible en la obra de Quiroga. Amor, misterio, aventura y muerte, los cuatro costados de Poe, serán también los límites de nuestro autor. Urgido de tantas tentaciones, decide en 1900 marcharse a París. Debe visitar la Meca del modernismo. Se embarca en El Salto el 21 de marzo. Regresará a Montevideo, amargado, el 12 de julio del mismo año de 1900. En dieciséis semanas apura hasta las heces el cáliz de

---

bre de la selva"; Manuel Rojas, *De la poesía de la revolución,* Santiago Ercilla, 1938, cap. "Horacio Quiroga"; Enrique Anderson Imbert, *Historia de la literatura hispano-americana,* México, 1954; Luis A. Sánchez, *Breve historia de la literatura americana,* Buenos Aires, Guarania, 1951; Max Henríquez Ureña, *Breve historia del modernismo,* México, Fondo de C. Ec., 1950, pág. 238; Emir Rodríguez Monegal, Introd. a *Diario de viaje, de H. Q.*, Montevideo, Ed. Número, 1950; J. M. Delgado y A. Brignole, *Vida y obra de H. Q.*, Montevideo, C. García, 1939.

2 John Englekirk, *Edgar Allan Poe in Hispanic Literature* (tesis doctoral), New York, Inst. de las Españas, 1934.

la literatura decadente. No lo tocará más, ni siquiera con el borde de los labios... París era la Meca del modernismo, repitámoslo. Allá vivían en ese tiempo Rubén, Gómez Carrillo, Emilio Bobadilla, Luis Bonafoux, y lo acababan de visitar José Asunción Silva, Guillermo Valencia, Pedro Emilio Coll: ¡todos! Quiroga no podía faltar a la cita de su generación. Consta a través de su *Diario de viaje,* que la suerte le fue económicamente hostil; para entonces se dejó crecer las barbas que no le abandonarían ya en tanto que el rostro le enmagrecía. Las venus del "faubourg" encontraban interesante a ese muchacho alto, huesudo, sitibundo, de ojos enloquecidos y barbas nazarenas. Le llamaban mimosamente *le joli petit arabe.* El mimo no compensaba las hambres. El 8 de junio de 1900 después de haber ensayado otras armas y de haber visitado el Café Cyrano, donde encontró a Gómez Carrillo, escribe Quiroga en su diario: "No tengo fibra de bohemio". Cuando regresa al Uruguay, casi en seguida, publica en *La Reforma* de Montevideo, artículos diversos y reúne un tomo de poemas, *Los arrecifes de coral,* que dedica a Lugones (1901). Después se concentrará en la narración. No reincidirá en la poesía [3].

Suele reunirse, con sus amigos de letras, en su pieza de bohemio y en un café, el de Sarandí, bautizando la tertulia con el nombre de "Consistorio del gay saber". Sus componentes, salvo Quiroga, no han dejado huella profunda en las letras uruguayas.

Para aquel tiempo ha ensayado ya el cuento. Con uno de ellos ganó, en 1900, el segundo puesto en un concurso literario convocado por la revista *La alborada.* El Jurado, compuesto por José Enrique Rodó, Javier de Viena y Eduardo Ferreira, otorga el tercer premio a Armando Vasseur, el traductor de Whitman Nadie se acuerda de quien obtuvo el primer puesto: la vida suele ser así. El relato vencedor de Quiroga se rotula: "Cuento sin razón, pero cansado": título promisor.

---

3 (Emir Rodríguez Monegal), *Diario de viaje a París de Horacio Quiroga,* Introd. y notas de E. R. M., Montevideo, Ed. Número, 1950.

Max Henríquez-Ureña hace notar cómo, en aquella etapa de su vida, Quiroga estuvo materialmente uncido al yugo de Lugones, imitándole en sus prosas rimadas, sus sonetos de gallardo remate y practicando las metáforas modernistas, algunas con temas de origen japonés.

Es entonces cuando ocurre el trágico accidente de Ferrando. Abrumado de pena, Quiroga pasa a Buenos Aires, a fines de 1902. Poco después Lugones, a quien Quiroga ha ido a retornar la visita que aquél hiciera a Montevideo, zarpa en una expedición turístico-literario-histórica hacia la región de Misiones, con el propósito de escribir su libro *El imperio jesuítico*. Como no hay otra manera de financiar el viaje, Quiroga acepta ir como fotógrafo del grupo. Se quedó en la selva casi cuatro años ensayando diferentes modos de vivir. Cuando en 1906 regresa a Buenos Aires, Lugones le busca una colocación de tipo magisterial. Inútil detener el torrente. Quiroga había publicado ya dos volúmenes: uno de ellos *Los perseguidos* (1905).

En 1908 lanza *Historia de un amor turbio*. Es el tiempo de su noviazgo con la embrujada tierra de Misiones. En ella se instala, abre diversos negocios, se dedica a la soledad y a la literatura. Hastiado de ésta, se casa en 1909 con Ana María Cirés. Ambos se internan en la selva (1911). Quiroga desempeñaba el doble cargo de juez de paz y empleado del Registro Civil de San Ignacio, localidad situada en pleno bosque. Le nacen los hijos, la mayor llamada Eglé.

La soledad no parece manjar de seres débiles: Ana María lo era. Un día de 1915, a pesar de sus hijos y del amor de su marido, pierde el equilibrio y se envenena.

Los negocios caminaban para Quiroga mucho peor que la vida doméstica. Al fin, en 1916, regresa a Buenos Aires; al año siguiente su patria le nombra funcionario en su Consulado General en la Capital argentina. Coincide con la aparición de *Cuentos de amor, de locura y de muerte*, título justificadísimo. Tal vez figura ahí su mejor cuento: "La gallina degollada". Seguirán ahora sucesivas y escalofriantes colecciones de dramáticas narraciones: *Cuentos de la selva* (1918), *El salvaje* (1920), *El desierto* (1924), *El regreso de Anaconda* (1926), *Pasado amor* (1929), *Más allá* (1934).

No había abandonado por eso sus proyectos de pionero. Construyó una embarcación que se fue a pique; intentó varias empresas que fracasaron. En 1927, a los doce años de viudez, se casó de nuevo con una mujer más joven, a la que aventajaba en casi treinta años. Quiroga regresó por cuarta vez a Misiones como cónsul uruguayo en San Ignacio. A los malos azares económicos, se unieron el disgusto de su esposa y las traiciones de su salud. Finalmente, al saber que un cáncer en la próstata acabaría con él entre mil dolores, optó por morir de su propia mano: es la historia del cianuro.

A través de esta existencia llena de contrastes y altibajos, sufriente y maldecida, me ha seducido siempre la identidad entre escritor y hombre, la sinceridad del artista, su fuerza trágica y ese inquietante y tartamudo tono de un Kipling autóctono como es el que fluye de sus acciones y escritos [4].

Pienso yo que si algo caracteriza a la literatura latinoamericana, es el cuento. Si en la lírica fuimos cultivadores del poema breve, de la pincelada corta, del relámpago, en prosa nos sedujo mucho más el cuento que la novela, aunque hoy se estén invirtiendo parcialmente los términos. El cuento en su acepción moderna es una de las características de la literatura latinoamericana. Podría argüirse que constituye rasgo típico de las letras castellanas, desde que sufrió la influencia directa de la arábiga, según se desprende de los "enxiemplos" de *El libro del buen amor*, los de *El Conde Lucanor* de don Juan Manuel, los del propio Cervantes y las novelas cortas y cuentos de que está

---

[4] Obras de Quiroga: *Los arrecifes de coral* (versos y prosas), Montevideo, 1901; *El crimen de otros*, Buenos Aires, 1904; *Los perseguidos*, Buenos Aires, 1905; *Historia de un amor turbio*, novela, Buenos Aires, 1908; *Cuentos de amor, de locura y de muerte*, Buenos Aires, 1917; *El salvaje*, Buenos Aires, 1920; *Cuentos de la selva para los niños*, Buenos Aires, 1921; *Anaconda*, Buenos Aires, 1923; *El desierto*, Buenos Aires, 1924; *Los desterrados*, Buenos Aires, 1929; *Pasado amor* (novela), Buenos Aires, 1929; *Más allá*, Buenos Aires, 1934.

taraceado su *Quijote*. Mas no eran cuentos en el sentido moderno, como no lo fueron los episodios de que constan los *Comentarios Reales* del Inca Garcilaso, ni en general las crónicas de nuestros siglos XVI a XVII. El cuento no consiste en una narración abreviada, sino en una creación de temple sostenido, intensa aunque breve, en que lo inesperado (imaginación o realidad) juega papel predominante. Un relato por bien instrumentado que esté, si su desenlace está previsto desde el primer momento, si todo el desarrollo conduce a tal desenlace, no puede confundirse con un cuento. Al leer a Horacio Quiroga, como a Maupassant, a Poe, a Sherwood Anderson, a Lord Dunsany, a Chesterton, a Catulle Mendes, a Manuel Beingolea, a Juan Bosch, uno absorbe lo imprevisto. En ello residen la gracia, la fuerza y la perdurabilidad del cuento, tanto o más que en su brevedad. Nadie que conozca algo de literatura confundirá una novela corta con un cuento, ni un cuento largo con una novela, como parece hacerlo E. M. Forster en su *Aspects of the novel* (New York, 1950), donde llega a caracterizar a una novela por el número de palabras de que conste.

Tomemos un caso, el del propio Quiroga, y uno de sus cuentos más típicos: *La gallina degollada*.

Un hogar normal tiene dos hijos idiotas. Los padres no viven en paz, torturados por la presencia de esos dos infelices, que no aciertan a hacer nada a las derechas. La degeneración es evidente y suscita pena entre los progenitores. De pronto, ocurre un hecho feliz: nace una hija, y esta hija es sana, normal, alegre. La felicidad vuelve al hogar. Un día, con el objeto de celebrar un acontecimiento, los padres deciden matar a una gallina. La degüellan. Los dos idiotas al ver correr la sangre de la gallina *degollada*, experimentan insólitos espasmos y una curiosidad devoradora. Desde ese punto podría vislumbrarse el desenlace, y ésta es una falta en la técnica depuradísima de Quiroga. Para ver correr la sangre y repetir el espectáculo, los idiotas degüellan a su hermanita.

La tragedia está magníficamente preparada. El rojo de la sangre sobresalta como un trueno a los idiotas. No hay nada de melodramático. La fuerza de la solución sorprende como rayo, deja una estela en la sensibilidad del lector.

Quiroga ha escrito un *Decálogo del perfecto cuentista*. Aparentemente, pocos con más derecho que él para escribirlo, pero ello supone que Quiroga se sentía un "cuentista perfecto". Es curiosa la simplicidad de sus conceptos, nada constructivos si se prescinde de la personalidad del autor, material intrínseco, original, de todo artista, cualquiera sea el género que cultive. Oigámosle.

> Primero: Cree en un maestro —Poe, Maupassant, Kipling, Chejov— como un Dios mismo...
>
> Tercero: Resiste cuanto puedas a la imitación, pero imita, si el influjo es demasiado fuerte. Más que ninguna cosa, el desarrollo de la personalidad es una larga paciencia...
>
> Quinto: No empieces a escribir sin saber desde la primera palabra, a donde vas. En un cuento bien logrado, las tres primeras líneas tienen casi la importancia de las tres últimas...
>
> Séptimo: No adjetives sin necesidad...
>
> Noveno: No escribas bajo el imperio de la emoción. Déjala morir y evócala luego...
>
> Décimo: No pienses en tus amigos al escribir, ni en la impresión que hará tu historia. Cuenta como si tu relato no tuviera interés más que para el pequeño ambiente de tus personajes, de los que pudiste haber sido uno. No de otro modo se entiende *la vida* en el cuento.

Parece que estos preceptos, muy discutibles en sí, fueron a continuación de la tragedia creada por el suicidio de la primera esposa. Es absurdo buscar en ellos alguna efectiva impersonalidad. Los propios modelos que propone fueron gentes que trataron de ser impersonales, sin conseguirlo. O ¿es que va a pensarse a Chejov o Poe impersonales? Maupassant, que se jactaba de serlo, deja transcender sus predilecciones: igual Kipling, en quien el amor al Imperio y a Mowli, símbolo del hombre astuto y fuerte, se sobreponen a cualquier otra pasión. De toda suerte, es curiosa la enumeración: Poe, Maupassant, Kipling, Chejov. Del primero y el tercero, y también de Conrad, aprendió Quiroga ese ambidextro y áspero arte de la literatura, a la vez para niños y adultos. Fue la gloria de Kipling y también la de Poe. Maupassant con su naturalismo tajante, y Chejov con su crueldad psicológica, a ratos paralela a la de Dostoyewsky, representan otro aspecto de la literatura. Pueden hasta cierta proporción ser impasibles. Quiroga no, porque fue a menudo inhumano, es decir, despiadado y hasta cruel con sus personajes.

Conviene, al respecto, referir la personalidad literaria, austera, de estilo directo y hasta seco, de Quiroga, a su modo de ser. Existía en Buenos Aires, hacia 1910, un café, el de "Los Inmortales", situado en la vieja calle de Corrientes, entre Suipacha y Carlos Pellegrini, cerca del actual Obelisco. Reemplazó al antiguo "Café del Brasil". Allí concurría la flor y nata de la bohemia literatura porteña, entre ella Florencio Sánchez, Juan Más y Pi, Evaristo Carriego, Vicente Martínez Cuitiño, Roberto Giusti, Alfredo Bianchi, y también veteranos como Ricardo Rojas y Alberto Gerchunof. Giusti describe así la presencia de Quiroga en aquel cenáculo:

> Apariciones fugaces hacía en el café de "Los Inmortales" el gran cuentista Horacio Quiroga, cuyo arte original empezaba a ser apreciado fuera de los círculos estrictamente literarios; magro, desgalichado, con algo mefistofélico en su barbita, no era menos raro por dentro que por fuera, como escapado de uno de los cuentos en los que narra las aventuras de sus extraños solitarios de la selva misionera [5].

La figura física así evocada coincide plenamente con la del cuentista. Quiroga escribía "desgalichadamente". Su fuerza re-

[5] Roberto Giusti, *Momentos y aspectos de la cultura argentina*, Buenos Aires, Raigal, 1954.

sidía en algo que sobrepasa los linderos de la corrección. Le ocurría lo que a todo escritor duradero; pervivía por su singularidad, y sólo por eso, sin referencia a ninguna regla o norma. Si uno observa bien verá que en otros creadores americanos —Sarmiento, Alcides Arguedas, a ratos Rómulo Gallegos, a menudo Mariano Azuela, y casi siempre Pablo Neruda— asoma un escritor incorrecto, desprovisto de aparente conocimiento de las reglas, arrastrado por el simún de su fuerza, de la inspiración original, de lo que Ives Gandon denomina "el demonio del estilo". En Quiroga ocurre igual. Guillermo de Torre, ampliando la observación de Giusti, expresada en otro de sus libros, añade:

> (Quiroga) no sentía la materia idiomática; no tenía el menor escrúpulo de fineza verbal [6].

Si uno lee en seguida los cuentos que integran el volumen a que De Torre ha puesto prólogo, encuentra la más absoluta corroboración a lo antedicho. Así, en *Los perseguidos*, una de las más vigorosas producciones quiroguianas, menudean innecesariamente los adverbios de modo, vulgares y mal ajustados: "Lugones tenía estufa, lo que halagaba *suficientemente* mi flaqueza invernal"... "respondiendo lo *justamente* preciso", abominable pedestrismo. En *La gallina degollada* que, junto con los cuentos de *Anaconda* representa lo mejor de la narración quiroguiana, el autor utiliza el vocablo "idiotismo" por "idiotez". A Quiroga le sucedió que no pudo "hacerse" un estilo verbal, sino sólo una temática, de recursos impresionistas. Su juventud, a la sombra de París, "parisianizó" su estilo: su madurez, en la selva misionera, "aindió" su modo expresivo. No le fue dado acompasar la herencia hispánica con el desplante dialectal gallego-genovés que se apodera de ambas márgenes del Plata a partir de 1890.

---

[6] Guillermo de Torre, introducción a *Cuentos escogidos* de Horacio Quiroga, Madrid, Aguilar, 1950, pág. 19. La edición consta de 607 páginas y contiene treinta y tres cuentos selectos y el "Decálogo" del artista.

La influencia de lo indio en Quiroga es algo no destacado todavía.

Otro rasgo típico de sus temas y protagonistas es la atmósfera de locura en que se mueven. No sólo los hombres, también los animales, como en *El libro de la selva virgen* de Kipling, los seres acusan cierta demencia: tal las serpientes en *Anaconda,* las abejas en *La reina italiana,* los perros en *El perro rabioso,* el terco toro en *El alambre de púas,* y claro está, los neuróticos marineros de *Los buques suicidantes,* los dos idiotas de *La gallina degollada,* el loco de *Los perseguidos.* La humanidad anda como en fiebre. Se sabe que los pobladores de ciertas soledades no consiguen dominar un tipo de nostalgia llamada *caffard.* Neurastenia de ausencia, *rimpianto* y *morriña,* saudade o *homesickness,* modos de terribles deformaciones psicológicas, anormalidades peculiarísimas, nada raras en quien vio en sí y sus más cercanos parientes surgir invencible el fantasma del suicidio. ¿Qué hay de extraño en la desgarradora envoltura y en la dolorida yema de su cuentología, la más amarga y alucinante de cuantas se escribieron en castellano, y mucho más aún que la de Poe, pues se nutrió de realidades tanto o más que de fantasías?

La literatura de Horacio Quiroga, cierto, carece del sentido del humor. Cuando se le compara con Maupassant, se olvida la crudeza sexual y la amarga ironía propias del vigoroso y también anormal autor de *Bel Ami,* a quien también aquejó cierta niebla de demencia, sobre todo en sus últimos días. Quiroga no se regodea, como Maupassant, en los personajes, tanto como en la escenografía y en el episodio. Quiroga tiene el alma, los oídos, los ojos, los dedos cargados con la memoria de "las cosas" ocurridas. Deberá expresarlas pronto y de cualquier modo, para liberarse de ellas. Anaconda, su personaje tutelar, la madre del cosmos quiroguiano, posee la astucia de Mowli, la sagacidad de Kaa y la ferocidad de Baghera, según el relato de Kipling.

A Quiroga lo aplasta un fantasma: la selva. Lo obsesiona una tragedia: la de su estirpe. Lo inquieta un futuro: el suyo propio. La obra toda de Horacio Quiroga respira angustia. Atrae como uno de esos colosales y perversos helechos de la selva tropical, cadalsos de normalidades, trampas de ilusión física y anímica. El mal de Quiroga era insoslayable, incontenible e intransferible. Oigamos a Giusti referir el final del gran cuentista:

> Recuerdo que días antes de su suicidio, ocurrido muchos años después de los tiempos que evoco, en el verano de 1937, lo encontré en la esquina de Florida y Viamonte. Con su palabra atropellada y seca me contó que se había internado en el Hospital de Clínicas y debía operarse. No sé si en ese momento ya había formado la resolución de matarse; pero no aguardó la operación, sabiéndose condenado por un cáncer... Cuando Quiroga murió, ella (Alfonsina Storni, otra gran suicida) aplaudió la trágica resolución de una poesía que publicamos en *Nosotros*. Recordaré algunos versos: "...un rayo a tiempo, y se acabó la feria. // Allá dirán. // Unos minutos menos, ¿quién te acusa? // Allá dirán. // Más pudre el miedo, Horacio, que la Muerte, // que a las espaldas va".

Siendo el cuentista más desgarrador, en vida y obra, de cuantos han nacido en América, Horacio Quiroga tituló uno de sus libros fundamentales: *Cuentos de amor, de locura y de muerte.*

Título absolutamente exacto. Sin ninguna duda, cabal.

XXV

LUIS CARLOS LÓPEZ[1]

(Cartagena, 11 junio 1881 — 30 octubre 1950)

Durante muchos años, la poesía de Luis C. López fue una realidad independiente de su autor. Vivía ajeno a toda corporeidad; era como una emanación mefistofélica, una risotada burlona a propósito de la heráldica ciudad de Cartagena de Indias, blasonada como pocas del Nuevo Mundo, especie de Toledo tropical, a donde *ya no venía el aceite en botijuela*. Más tarde se identificó al poeta. La imaginación se ensañó en describir su

[1] Obras de Luis Carlos López: *De mi villorrio*, Madrid, 1908; *Posturas difíciles*, Bogotá, 1909; *Varios a varios*, Cartagena, 1910; *Por el atajo*, Prólogo de Emilio Bobadilla (Fray Candil), epílogo de Eduardo Castillo, Cartagena, Edit. Mogollón, s. a. (1920), 143 págs.; *Sus mejores versos*, Cuadernos de Poesía, núm. 18, Prólg. de Simón Latino, Buenos Aires, Ed. Claridad, s. a., 80 págs. — Críticas a López: prólogo de Baldomero Sanin Cano, en la "edición definitiva", Cartagena, 1927; prólogo de Carlos García Prada, en *42 poemas de L. C. L.*, México, 1943; Carlos García Prada, comentario en su *Antología de líricos colombianos*, Bogotá, 1937, vol. II, p. 181; Carlos García Prada, *Estudios hispanoamericanos*, México, F. de Cultura, 1945; Federico de Onís, *Antología de la poesía española e hispanoamericana*, Madrid, Rev. de Filología, 1934; Onís, *España en América*, Puerto Rico, Universidad, 1955; Max Henríquez Ureña, *Breve historia del modernismo*, México, F. de Cultura, 1954.

figura física. Como se le supo desviado de un ojo, no hubo recato en apodarle, según usos de su ciudad natal, "el tuerto López". Al saberse que ejercía el comercio, en un almacén de ultramarinos, aumentó la curiosidad y con ella la sonreída admiración de la gente. La mofa hervida en sus metáforas hizo lo que faltaba. Se le llamó humorista; mas quién sabe lo que de tal hubiese en el trasfondo de un lírico tan a la sordina que hace confundir el tono menor con el burlesco, y el sarcasmo con el *humour*; ¡menuda distancia entre ambos!

En verdad, para captar bien el mensaje de López no se debe ni se puede prescindir de su contorno humano y epocal. Se verá entonces que lo humorístico le llegó como inevitable adherencia, más que como buscada originalidad. Dicho de otro modo: ni aun queriendo evadirse, habría logrado ser distinto a como fue; estaba condenado por sus circunstancias a lo que llegó a ser.

¿Cuáles son esas circunstancias? Un crítico regular responderá sin demora: el postmodernismo. Mas, para los que no creemos en ningún *postfacto* literario, sino en los meros *factos*, tal respuesta, lejos de satisfacer nuestra pregunta, motiva otra nueva: ¿existió de veras con nitidez el modernismo? Y si existió, ¿podría prolongarse en ondas, sin perder su índole ni convertirse en tendencia distinta y, por tanto, de nombre simple y preciso, sin alusión a ningún otro movimiento?

Si el modernismo se caracteriza, de acuerdo con la consabida aunque no muy exacta frase de Juan Ramón Jiménez, como "un movimiento de entusiasmo hacia la libertad y la belleza" (remembranza perentoria de un apunte de Rubén en el prólogo de *El canto errante)*, la poesía de Luis C. López, como la del Lugones de *Lunario sentimental* y mucho del Darío de *El canto errante* eran un movimiento también entusiasta hacia la libertad y... el voluntario prosaísmo. Es decir, hacia otro canon de belleza, casi antagónico al del primer modernismo (pues, hubo cuando menos dos), lo que indica no ya continuidad de una escuela o tendencia, sino, al revés, su oposición más tajante. De donde el llamado postmodernismo podría ser, si acaso, más bien antimodernismo o, mejor todavía, "cotidianismo", expresión poco usada en literatura, si alguien la usó, que no estoy muy seguro de ello.

La técnica de López, tal cual la de las indicadas etapas de Lugones y Darío, tal cual pretendió hacer notar el segundo Díaz Mirón (el de *Lascas*, 1901), y lo había ensayado el último J. A. Silva (el de *Gotas amargas*, 1895); la técnica de López, digo, consistía en adoptar la ritual cortesía modernista frente a un tema alto o no, para quebrarla de pronto con una travesura, descomponiendo el empaque y metiendo una audaz zancadilla metafórica al majestuoso verso seudo-parnasiano. Veámoslo, si no:

A MI CIUDAD NATIVA

"Ciudad triste, ayer reina de la mar"
J. M. DE HEREDIA

Noble rincón de mis abuelos: nada
como evocar, cruzando callejuelas,
los tiempos de la cruz y de la espada,
del ahumado candil y las pajuelas...
Pues, ya pasó, ciudad amurallada,
tu edad de folletín... Las carabelas
se fueron para siempre de tu rada...
¡Ya no viene el aceite en botijuelas!
Fuiste heroica en los tiempos coloniales
cuando tus hijos, águilas caudales,
no eran una caterva de vencejos[2].
Mas hoy, plena de rancio desaliño,
bien puedes inspirar ese cariño
que uno le tiene a los zapatos viejos.

Este soneto ejemplar reúne, en apretada síntesis, todos los elementos del supuesto postmodernismo.

---

2 Esta palabra "vencejos", sustituye a otra más peyorativa, de igual rima, según se explica en el texto.

Primero, la solemnidad de la evocación, tiznada apenas, al concluir el segundo cuarteto, con una expresión más que irónica, de profunda melancolía, pero sin énfasis oratorio. Luego en los tercetos súbitamente se rompe la forzada majestad de los cuartetos. El último renglón del primer terceto no trepida en usar un vocablo dudoso para quien no se haya penetrado del sentido íntimo de la composición y de su autor: "vencejos". En realidad, la palabra sustituida por este eufemismo era una más restallante y ordinaria, de pleno uso popular: "pendejos", en el sentido colombiano, distinto del peruano y del chileno, o sea, equivalente a "tontos", pero peyorativamente. El verso final resume el tono cotidianísimo de toda la poesía de López. En lugar de elevarse, domado cohete, en una metáfora luminosa, en una frase rubricante como tizona que persigna el aire, emplea un giro familiar, pedestre: "ese cariño que uno le tiene a sus zapatos viejos". Imprevisto remate, y muy gráfico. Fuerte y sabroso. La obra de López es toda ella así.

De ahí los títulos de sus libros: *Posturas difíciles, Por el atajo, De mi villorrio*. Nada solemne ni poético. Cuando, en otra composición, ejecutada de diferente modo y titulada de manera helénica —*El despertar del pan*—, se lanza por las rutas de la añoranza, he aquí de qué modo combina lo iluso con lo prosaico, lo alto con lo rastrero, produciendo un singular efecto de sonrisa y delicadeza difíciles de combinar e igualar, como sus "posturas", las del rótulo del primer libro:

Por el rústico parque provinciano,
donde a veces me pierdo
cogido de la mano
de un recuerdo,
la sobrina del cura
me pasea
su caderamen... La temperatura,
que a intervalos aplaca la disnea
de la brisa, es ardiente...
Y yo retorno al tiempo primitivo,

cual si tuviese cuernos en la frente
y unas patas de chivo.

Los elementos de esta composición, todos impresionistas, tratan, como Silva en *Gotas amargas,* de atemperar el arranque sentimental con severas limitaciones naturalistas. Esta última palabra, "naturalista" nos coloca de inmediato sobre el rumbo de los motivos reales de la poesía lopeciana. Si recordamos que aun los más preclaros modernistas (Darío, Nervo, Chocano, Lugones) vivieron su cuarto de hora naturalista, y proclamaron a Zola como uno de sus mentores, al propio tiempo que rendían pleitesía a la sutileza y el exotismo, quizá nos sea más fácil entender el proceso de *Posturas difíciles.*

Hay un poema de López, cuya arquitectura nos lo dice todo en pocas líneas. Es el titulado "A Satán". Fundamentalmente se trata de un rememoramiento baudelairiano. Una especie de anti Verlaine, pues lejos de toda *litanie à la Vièrge,* aquí lo que sobresale es el espíritu mostrenco y plural de Luzbel. Comienza de modo trivial, ejercitándose en el demasiado accesible arte de las antítesis románticas, tan caras a Víctor Hugo:

Satán, te pido un alma sencilla y complicada
como la tuya. Un alma feliz en su dolor.

La unidad dual de "sencillo y complicado" acusa además las reminiscencias de Darío, cuando en su "A Rooselvelt", dice: "sencillo y complicado con un algo de Washington y cuatro de Nemrod". Pero, no se queda ahí López. Insistiendo en su "cotidianolatría", rebaja a Satán a rasero enteramente burgués:

Pues tú, Satán, no ignoras que yo perdí el camino
y es triste —aquí en la tierra del coco y del café—
vivir como las cosas en los escaparates
para de un aneurisma morir cual mi vecino...
¡Morir sentado en eso que llaman W. C.!

Este final —debe pronunciarse "dobl'iu ci", como en inglés— dista mucho de representar un descuido o bajeza de fantasía. Revela al revés un rebuscamiento, algo que podríamos calificar de antibarroco, pero de toda suerte, pues no se trata de simplicidad frente al barroquismo, sino, como si dijéramos, aplicando términos políticos, de un barroquismo de oposición, un barroquismo que busca y halla sus símiles en lo feo, no en lo bello; en lo ruin, no en lo alto; en lo materialista no en lo espiritual. Barroco, feísta, cotidianista, términos dentro de los cuales sería lícito y plausible encerrar a Luis C. López. ¿Tiene cualquiera de ellos algo que ver con el modernismo?

Por otra parte, López no puede ocultar su indudable cepa romántica. Este hombrachón que tanto ríe, lleva contenida carga de lágrimas bajo los caídos párpados. Si acierta a disimular, su logro no es tanto que consiga ocultar el grueso contrabando de emotividad que le caracteriza y molesta. A la cual se añaden ciertos evidentes rezagos de Rubendarismo, como "En la playa", trasunto abreviado y enteco de la *Sinfonía en gris mayor* de Darío. Escuchemos:

Mientras el lobo succiona
su enorme pipa, cruzar
miro un barco con su lona
triangular.
Ver otro sol, nueva zona,
distinta raza, cambiar
de postura en la poltrona,
y emigrar.
Pero estoy en esta playa
viendo la raya, esa raya;
del confín,
junto a este marino cano
que habla, la gorra en la mano,
de Pekín.

No es una composición típica, como *A un bodegón* y *Brindis*. Estas dos últimas revelan al trasluz todo cuanto de vergonzante angustia y disfrazada congoja bulle en el recuerdo y la esperanza del poeta. El primer soneto remata de un modo al parecer risueño, aunque, de veras, terriblemente amargo:

No vale hoy nada nuestra vida, ¡Nada!
¡Sin juventud, la cosa está fregada,
más que fregada, viejo bodegón!

El lírico siente pudor de expresar sus penas. Prefiere hacer una pirueta y salirse por la tangente, en ademán circense, medio de clown, medio de contorsionista. No obstante, no acierta a sofrenar involuntario escape de su sinceridad.

¡Oh viejo bodegón... En horas gratas
de juventud, qué blanco era tu hollín!

Brindis pretende ser desenfadado. Lo consigue sólo a medias. El tedio derriba muros de bromas y sarcasmos, poniendo al desnudo el alma aterida:

¡Bienvenido a la tierra del cangrejo,
de la pulga, el mosquito y el jenjén,
con tu pipa, tu can tísico y viejo
y tu cara redonda de sartén!
Pero ¡ay! no eres el mismo... ¡Amargo dejo
segrega tu sonrisa. Y ya tu sien
se rubrica, y se frunce tu entrecejo,
cual si bebieras pócimas de sen!
¡Oh, lírico mentor, inadvertido
para esos Profesores del cocido!
¡Sursum corda!... Que aquí nada es atroz...
Que aquí —la nueva Arcadia del Caribe—
nadie pinta ni esculpe, y nadie escribe.
Pero se come arroz ¡carne y arroz!

El tono de López no fue exclusivo de él: corresponde a una edad, a una escuela. Tanto es así que, aparte las analogías señaladas, dentro de la originalidad primordial del poeta, asoman parentescos harto claros; entre ellos el que le liga a Evaristo Carriego, el "cantor del barrio" porteño, de Buenos Aires. Si uno lee algunos poemas de *Misas herejes* y sobre todo *La canción del barrio* del argentino, y en seguida recuerda el *A Basilio* de López, no vacilará en dar por probada la relación familiar poética entre ambos. El mismo "organillo triste, organillo viejo" de López es el que acompaña a un "pobre viejo" en el poema de Carriego y en el tango popular. La reminiscencia de Lugones se destaca en *Versos a la luna;* mas nada de esto indica en López imitación, plagio y acaso ni siquiera reminiscencia. Son similitudes inevitables en temperamentos y épocas afines. Comunidad de posiciones, sobre todo la de empeñarse en apartar el sentimentalismo y darse el lujo de parecer indiferente, superior a las penas y los desengaños. Si fuese necesario probarlo, bastaría transcribir un fragmento de *Despilfarro:*

Tiro a un lado
los recuerdos, mientras fumo
sobre una mesa acodado.
La brisa se lleva el humo.
Mas no puedo;
y su faz que no agoniza
dentro de mí, con el dedo
perfilo entre la ceniza.

Las estampas del barbero, el alcalde, el cura, etc., se hombrean con algunas de Herrera y Reissig. Los personajes de López son de una perfección caricaturesca realmente vigorosa. Bastará repetir un trozo del soneto sobre el alcalde:

El Alcalde, de sucio jipijapa de copa,
ceñido de una banda de seda tricolor,
panzudo a lo Capeto, muy holgada la ropa,
luce por el poblado su perfil de bull-dog.

Mejores aún, *En tono menor* y *Se murió Casimiro,* verdaderas joyas de la lírica americana. Mas ¿en qué reside la gracia, el donaire, la hondura dramática, pese a las sonrisas de Luis C. López?

Quien se proponga desmontar su maquinaria poética se dará de inmediato cuenta del artificio que preside su obra. Lo primero, matar el sollozo. Lo segundo, degollar el suspiro. Lo tercero, desenvainar la risa. Lo cuarto, hacerse el impasible. Todo falso, de falsedad supina. Pudo inclusive ser así en el trato cotidiano Luis C. López, pero el trato no entra en la poesía. Utilizando un modo bergsoniano, podríamos decir que lo importante no es el "Yo superficial" de López, sino su "yo profundo" el ámbito de su libertad, sin tiempo ni espacio. Y bien, ¿cuál fue éste?

Si uno se sitúa en la atmósfera de Colombia y, especialmente, de Cartagena, en los primeros años del siglo, deberá contar literariamente con la obsesión de Silva, el suicida; de Valencia, el gentilhombre de exquisitos gustos; con la superviviente retórica de los Núñez, Caro y Marroquín, y el ímpetu verbalista de los Grillo, Rivas Groot, Gómez Jaime, todo el vecindario de "La gruta simbólica", tan apegado a las fórmulas del decadentismo, sin perder de vista los rezagos del irredimible regusto por los clásicos hispanos. Colombia era vivero de retóricos, en el mejor sentido del vocablo, mas siempre retóricos. En la región del Atlántico, lejos del sedimento de Isaacs, teñido de picardías negras y de tentaciones corsarias; indisolublemente adictos al partido liberal y por tanto adversos al conservatismo en triunfo, después de la Guerra de los Mil Días, fermentaba un espíritu inconforme, rebelde, heterodoxo. Luis Carlos López, como Clímaco Soto Borda y su grupo de escritores regionales, entre ellos el insigne y clasicista Carrasquilla, rompieron hostilidades con lo exotista, volvieron la espalda a las exquisiteces afrancesadas, hallaron servil el simbolismo, estéril ya lo parnasiano, y, usando las diversas fórmulas, dentro de la retorta general del naturalismo de Zola, el gran hereje de la literatura francesa de ese tiempo, entraron a saco en el verso atilado inyectándole realismo, digamos mejor, naturalismo que, por la singular posición en que se hallaba, no podía limitarse a exhibición directa y seca de lo visible, sino a una versión caricatural y por consiguiente traviesa de hombres y cosas.

Lo primero, al parecer, consistía en describir. Pero, describir con fidelidad no exenta de fantasía. Mientras modernistas, postrománticos y ultraclasicistas buscaban héroes y escenas de ajenos mundos o períodos, López y mucha de la gente de la orilla del Caribe prefirió reflejar lo inmediato. Tal dibujo debía ser, por fuerza, intencionado. No se nace impresionista para crecer descriptivo. Y eran los días del apogeo impresionista en la pintura europea. Lejos de consumir detalles hasta arribar a una suma completa, era preferible bocetar con rasgos enérgicos, significativos y pocos. Es lo que hizo López.

Por otra parte, Cartagena era el último apéndice de la aventura virreinal. Quien haya recorrido esa ciudad de embrujo, no podrá olvidar sus perfiles y rincones. Qué aroma de tiempo, penetrándolo todo; qué angustia de vejez, metida hasta en los tuétanos de los hombres y las cosas; qué sortilegio de calles enredadas, serpenteantes, angostas, y de palacios enormes y majestuosos, pletóricos de evocaciones y leyendas. Vivir en Cartagena era hacerse súbdito del siglo XVII o erguirse, voto en contra redivivo, contra el pasado y sus más típicas encarnaciones. Es lo que hizo López.

Verdadero insurrecto antivirreinal, auténtico impresionista, deshace las galas del modernismo, interrumpe y acelera su *tempo maestosso*, e imprime todo un endiablado ritmo acelerado, de *allegro ma non troppo*, en abierta pugna con las preferencias estilísticas de aquel solemne alumbrar de un nuevo siglo.

La poesía de López debe considerarse en función de toda una etapa. A él, su autor, en función de todo un escenario. Frente a ambas, lo suficientemente vigorosas como para absorber a cualquier escritor de menor personalidad. López opone su acedia. Si el lector sonríe ante los versos de Luis Carlos, ello será fruto del temperamento del lector, mas no de la poesía misma. López no ríe; contempla y acota. Si alguna actitud asume es la de contención. Por no llorar lanza un sarcasmo. La intención, bien a la vista, no es zaherir, sino no dejarse arrastrar por su emoción ni por la moda. Lo último resalta en "Los que llegaron de París":

> *Ceñido flux de pederasta, flor*
> *fragante en el ojal,*
> *mostachos agresivos de tenor*
> *y muy agudo el ángulo facial...* etc.

De lo primero hay una muestra encantadora en "En tono menor":

> *¡Qué tristeza más grande, qué tristeza infinita*
> *de pensar muchas cosas... de pensar, de pensar!*
> *De pensar, por ejemplo, que hoy tal vez, Teresita*
> *Alcalá, tu recuerdo me recuerda otra edad.*
> *Yo era niño, muy niño... Tú llegabas, viejita*
> *cucaracha de iglesia, por la noche a mi hogar.*
> *Te hacía burlas... Y siempre, mi mamá muy bonita*
> *y muy dulce, te daba más de un cacho de pan.*
> *Tú eras medio chiflada... Yo pasé buenos ratos*
> *destrozando en tu casa, cueva absurda de gatos,*
> *cachivaches y chismes... ¡Oh qué mala maldad!*
> *¡Pero, ya te moriste!... Desde ha tiempo te lloro,*
> *y, al llorarte, mis años infantiles añoro,*
> *¡Teresita Alcalá, Teresita Alcalá!*

Unos cuantos datos biográficos ahora.

Luis C. López nació en Cartagena de Indias el 11 de junio de 1881. Murió en la misma villa, la víspera de los setenta, el 30 de octubre de 1950. Prácticamente no salió de su ciudad nativa, aunque deben descontarse de su estancamiento voluntario, una breve estancia en España, siendo muy joven, y un viaje tardío, como Cónsul de su país, por Estados Unidos y Alemania. "Simón Latino" cuenta una anécdota reveladora. Dice así:

> Cuando personalmente le pedimos autorización para incluirlo en esta serie, en 1946, hallándonos los dos en el comedor de su casa, rasgó el papel en que su

hija había envuelto unos comestibles, y en ese papel, con un lápiz burdo, nos dio sonriendo la autorización.

¿Rasgo de campechanería o rebuscada inconformidad? No lo sabemos. Los escoliastas deben inclinarse a lo primero; nosotros no sabríamos elegir.

La casa en que nació se hallaba en la pintoresca y castiza calle del Tablón a la cual alude el poeta en un soneto de tal título:

Sucia, sin empedrar, desnivelada,
donde vive un genial pariente mío
llamado Rigaíl... Y eso no es nada
porque ahí tiene una tienda, todo un lío
sin parangón: betún, carne salada,
puntillas de París, obras de Pío
Baroja y además sobre una espada
y un bacín, farolito de Tokío.
Mas esa callejuela inadvertida
saldrá a la luz de folios historiales,
porque allí, por desgracia y un capricho
de la fatalidad... vino a la vida
quien escribe estos versos inmortales
para honra y prez de Portugal. He dicho.

López estudió su bachillerato en la Universidad de Cartagena. Se dedicó al comercio. Ya sabemos que sólo salió de su patria en dos oportunidades y ambas con misión diplomática o consular: a Munich y a Boston. Y sabemos que volvió como se fue. Su actividad mayor fue la de miembro de "El Bodegón", entidad chismoscultural que fundó Jacobo del Valle y tenía su sede en la Calle de San Agustín. Ahí pontificaba día a día. He referido que en 1923, cuando Chocano viajaba a Caracas e hizo estación en Cartagena, telegrafió al autor de *Por el atajo* la fecha de su arribo. López olvidó el mensaje. De pronto, estando en "El Bodegón", recordó su deber cortés para con el colega de las letras. Era tarde: Chocano había llegado [3].

Carlos García Prada ha escrito una animada descripción física de Luis Carlos López:

> Es pálido, menudo, flacuchento, nervioso y feo como él solo: frente amplia y abombada, y labios finos, movibles, y quijada menguadísima; al respirar dilata angustiosamente la nariz, una nariz respingadita y buscarruidos, donde cabalgan temblorosamente las gafas de oro, sin apoyarse en las orejas que las tiene descomunales; lleva sin peinar los negros cabellos, y un bigotillo alacranado, oliscoso e impertinente, que llegó a ser mosquiteril aunque lo cuidaba con amor... Sus ojos eran claros, penetrantes, vivarachos, y para colmo de desdichas, tenía torcido el ojo derecho y derecho el izquierdo que era el bueno.

Por esto último, el apodo corriente del poeta no fue ninguno de rimbombancia, sino sencillamente el de "el tuerto".

El hombre así descrito corresponde cabalmente al verseador ya insinuado. Desgaire, bohemia, sordidez física no podían fructificar en olímpicos destellos. Mas no se crea por eso que fuera López un misógino amargado. Al contrario, y hasta tuvo la fortuna de casar con dama de pro, doña Ana Cowan, de quien tuvo dos hijos.

Los últimos años de su vida los pasó el poeta cuasi retirado en una casita de la Avenida Miramar del barrio de Manga. Después de su muerte, hay una Avenida de Cartagena que ostenta el nombre del cantor de la ciudad, y se ha erigido un monumento, llamado de Las Botas, en rememoración de aquel soneto suyo *A mi ciudad nativa*.

El hecho de que fuera Emilio Bobadilla (Fray Candil), el violento, amargo y demasiado salaz cubano-español, quien escri-

3 L. A. Sánchez, *Aladino o la vida y la obra de José Santos Chocano*, México, Libro Mex., 1961.

biera el prólogo de *Por el atajo*; algunas alusiones de Schopenhauer, Pío Baroja y Swift, zarzuelas al uso y el Arcipreste de Hita, a más de otros autores no siempre citados de veras, sino con transcripciones hechizas, revelan el trasfondo de apicarado cinismo yacente en la poesía de López. Bobadilla, que siempre se caracterizó por sus mandobles, antes que por sus sondeos, escribe respecto a su prologado:

> En las estrofas de López no hay música: debe tener algo en el oído —catarro tal vez— que le impida, como a Unamuno —pésimo poeta lírico— evitar las cacofonías y las asonancias [4].

En realidad, difícilmente se juntan mayores sinrazones, comenzando por ignorar la magnífica calidad lírica de Unamuno, acaso de las más altas de las letras castellanas. Y mucho peor aún aquello del "catarro" asordador de López. Bastaría escuchar un solo soneto de éste para darse cuenta de lo que se puede conseguir con el "prosaísmo deliberado", como llama Dámaso Alonso a ese tipo de aparentes descuidos:

A UN BODEGÓN

¡Oh viejo bodegón... En horas gratas
de juventud, qué blanco era tu hollín
y qué alegre, en nocturnas zaragatas,
tu anémico quinqué de Kerosín!
Me parece que aún miro entre tus latas
y tus frascos cubiertos de aserrín,
saltar los gatos y correr las ratas
cuando yo no iba a clase de latín.
Pero todo pasó... Se han olvidado
tus estudiantes, bodegón ahumado,
de aquellas jaranitas de acordeón...
No vale hoy nada nuestra vida... Nada,

---

[4] Bobadilla, prólogo a *Por el atajo*, pág. 15.

¡Sin juventud, la cosa está fregada,
más que fregada, viejo bodegón!

López utiliza, como los modernistas, el eneasílabo, el endecasílabo y el alejandrino a la francesa: muy poco el octasílabo clásico. No es que López rompiera con España (ni podía hacerlo por razones de cultura, ambiente y gusto), ni renunciara al bodegón, o sea, a la tertulia. Pero estas coincidencias con los modernistas, al menos en la forma, resaltan mejor su complicada urdimbre en algunos trozos poéticos como el primer cuarteto de *Ante una esquina:*

¿Quién interpreta el alma de una esquina
sospechosa, como esta de arrabal
con su pared garapiñada en ruina
y su bizco farol municipal?

Podría armarse toda una larga y compleja interpretación sobre la base de las expresiones "pared garapiñada en ruina" y la otra "y su bizco farol municipal". Saldrían de ello sabias lucubraciones poeticogramaticales, un programa sin duda para estilistas en acecho. Sería acaso traicionar a Luis Carlos López dar pábulos a semejantes digresiones. Me quedo con él, con el autor, con el poeta, a riesgo de perder parte de su sombra hecha rimas. Pero, definitivamente, Luis Carlos López, con sus versos paradojizados, zumbones, desgalichados y frenéticos.

bien puedes inspirar ese cariño
que uno le tiene a sus zapatos viejos.

XXVI

FERNANDO ORTIZ Y FERNANDEZ

(Habana, 16 de julio de 1881)

Del hogar formado por un montañés de España, y una criolla de Cuba, nació en La Habana, el 16 de julio de 1881, don Fernando Ortiz. Al año de su natalicio, se lo llevaron a Europa, a la isla de Menorca, donde, bajo el dorado sol mediterráneo, transcurrió su infancia hasta cumplir los catorce. Puede afirmarse, por eso, que la savia cultural de Ortiz es menorquina, pero que, como él mismo lo declara, fue durante la ausencia, durante aquella ausencia, cuando se enamoró de su Antilla con perdurable y fecundo amor.

Al regresar a Cuba, la isla ardía en renovada insurrección. El grupo de Martí había desembarcado entregando en holocausto la vida de su magnífico jefe, aquella inolvidable y luctuosa tarde de Dos Ríos. Desde entonces, 1895, hasta que se trabó la guerra con los Estados Unidos, el joven Ortiz asiste perplejo a la definición nacional de su patria. Es curioso: cada viaje de Ortiz coincide con un hecho decisivo de la historia cubana. Recapitulemos: regresa a Cuba el año que muere Martí; se va el año en que se hunde el *Maine* y estalla la guerra hispano-norteamericana, 1898; retorna cuando se aprueba la Enmienda Platt, 1902. Al año siguiente parte otra vez, pero ya como funcionario de la nueva república. Cónsul y agente diplomático, recorrerá Europa, sobre todo Italia y Francia, sin olvidar sus estudios. Porque, mientras tanto, Ortiz recibe el grado de doctor en Derecho en la Universidad de Madrid; su tesis se titula *Bases para un estudio sobre la llamada reparación civil* (Madrid, 1901). Antes tiene ya publicado el libro *Principi y prostes,* artículos de costumbres en dialecto menorquín (Ciudadela, Imprenta Fábregas, 1898).

Se advierte que a Ortiz, todavía no incorporado profundamente al alma cubana, lo trabajan varias inquietudes: la de abogado penalista, la de investigador positivista, la de europeo. Su pequeño libro *Las simpatías de Italia por los mambises cubanos. Documentos para la historia de la Independencia de Cuba* (Marsella, 1905), así lo demuestra. Pero es al año siguiente, de nuevo en la patria, cuando surge incontenible en su inteligencia y en su sentimiento la que será pasión definitoria de su vida y de su obra: el negro antillano. El libro que le revela a plenitud es el titulado *Hampa afrocubana* (Madrid, Fernando Fe, 1906). La carta-prólogo de Lombroso indica cuáles son los rumbos y fuentes a que va y de que se nutre el autor. No importan mucho [1].

[1] Obras de Fernando Ortiz: *Principi y prostes,* Ciudadela, Imp. Fábregas, 1898; *Bases para un estudio sobre la llamada reparación civil,* Madrid, 1901; *Las simpatías de Italia por los mambieses cubanos. Documentos para la historia de la Independencia de Cuba,* Marsella, 1905; *Hampa Cubana, Los negros brujos, Apuntes para un estudio de la etiología cubana,* Madrid, Fe, 1906; *Las rebeliones de los afrocubanos,* Habana, 1910; *Entre cubanos, Psicología tropical,* París, Ollendorf, 1913; *La reconquista de América,* París, Ollendorf, 1911; *Hampa cubana, Los negros esclavos,* Habana, El Siglo, 1922; *Glosario de afronegrismos,* Habana, El Siglo, 1924; *José Antonio Saco y sus ideas cubanas,* Habana, Universo, 1929; *De la música afrocubana* (folleto), Habana, 1934; *La clave xilofónica de la música cubana,* Habana, 1935; *Contrapunto cubano del tabaco y el azúcar,* Habana, Montero, 1940; *Las cuatro culturas indias de Cuba,* Habana, Orellana, 1942; *El engaño de las razas,* Habana, Páginas, 1945; *El huracán: su mitología y sus símbolos,* México, Fondo de Cultura, 1947; *La africanía de la música folklórica de Cuba,* Habana, Ministerio de Educación, 1950; *Los bailes y el teatro*

Yo trabé conocimiento con la obra de Ortiz a través de este libro, *Los negros brujos*. Recuerdo aún el interés y la sorpresa que me despertaron sus páginas. Yo tenía entonces catorce años, y el ejemplar que leí era el de la Biblioteca Nacional de Lima, prestado por el bibliotecario a mi abuelo paterno que lo saboreaba con deleite. Aunque los positivistas suelen ser excesivamente dogmáticos, Ortiz no lo es y hasta escribe con gracia a pesar de su exactitud. Sus observaciones y lecciones de esa etapa podían ser leídas como cuentos. Parecía imaginaria la cruda realidad a través de su estilo tan ameno. Surgía así el cuadro fantasmagórico del "hampa afrocubana", adjetivo este último que, si no yerro, fue Ortiz el que puso en circulación, si no lo inventó él mismo.

Para aquel tiempo, Ortiz ha decidido su destino. No es mera coincidencia el hecho de que al año siguiente, 1907, ingrese, para vivificarla y engrandecerla, a la vieja "Sociedad Económica de Amigos del País", de cuyo órgano publicitario, la *Revista Bimestre Cubana,* será director y sustentador casi único a partir de 1910.

El corpulento y socarrón sociólogo y penalista habanero dirige todos sus esfuerzos a deslindar el aporte del negro a la cultura de las Antillas. Si seguimos la pista de sus libros sobre esta materia, queda perfectamente en claro la actitud reflexiva, de entrañable patriotismo y criolledad auténtica, desprovisto de prejuicios raciales, que preside el pensamiento de Ortiz. No simple curiosidad científica, sino innegable ternura humana es la que guía sus inquietudes y elucubraciones en torno del problema del

---

de los negros en el folklore cubano, Habana, Dirección de cultura, 1951; *Los instrumentos de la música cubana,* 5 vols., Habana, Dirección de cultura, 1952-55; *La zambomba: su carácter social y su etiología,* México, 1956. Hay una bibliografía en *Miscelánea de estudios,* La Habana, Ucar., vol. III, 1957, págs. 1589-1617; Ramos y Rubio, *Historia de la literatura cubana,* Habana, Cadenas, 1945, tomo III, pág. 447. *Miscelánea de estudios dedicados a Fernando Ortiz por sus discípulos, colegas y amigos con ocasión de cumplirse 50 años de la publicación de su primer impreso en Menorca* en 1895, 3 vols. Habana, Ucar-García, 1955, 1956 y 1957.

negro cubano. Su postura no es la del hombre de hipotética raza superior, sino la del compañero o cófrade a nivel; así aborda las peripecias religiosas, coreográficas, sociales y musicales de los negros. Se puede comprobar con una primordial enumeración de títulos: *Las rebeliones de los afrocubanos* (Habana, 1910), *Los negros esclavos* (siempre bajo el epígrafe de "Hampa cubana"), *Revista Bimestre Cubana* (1916); *Historia de la arqueología indocubana* (Habana, El Siglo, 1922); *Glosario de afronegrismos* (Habana, 1924); *José Antonio Saco y sus ideas cubanas* (Habana, Universo, 1929), conviene recordar que Saco es autor de una historia de la esclavitud de los negros y de los indios en Cuba; *De la música afrocubana* (folleto, Habana, 1934); *La clave xilofónica de la música cubana* (Habana, 1935); el admirable y ya clásico *Contrapunto cubano del tabaco y el azúcar* (Habana, 1940); *Las cuatro culturas indias de Cuba* (Habana, 1942); *El engaño de las razas* (Habana, 1945); *El huracán: su mitología y sus símbolos* (México, 1947); *La africanía de la música folklórica de Cuba* (Habana, 1950); *Los bailes y el teatro de los negros en el folklore cubano* (Habana, 1951); *Los instrumentos de la música afrocubana,* 5 volúmenes (Habana, 1952); *La zamzomba: su carácter social y su etiología* (México, 1956).

La enumeración precedente, incompleta claro está, revelaría la presencia de un erudito negrista o afronegrista. Craso error. Ortiz lo es, pero no al modo libresco, en que se acostumbra serlo, sino de una manera alegre, amena, socarrona, humana. De ahí que cada una de sus páginas puede ser considerada bien desde el ángulo histórico y filosófico, bien desde el punto de vista de las bellas letras. Y como no se trata de un hombre recluido en una biblioteca, sino persona que sale a desfacer entuertos, abrazado a escudo y adarga, como los buenos hidalgos, helo aquí prodigando alegres y sesudos prólogos y organizando belicosas y sabias instituciones y revistas, tales como las ya nombradas Sociedad de Amigos del País, cuyas raíces se hunden en el siglo XVIII, y su correspondiente *Revista Bimestre Cubana,* o, ya en 1926, poniendo en pie la "Institución hispanocubana de cultura", que sobrevivió hasta 1947 ó 48, y lanzando hacia 1939, una revista agilísima, *Ultra*, que, no obstante ser en apariencia un simposio, lo era de manera orientada y directa, en defensa siempre de los intereses democráticos, adversa a toda discriminación racial.

Que Ortiz ha logrado combinar lo estético a lo histórico, la amenidad a la sabiduría, lo demuestra cualquiera de sus libros y, además, sus campañas. A él pertenece una expresión que no suele prodigarse mucho en América: aludiendo a su mocedad, durante la cual, como estudiante de la Universidad de Madrid, tuvo ocasión de ponerse en contacto con el pensamiento de Joaquín Costa, el orientador, y así como éste se afanaba en europeizar a España, Ortiz sentirá en los pulsos, de vuelta a su patria, el extraordinario empuje de "mundializar" a Cuba. Para ello, lo primero será suprimir el valladar de los prejuicios raciales, terrible obstáculo a toda labor de síntesis biológica y cultural en un país donde son tan visibles los hilvanes étnicos.

Uno de los prólogos (muy breve, cierto) de Ortiz a un libro de índole extraña a sus preocupaciones sociológicas, es el que escribió para *Poesía cubana 1936*, donde, bajo la égida de Juan Ramón Jiménez, se congregaron numerosos poetas jóvenes cubanos de entonces, a revelar y cotizar sus inquietudes líricas. Eran los días en que se hablaba ya de la posibilidad de una poesía más pura, "purista", y se perfilaba el discutido perfil de Lezama Lima, ese contumaz del arte abstracto en Cuba. Una de las manifestaciones todavía supervivientes en ese campo, y más en país en donde la ecolalia *ñáñiga* ha sembrado de cacofonías paradógicamente melodiosas el terreno poético, era "jitanjáfora", tan llevada y traída por Alfonso Reyes, sobre todo desde la efímera y bella revista *Libra* (Buenos Aires, 1929).

Ortiz, con ojo experto, metiéndose en el hondón mismo de aquellas rapsodias supersonoras, redactó una impresionante definición de esa moda poética. Dijo así:

> La jitanjáfora es la forma poética del lenguaje mágico, la supervivencia literaria de las misteriosas expre-

> siones de la liturgia y los conjuros hechiceros que todavía se mantienen vivos y pegados a ciertos oídos por la arrebatadora fuerza hipnótica y emotiva de los ritmos [2].

Conviene detenerse ante tan espaciosa definición. Escapa, desde luego, a los linderos estrictamente esteticistas. No es un llamado del sonido al sonido, por vicio de oir. Es un eco de misteriosas fórmulas mágicas, "con fuerza hipnótica" y sentido "litúrgico", elementos no considerados en ninguna de las apreciaciones anteriores al respecto. Por eso, la llamada poesía negrista cubana o antillana se identifica a menudo con la "jitanjáfora", sin serlo, porque ésta es amenidad de niños, alarde de adolescentes, deshumanización de la poesía en procura de su propio camino auditivo; pero la poesía negrista utiliza la aparente jitanjáfora porque por medio de ella extrae o brotan demonios y dioses al llamado de brujos y prelados, no para regodearse con un ritmo sordo de significado, sino para, al contrario, emborrachar la racionalidad con irracionales pero embriagadores conjuros, cuyo eco despierta escondidas resonancias en nuestro a menudo todavía salvaje subconsciente.

La ligazón entre lo *brujo* y lo *lírico*, entre el *ñáñigo* y el *poeta*, entre la fórmula *mágica* y la *jitanjáfora poética*, no es hallazgo perdido. De él debieran partir muchos comentarios para rectificar el desnivel de sus juicios acerca de la poesía afrocubana.

Sobre el trasfondo ritual de la literatura y de la vida del negro antillano, ha publicado Ortiz nuevos libros, varios de ellos insustituibles. Me refiero sobre todo a la serie impresa por el Ministerio de Educación Pública, entre 1951 y 1954.

Considero que Ortiz ha escrito uno de los más bellos y al par profundos y sabios libros de toda nuestra historia literaria: *Contrapunto cubano del tabaco y del azúcar*. Para el gustoso de

---

2 *Los últimos versos mulatos*, en "Revista bimestre", tomo XXX, pág 331, Habana, 1935.

precisiones, añadiremos que es obra de un Ortiz a los 59 años. Habida cuenta de la vitalidad y buena salud del autor, es como si hubiera ocurrido el acontecimiento —que lo es— a sus 50 años: madurez admirable.

Se trata de un libro iluminante y todo él antológico, es decir, antológico de sí mismo. Bastará transcribir párrafos aislados, que pese a ser escogidos al azar, lucen una altura y una coordinación sorprendente, como hijos de tronco selecto y vigoroso: oigamos:

> El tabaco y el azúcar son los personajes más importantes de la historia de Cuba (p. 3).
>
> La caña de azúcar y el tabaco son todo contraste. Diríase que una rivalidad los anima y separa desde su cuna. Una es planta gramínea y otro es planta solanácea. La una brota de retoño, el otro de simiente; aquélla de grandes trozos de tallo con nudos que se enraizan y éste de minúsculas semillas que germinan. La una tiene riqueza en el tallo y no en sus hojas, las cuales se arrojan; el otro vale por su follaje, no por su tallo, que se desprecia. La caña de azúcar vive en el campo largos años, la mata de tabaco sólo breves meses. Aquélla busca la luz, éste la sombra; día y noche, sol y luna. Aquélla ama la lluvia caída del cielo; éste el ardor nacido de la tierra. A los canutos de la caña se les saca el zumo para el provecho; a las hojas del tabaco se les seca el jugo porque estorba. El azúcar llega a su destino por el agua que lo derrite hecho un jarabe; el tabaco llega a él por el fuego que lo volatiliza convirtiéndolo en humo. Blanca es la una, morena es el otro. Dulce y sin olor es el azúcar; amargo y con aroma es el tabaco. ¡Contraste siempre! Alimento y veneno, despertar y adormecer, energía y ensueño, placer de la carne y deleite del espíritu, sensualidad e ideación, apetito que se satisface e ilusión que se esfuma, calorías de vida y humareda de fantasía, indis-

> tinción vulgarota y anónima desde la cuna e individualidad aristocrática y de marca en todo el mundo, medicina y magia, realidad y engaño, virtud y vicio. El azúcar es ella; el tabaco es él. La caña fue obra de los dioses, el tabaco lo fue de los demonios; ella es hija de Apolo, él es engendro de Proserpina (pp. 5-6).

No obstante estas distinciones, Ortiz acepta en otro lugar de su estudio, que el tabaco es criollo, y el azúcar foráneo; aquél sería Cuba, pero ¿cómo hacerlo provenir de Proserpina?; y ésta sería España o Europa, con recta ascendencia desde Apolo. Ortiz va más allá:

> Cuidado mimoso en el tabaco y abandono confiante en el azúcar; faena continua en uno y labor intermitente en la otra; cultivo de intensidad y cultivo de extensión; trabajo de pocos y tarea de muchos; inmigración de blancos y trata de negros; libertad y esclavitud; artesanía y peonaje; manos y brazos; hombres y máquinas; finura y tosquedad.
>
> *En el cultivo,* el tabaco trae vaguerío, y el azúcar crea el latifundio. *En la industria,* el tabaco es de ciudad y el azúcar es de campo. *En el comercio,* para nuestro tabaco todo el mundo. Centripetismo y centrifugación. Cubanidad y extranjería. Soberanía y coloniaje. Altiva corona y humilde saco (pp. 6 y 7).
>
> El tabaco es oscuro, de negro a mulato; el azúcar es clara, de mulata a blanca... El azúcar no huele; el tabaco vale por su olor (p. 10).

Ortiz apunta que el tabaco se desnaturaliza pasando de la pipa y el rapé al cigarrillo "amariconado". para mujeres (p. 25).

> El tabaco trasciende a magia de brujo cubano... (es) litúrgico... (pp. 25-27).

La evolución del tabaco está claramente definida. Después de servir para pipa y rapé, se convierte en cigarro, "apodado así en seguida porque su figura, su tamaño y su color recordaban a ciertos cigarrones de la campiña andaluza"; luego le dijeron *puro* "para distinguirlo del cigarrillo, de ese cigarro empequeñecido, enteco y pobretón, sin tripa ni capa, relleno de picadura sin pureza y vestido con camisilla de papel" (p. 106).

Continúa el maestro:

> El cigarrillo se originó en Cuba, fue invento del esclavo. Mas parece que nació en Sevilla, por el ingenio de un pícaro que, como el sabio de la fábula, fue feliz *recogiendo las hojas que otro arrojó*. El pitillo fue creación de colillero. Simbiosis del tabaco rico con la pobreza hampona (p. 107).

Dando al "contrapunto" pleno carácter social, concluye:

> El azúcar prefirió los brazos esclavos, el tabaco los hombres libres. El azúcar a la fuerza trajo negros, el tabaco estimuló la inmigración de blancos (p. 113).

El contrapunto entre el tabaco y el azúcar adquiere, en manos de Ortiz, una agudeza hipersensible. No le basta percibir al maestro las diferencias superficiales y describirlas de la más pintoresca y brillante manera. Penetra en su urdimbre. Compara textos y referencias. Se esfuerza por sorprender las profundas raíces del fenómeno. Indaga en la costumbre y la raza. De ese modo establece la etiología del proceso.

Conviene recordar aquí los orígenes absolutamente hispánicos de Ortiz, su color blanco y su mente mediterránea. No obstante, asedia, penetra y describe como nadie la personalidad del negro, extrayendo de esa experiencia no sólo conclusiones sociológicas, sino detalles y perspectivas artísticas de alta valía.

Desde el punto de vista social, reconstruye y reactualiza las teorías de José Antonio Saco, uno de los adelantados de la "afrosofía" cubana. Desde el ángulo literario, se deja arrastrar por el sonido al comienzo y, después, sorprende y revela las relaciones entre la cacofonía y el ñañiguismo, de lo que surge una interpretación esotérica esencial para la poesía del Caribe.

Desde luego, Ortiz se deja influenciar también, como tenía que ser, por la presencia de ciertos fenómenos naturales en la vida psíquica, estética y social del cubano. Uno de ellos, el más importante, es el huracán, al que dedica un libro primoroso y fuerte.

El huracán es una deidad demoníaca de los primitivos caribes y taínos. Como tal produce efectos devastadores, es decir, suprahumanos, desde su trono ubicuo de Dios de las tormentas; como tal es también exaltado, según los casos, dando así origen a una peculiar liturgia. Esta liturgia tiene como uno de sus factores, el canto. El canto se nutre de música y de poesía.

El huracán o ciclón es un fenómeno que aterra todos los años a las Antillas. Modernamente se han caracterizado sus sucesivas apariciones por nombres propios iniciados con una letra distinta en orden alfabético según su aparición. Antes desde la conquista hasta entrado el presente siglo, se lo designaba con el nombre del santo en cuyo aniversario se producía el ciclón: son famosos los de San Ciriaco, San Felipe. Los indígenas lo conocían sólo por su nombre divino: huracán. De toda suerte, con este o aquel traje, el ciclón rige la vida de las Antillas entre el 15 de agosto y el 30 de octubre de cada año. Depende de él la suerte de la cosecha, del comercio, de la industria en la vasta región que abarca las islas de Barlovento y Sotavento, las costas de Centroamérica, Mérida, Yucatán, Florida, las Carolinas y aun cubre a veces el litoral de Virginia y Nueva York.

Fernando Ortiz analiza el fenómeno mítico, litúrgico e histórico, y, por tanto, sus resonancias poéticas. Al entroncarlo con el azúcar y el tabaco, los *dei minori* de la tragedia cósmica antillana, establece algunos rasgos fundamentales. Al azúcar y al tabaco se los rodea o convoca a fuerza de cantos; al huracán se lo trata de alejar con cantos individuales y conjuros vertidos en salmodías o simples cantos colectivos. El negro, actor de esa colosal teatrología, utiliza el canto para atraer o alejar al huracán. El negro nace, vive y muere cantando. La fuerza del negro está en el canto. Su rito se expande en canto. Su meditación se canta. Canto y canto, canto y música explican la teología y la filosofía del negro afrocubano.

Como el canto requiere no sólo tema, sujeto y voz, sino también instrumentos ajenos a la índole humana, es decir, instrumentos musicales, Ortiz culmina su tarea estudiando los que utiliza la música afrocubana y, por ende, su inevitable expresión coreográfica: la danza. Sus últimos libros están consagrados a ello. Es ahí donde establece que "Mambo" es el nombre del demonio en algunas tribus africanas, lo que explica cómo y por qué la moderna danza llamada así, *mambo,* sea una exteriorización coreográfica del caos, de la rebelión íntima del hombre. Ortiz se deleita explicándonos el origen, significado, utilidad y derivaciones de la maraca y el clave, instrumentos clásicos de la música africana. Deslinda la *bunrundanga* de la *zambomba,* la *zambomba* del *candombe,* el *candombe* del *mambo,* el *mambo* de la *rumba,* la *rumba* del *son,* y agrega apuntes aplicables a la *cumbia* y al *tamborcito,* y en general, a esa vasta, numerosa, complicada y sensual miscelánea de cadera, cintura, pecho y mano, cuyo conjunto suele denominarse "danzas del Caribe". Ya lanzado por tal vía no puede ni quiere evitar su ingerencia en explicarnos la poesía caribe, en particular una de sus formas, la más incoherente y sin embargo musical, "poesía pura", llamada la "jitanjáfora".

Por sensitivo y por "brujista", Fernando Ortiz llega al fondo mismo de la poesía mal llamada afrocubana, la poesía del Caribe, mejor dicho, ya que los negrismos de otras regiones, incluyendo Venezuela, Uruguay, Perú y Ecuador, se mueven en otra órbita melódica y sensual, pero sin el contorno mágico de la de Cuba, Puerto Rico, Haití, la costa Atlántica de Colombia y a veces Panamá. Sin duda, esa diferencia se marca por medio de los elementos señalados por Ortiz, en su definición de la jitanjáfora.

Aunque repito, no es la de Fernando Ortiz una figura estrictamente literaria, en el sentido de que no está consagrada a los puros juegos de imaginación, sentimiento o de forma, nadie le niega el sitio que le corresponde en la historia y desarrollo de las letras cubanas, si no de las Antillas. Poseedor de un estilo agudo, gracioso, buido; utilizando un vocabulario sencillo y directo; envuelto siempre en un cendal de ironía; acucioso en el dato, sin sobrecargar la erudición; devoto del indio y el negro, pero fiel al blanco, sobre todo al hispánico, a quien involucra en el fondo mismo de la gran tradición occidental, Fernando Ortiz representa una de las figuras y obras más características de la cultura americana de nuestro siglo. La vastedad de sus temas y trabajos no ha rebasado la gracia de sus atisbos y opiniones. Debiendo ser filiado como una mentalidad crítica, tal vez por esa finura nadie le podría regatear, sin evidente injusticia, el dictado de creador o re-creador, que da lo mismo. Lo es a cabalidad.

XXVII

AUGUSTO D'HALMAR

(Santiago, 23 abril 1882 — Viña del Mar, 27 enero 1950)

Muchas veces me he preguntado si un crítico tiene derecho a enfocar a quienes fueron sus amigos y constantes contertulios, y si, caso de hacerlo, no habría que reputar de sospechoso el testimonio. De ser así, en realidad dejaría de tener alguna validez la expresión de juicios directos. No obstante, la práctica de semejante tabú acarrearía lamentables y hasta irreparables mutilaciones. Por parcial que se suponga al crítico cercano, es difícil que nadie, excepto precisamente las personas muy próximas, puedan proporcionar informaciones detalladas, sustantivas, respecto de aquellos a quienes, después de larga frecuentación, enjuician y retratan. Mi amistad con D'Halmar no pudo ser tan próxima como nuestra vecindad física en el mismo taller literario por muchos y a veces largos meses. No obstante, pudimos intercambiar opiniones y dictámenes con una frecuencia que llegó a la cotidianidad, y, puesto a ser su editor, me sentí durante aquella etapa ligado a su obra misma. Creo haberme emancipado siempre de las influencias afectivas tocante al criterio literario. En el caso de D'Halmar, fue más fácil porque, uniéndonos como nos unía el trato diario, nos separaban abismos, usanzas y gustos. De ello extraigo valor para abordar, sin otros escrúpulos ni aclaraciones, la obra de este escritor de raza, a quien el énfasis, muy hijo de su efigie y de su tiempo, no le permitió desarrollarse con la llaneza artística a que a veces llegaría y que constituye la flor de su estilo, su gracia, mucho más que los retruécanos y paradojas a que, retórico impenitente, se le ve tan adicto.

D'Halmar fue ante todo un actor que habla, es decir, que habla lo que imagina y crea, sin repetir a nadie. Su verdadero nombre era Agusto Goemine Thomson. Fue su padre el atrayente aventurero francés Augusto Goemine. De sus relaciones con doña Manuela Thomson Cross, a quien prometió matrimonio sin cumplirlo, nació el escritor. Esta doña Manuela era hija de un marino sueco, avecindado en Valparaíso (Juan Jacobo Thomson) y de una dama de origen escocés, Juana Cross. Este Thomson descendía de otro marino sueco, de apellido Thomson y con el título de Barón D'Halmar. De niño, Augusto D'Halmar vivió entre mujeres: su abuela paterna y sus mediohermanas Elena y Estela. Por una irremediable cortedad le fue difícil presentarse a examen y no pudo avanzar en sus estudios regulares. Sus compañeros de escuela le apodaban Margarita, acaso por lo tímido y suave; él mismo usó alguna vez el seudónimo de "Selika" [1].

Es evidente que presidió la infancia de D'Halmar una delicadeza eximia, en ciertos aspectos rememoratoria de la de Oscar Wilde. Era, además, un muchacho alto, buen mozo, de hablar como soñando, sibarita, dramático. La carrera artística y la aventura marina se juntaban en aquella especie de hontanar espiritual: debía de apegarse a Pierre Loti como su mejor guía. Pero había aún que caminar largo trecho, que cubre la adolescencia de D'Halmar de sus quince a sus veintidós años; lo llenan las lecturas de Alfonso Daudet, Leon Tolstoy, Dostoyewski, Turguenef, Gorki y, seguramente ya, Andersen, Bjornson y Balzac.

---

[1] Julio Orlandi y Alejandro Ramírez, *Premios nacionales de literatura, 1. Augusto D'Halmar*, Santiago, Ed. del Pacífico, 1959, pág. 6.

A fines del siglo XIX, los escritores chilenos se habían dividido, según se sabe, en dos grupos: los discípulos de Zola y los de Tolstoy: D'Halmar fue el más entusiasta de éstos y hasta fundó una colonia "tolstoyana" siguiendo las enseñanzas del solitario de Yasnaia Poliana. En realidad su temperamento reconcentrado y dulce, se avenía maravillosamente con la nostalgia de *Jack* y las ternuras de *Safo* y de *Poquita Cosa,* al par que recibía con emoción las moderadas angustias de *La sonata a Kreutzer,* y, con maravilla y arrobo, el gigantesco fresco de *La guerra y la paz.* Estaba de moda la neurastenia vivaz de los cuentistas rusos. "Un duelo" de Pushkin despertaba eco discipular en muchos. Los aventureros personajes de Turguenef y Gorki paseaban su carga de rebeldía y desengaños, disuelta en protestas que no llegaban al paroxismo, sino que más bien se desleían en un contagioso *nitchevo.*

D'Halmar, "dandy" prematuro, acogió esas lecciones; desempeñó a conciencia precoces encargos periodísticos (fue director de una revista a los dieciocho años) y finalmente, al llegar a los veinte, publicó su primera novela, en la que quiso verter lo que después jamás trataría de subrayar: su indignación ante la oscura vida del hampa santiaguina, ambiente que empezaba a cobrar interés, sobreponiéndose a las consabidas "roman rose" típicas de los novelistas de Chile. *Juana Lucero,* llamada simplemente *La Lucero,* aparece en 1902. Su autor estaba ya a cien leguas de la inspiración de esta su primera novela.

La Colonia Tolstoyana inviste a D'Halmar de los alamares de caudillo cultural. Se establecieron en San Bernardo, pequeño pueblo a una hora de Santiago, en una casa-quinta propiedad del dulcísimo poeta Manuel Magallanes Moure. Los colonos se dedicaban a las letras y al cultivo de la tierra, pero como eso no alcanzaba para cubrir los gastos, algunos trabajaban como empleados en el pueblo y hasta acudieron a cierta ayuda económica exterior, como la del propio Tolstoy que, al decir de D'Halmar, les envió en una ocasión hasta once rublos, suma que no haría millonario a nadie. Fue un ensayo de vida simple, de rescate de la naturaleza, de depuración estética. Los colonos se leían recíprocamente sus producciones. Declamaban, se esforzaban. Entre ellos aparecían Fernando Santiván (en realidad, Santibáñez) que casó con una de las mediohermanas de D'Halmar; el pintor Julio Ortiz de Zárate, que formaría parte de "Los Diez"; Manuel Magallanes Moure, también de "Los Diez", y otros. Aquel interludio bucólico-romántico se interrumpió en 1907.

El Ministro de Relaciones Exteriores, Federico Puga Borne, que era amigo de los escritores (así lo conocí muchos años después, en 1920 y en Lima), nombró a D'Halmar cónsul de Chile en Calcuta. Partió éste por la vía de París, recorrió el Egipto, se encaró a las pirámides y se hizo de un guía indio, el adolescente Zahiv, que aparece como protagonista de dos libros del poeta y que acabó pereciendo de tuberculosis en Francia, antes del regreso de su amo a América. Tal retorno ocurrió en 1909, en que D'Halmar fue designado cónsul chileno en el perdido puerto peruano de Eten: ahí permaneció hasta 1915, ya iniciada la primera Guerra Mundial.

Así como no cuesta trabajo imaginar por qué fue nombrado D'Halmar cónsul en Calcuta (ocurriría lo propio con Neruda, en 1927), así resulta inexplicable cómo y para qué lo relegaron a Eten, durante un período de aguda tensión entre las diplomacias de Perú y Chile, y en lugar absolutamente abandonado. Se consoló, como solía hacerlo, escribiendo. Ordenó las impresiones de su época indostana, y escribió un relato que a mí me sigue pareciendo de los más bellos y perfectos de su pluma: *Gatita.*

Había publicado ya otro volumen, *La lámpara en el molino* (1914), decena de relatos de un encanto ambiguo, en donde aparecen misteriosamente mezcladas las influencias de Loti, Gorki y Azorín. Tenía en la aljaba, afinándoles las puntas, *Nirvana* y *La sombra del humo en el espejo,* dos magníficos frisos de su vida externa e interna en la India, uno de cuyos protagonistas es el enigmático y a ratos equívoco ya mencionado Zahiv. Pero la impresión de la seca soledad de Eten, la presencia del desierto y la acuidad del desamparo, aguzaron la sensibilidad del artista y canalizaron su ternura ávida y casta hacia una sirvientilla india, a la que llamaba Catita, por Catalina, y Gatita, por mimosa aliteración de su diminutivo. Leí este relato magistral muchos años después de su primera edición, cuando se reimprimió en la colección de *Obras completas,* en que me tocó alguna parte (1935). No había perdido su clásica sencillez, que después me hizo pensar en la admirable llaneza de *El viejo y el mar* de Hemingway. Transcribo sus párrafos iniciales:

> De mi larga permanencia en el Perú yo no conservo ningún recuerdo, como si algunas páginas hubiesen quedado en blanco en mi libro. Aquel puerto aislado en el Norte, la ciudad rutinaria y las poblaciones del interior se me confunden con cualquier parte del mundo, y aun cuando viví entre ellas, me producían a veces la impresión, su cielo azul y sus dunas, de que lo mismo pudieran ser de la Palestina o bien que aquel caserío estaba en Mahes de India, o en Djibuti, del África. Sólo sus gentes me parecieron tan banales, que apenas si recuerdo la fisonomía de una cholita y de un gato, y ese animal y ella, esa niña de trece años, son los que hacen que tenga algo que decir todavía de la tierra de los Hijos del Sol. Había venido desde el Indostán a restablecer nuestro Consulado en Eten, y, por primera vez, después de treinta años que tuvimos la guerra, volvía a izarse la bandera de la estrella solitaria en aquella patria alejada del país vencido, donde el odio se mantenía latente con la idea de la revancha... Un hastío resignado, abatiéndose sobre mí como un pozo de arena que se derrumbase y perdiera hasta la noción de las estaciones en ese clima enervante, siempre dentro de la misma incuria y la misma monotonía... Y he aquí que..., yo veo por la primera vez un semblante fresco, algo que se pareciese a una mujer o a una niña y que ¡Dios mío! me sonriera como si yo no fuese para ella un enemigo... Ella se llamaba Catalina, pero, tal vez en recuerdo de esos pajarillos,

la llamaban Cata los compadres y sus parientes Catita. Mi nodriza la apodó Gatita [2].

No es una de las páginas características de D'Halmar. Se deshilachan en ella rezagos de pasiones extraliterarias, que el tiempo no atenuó. Pero, repito, desprovistas de su retórica habitual, permiten conocer la capacidad de expresión directa de un escritor a todas luces alambicado, y de un hombre con tantas dotes de actor y mimo como de escritor.

Cuando, por uno de esos a veces inescrutables designios burocráticos, D'Halmar pasa de Eten no ya a Santiago, sino fuera del servicio, el tipo se engrifa y desespera. Permanece unos meses en la capital chilena, tratando de arreglar su desarreglo. Cuando no lo consigue, en plena guerra mundial, decide abandonar su patria. Un hiperestésico y orgulloso como D'Halmar no se resignaba a la mediocridad. Viajó a Francia, y ofreció sus servicios a la que sería su tercera patria (la segunda fue España). Tomó parte en actos bélicos; fue herido (tenía 33 años); hubo de permanecer largos meses en el hospital. Trabó entonces amistad con escritores de cuyo trato no se apartaría ya: André Gide (otra coincidencia), Claude Farrère, Francis de Miomandre. Poco después, intimó con el gran poeta Milosz, a quien traduciría. La Paz de Versalles le relevó de los potenciales y espontáneos deberes que había contraído con Francia. Entre 1919 y 1934 residirá en Madrid. Para entonces, ha florecido en Chile una generación de escritores marítimos que reconocen en D'Halmar a su jefe nato. Le apodarán "el almirante", y ellos serán grumetes y oficiales de órdenes a la orden del insigne Adelantado. Aquella tripulación de futuros "Hermanos de la Costa" estará formada por Salvador Reyes, Juan Marín, Luis Enrique Délano, Benjamín Subercaseaux, Hernán del Solar, Manuel Eduardo Hubner, más tarde y más joven Francisco Coloane. A todos los unió la común admiración por D'Halmar, y, a través de él, por Gide, Loti, Farrère, Conrad, Kipling.

---

[2] D'Halmar, *Gatita y otras narraciones*, Santiago, Ercilla, 1935.

Durante su permanencia en Madrid, D'Halmar publica una novela que se aleja del tono de sus libros del periplo India-Perú-Francia; vuelve en cierto modo al naturalismo inicial de *La Lucero;* se trata de *La pasión y muerte del cura Deusto* (1924). Ensaya descripciones de la tierra manchega, como se ve en el libro titulado *La Mancha de don Quijote* (retruécano de Don Quijote de la Mancha), libro escrito en un indudable amor azorinesco, inspirado en *La ruta de don Quijote,* cuyo nemoroso ritmo estilístico sigue con visible lealtad.

En 1934, D'Halmar regresa a Chile, prácticamente después de veinte años seguidos de ausencia. Tiene la cabeza blanca; la tez aún tersa y bronceada; enhiesto el talle, solemne el ademán; la voz de actor experto; se envuelve los hombros en una capa carmelita con vueltas rojas; masca una gruesa pipa de boj; habla de arte literario y de cocina; ostenta una preciosa piedra en el dedo índice de la mano derecha. Dicta conferencias y emprende la revisión de sus *Obras Completas,* para la Editorial Ercilla, a la que acaba de ingresar, acogido en mi segundo exilio.

No saldrá ya de Chile. Se retirará a Valparaíso, cuyas callejas revueltas le seducen. Emprenderá empresas literarias. Obtendrá en 1941 el Primer Premio Nacional de Literatura. Tejerán en torno suyo nuevas y peores leyendas. Al fin se extingue, víctima de un cáncer, en Viña del Mar, puerto final también de Pedro Prado, su compañero de "Los Diez" [3].

---

[3] Obras de D'Halmar: *La Lucero,* Santiago, 1902; *La lámpara en el molino,* Santiago, Imp. N. York, 1914; *Mi otro yo (de la doble vida en la India),* Madrid, "La novela semanal", 1924; *Al caer la tarde* (drama), Barcelona, López, 1907; *Nirvana* (viajes al Extremo Oriente), Barcelona, Maucci, s. a. (1919?); *La sombra del humo en el espejo,* novela, Madrid, Ed. Internacional, 1924; *Vía Crucis,* París, Pichon, s. a.; *La pasión y muerte del cura Deusto,* Madrid, Ed. Internacional, 1924; *La Mancha de don Quijote,* Santiago, Ercilla, 1934; *Lo que no se ha dicho sobre la actual revolución española* (crónica), Santiago, Ercilla, 1934; *Capitanes sin barco,* Santiago, Ercilla, 1935 (novela); *Gatita y otras narraciones,* Santiago, Ercilla, 1935; *Amor, cara y cruz* (novela), Santiago, Ercilla, 1935; *Los alucinados,* Santiago, Ercilla, 1935; *Rubén*

"Alone", en su caprichosa y bella *Historia personal de la literatura chilena,* dice:

> La figura de Augusto D'Halmar divide la literatura chilena en dos: antes, nadie había escrito una prosa como la suya, flexible, matizada, con algo de misterioso, tan cercana a la pintura y a la música; después empiezan los escritores nuevos..., extraños, a veces parecidos a él; a veces distintos, siempre aparte de la tradición neoclásica, y, sobre todo, realmente artistas [4].

El testimonio de "Alone" posee indudable valor, aparte las calidades críticas del exégeta, por su desapego a las glorias terruñeras. D'Halmar, sin duda, inicia en Chile la era de la prosa artística. De prosa artística y de ensoñaciones, de fantasías. Hasta ahí predominaban los novelistas de tipo naturalista, los poetas episódicos (incluyendo aun a Pedro Antonio González y a Carlos Pezoa Veliz, los más modernos de todos). D'Halmar convierte la ilusión en asunto serio, el ideal en posibilidad. Hace alarde de su capacidad de inventar. Rompe el mito de la objetividad chilena, y desata el ritmo subjetivista. Después de D'Halmar, la poesía podrá adquirir los matices personalísimos de Gabriela, Vicente y Pablo, y la prosa, los de Prado, Reyes, Del Solar y Marín. Todo ello, gracias a la sagaz alquitara de Augusto Thomson. Escuchémosle otro fragmento:

> Durante el mes del sol que dora los maizales y quema las flores azules de los cardos, en la flor nueva de un cardo viejo había nacido una cierta familia de dos mil gemelos.

Darío y los americanos en París, Santiago, Prensas de la Universidad, 1941; *Palabras para canciones,* Santiago, Orbe, 1942; *Mar: historia de un pino marítimo y de un marino,* Valparaíso, Leblanc, 1943; *Cristián y yo,* Santiago, Nascimento, 1946; *Los 21,* Santiago, Nascimento, 1948.

4 *Alone* (Hernán Díaz Arriete), *Historia personal de la literatura chilena,* Stgo. Ziz Zag, 1954, pág. 248.

Eran, ya sabéis, vilanos; y, como estaban muy estrechos en su celda, ninguno sospechaba que pudiese ser grande, y soñaba un confuso sueño a la sombra espinuda que creían la bóveda del Universo.

Hasta que cierta mañana, no estoy bien seguro de si fue a medio día, una ráfaga de viento vino a remecer el cáliz del cardo.

Soy yo —decía el viento—, y ya es tiempo de que vuestros hijos vayan a cumplir su misión.

Entonces la flor suspiró levemente, y nuestra plumilla, con ocho de sus hermanos, vino a hallarse al borde de su nido, frente al vasto mundo, y presta a desatar el vuelo [5].

En este breve trozo se advierten, no sólo la delicadeza de la prosa dalmariana, sino también sus ardides: veamos, por ejemplo, las expresiones paradojales: "en la flor nueva de un cardo viejo", "una cierta familia de dos mil gemelos", "cierta mañana, no estoy bien seguro de si fue a medio día". Cada una de estas frases encierra una flagrante contradicción, o un aire indeciso. En otro libro escribe:

Amiga, amiga, mañana, al sonar la oración, al encenderse el faro, escala el calvario que domina hasta tan lejos para percibir, la primera en el horizonte, las velas de la noche. Dormido o despierto, ella me llevará seguramente hasta ti, a su bordo. Trata de distinguirme entre las sombras, al pie de los mástiles donde se balancean las estrellas. Que tu pañuelo tienda las alas como una paloma mensajera. Y aunque ninguna chalupa se desprenda, y aunque no salte a tierra ningún remero, cuando vuelvas sola, cuando vuelvas, piensa que mi paso cansado se ritma con tu paso alerto, y que juntos atravesaremos el umbral donde ya brilla nuestra lámpara.

---

[5] D'Halmar, *A rodar tierras*, pág. 106.

Parece un párrafo prosificado de Mallarmé. Pudiera ser sencillamente de *Brise marine*. D'Halmar sabía impregnar su prosa de un aire vago, propio del misterioso Maeterlinck y el radioso Milosz, a quienes fue leal, por encima de cualquier infidelidad de modo y moda.

Lo curioso es que este hombre cuyo estilo está hecho de cendales, fuera frente a la mesa un animal gutural, fuese un apasionado amante del pecado, y que su pudor de poeta se convirtiera en impudicia de Alcibiades cuando la vida golpeaba sus pulsos. Creo que nadie soñó en Chile con tanta pulcritud como D'Halmar, y que nadie devoró tan sin fronteras manjares del cuerpo, como el "Almirante del buque fantasma".

Sentó plaza de escritor, irrevocablemente. Su conscripción voluntaria no le alejó de ninguna otra inquietud, pero le aferró a aquélla en forma profunda. Enseñó a escribir con deleite a los chilenos. Es, sin duda, su pecado capital. Por haber colocado su oficio por encima de lo demás, desdeñó todo tipo de consideraciones limitativas, y se abrió las venas del alma y del cuerpo en una explosión magnífica de animalidad poética. Con menos retórica, habría sido, para la prosa chilena, lo que Neruda para su verso. Si no tuvo hijos de la sangre, los tuvo del espíritu: todavía le sobreviven y hasta le sobrecantan.

XXVIII

EVARISTO CARRIEGO

(Paraná, Entre Ríos, Argentina, 7 mayo 1883 — Buenos Aires, 13 octubre 1912)

Empezaré con frase ajena, con la que desde luego me hallo bastante de acuerdo; pertenece al joven crítico argentino Carlos Alberto Loprete, y dice así:

> El prurito academicista de postergar todo lo que no articule con la grandeza universalmente reconocida, ha hecho desaparecer la figura de Carriego de muchas historias literarias y antologías. De otra parte, la crítica hedónica y la improvisación bisoña en el afán de jerarquizar al desvalido social que fue el poeta, han dado en el error de mezclar sus letras con la historia sentimentalista de su enfermedad y de su protesta social, cuando no de confundirla con el gusto porteño por el tango y la milonga [1].

Estos distingos son justos. Si por un lado, cierta pretensión eruditesca y seudojerarquizante, rechaza a Carriego tachándole

---

[1] Carlos A. Loprete, *La literatura modernista en la Argentina*, Buenos Aires, Poseidón, 1955, pág. 92.

de vulgar o sentimentaloide, por el otro, la afición a lo fácil y accesible, trató de hacer de él un *dei mayori*. Ni lo uno ni lo otro, sobre todo, nada de lo primero. No tiene Carriego la culpa de que la letra de un tango hable de él (llamándole "el loco Carriego"), pero tampoco debe monopolizar, sin beneficio de inventario, el honor de haber merecido un libro entero de Jorge Luis Borges, últimamente reeditado. Carriego fue un poeta de *impromptus,* una especie de Coppée criollo, con el cristianismo a flor de piel y con la obsesión de su abandono a pico de verso. Si corresponde su tiempo al del auge modernista también es vecino del prestigio de "Almafuerte", uno de los poetas más extraordinarios y ramplones de las letras argentinas.

No se tienen detalles muy precisos sobre la infancia de Carriego; se sabe, sí, que su familia abandonó, cuando él era muy niño, la provincia de Entre Ríos y las riberas del fronterizo Paraná para radicarse en el barrio de Palermo, en Buenos Aires, barrio que conservaba el recuerdo del tirano Rosas y estaba formado de casas-quintas, apoyada la culata en las barrancas sobre el río. Practicó el periodismo a comienzos de siglo, y fue amigo y compañero de Florencio Sánchez, entonces en plena bohemia. Gustaba de frecuentar a los humildes, sobre todo a la gente del conventillo porteño, a la baja clase media. Fue dulzón, de modesto vivir, quizá, como bohemio, dado a uno que otro trago de vino o aguardiente. No tuvo tiempo para más. Murió el 13 de octubre de 1912, antes de cumplir los treinta [2].

---

[2] Evaristo Carriego: *Misas herejes* (contiene *Viejos sermones, Envíos, Ofertorios galantes, El alma del suburbio, Ritos en la sombra*), Buenos Aires, 1908; *Poesías de Evaristo Carriego* (contiene lo anterior más *Poemas póstumos*), Barcelona, 1913; *Los que pasan...* (teatro, estreno 16 noviembre 1912), Buenos Aires, 1918; *Flor de arrabal* (cuentos), Buenos Aires, 1927.

Sobre Carriego, cfr.: Jorge Luis Borges, *Evaristo Carriego*, Buenos Aires, Gleizer, 1930; Arturo Capdevila, *Evaristo Carriego en dos estampas* (prólogo a la ed. de *Poesías completas*, 1944); José Gabriel, *Evaristo Carriego (su vida y su obra)*, Buenos Aires, 1921; F. de Onís, *Antología de la poesía española e hispanoamericana (1882-1932)*, Madrid, Rev. de filología, 1934; Roy Bartholomew, *Cien poesías rioplatenses (1800-1950)*,

Si uno pudiera situarse dentro de los escritores a quienes estudia, el intentarlo con Carriego parece empresa desprovista de escollos. Sin embargo, habría que pensar en lo que significaba en esos momentos la huella de Rubén Darío y su musicalidad, a que Carriego rindió pleitesía en más de una de sus composiciones; y habría que pensar también en lo poco o nada que representaba el arrabal para los poetas de entonces, sin exceptuar a "Almafuerte", con quien se vincula excesivamente al autor de *Misas herejes;* de donde la hazaña de Carriego, de sobreponerse al gusto ambiental y erguirse hacia la sublimación de lo cotidiano, encierra auténtico valor. No se podría vincularlo con el deshuesamiento de lo suntuario y modernista, que practicara Lugones a partir de su *Lunario sentimental,* porque para entonces Carriego había definido ya su destino literario. Ni se le pueden atribuir excesivas lecturas de Coppée, cierto Samaín y casi todo Francis James, porque no parece muy evidente que Carriego los conociera, salvo a través de traducciones por lo general inexactas. Deberá buscarse la raíz y cauce de esa poesía mansa, melancólica, urbana y sentimental en la comunión entre el poeta y su ambiente, en el rechazo o resignación que la serena miseria del suburbio y sus simplísimos placeres provocaron en Carriego. Por lo demás, y conviene decirlo, nunca pretendió él pasar por exquisito; tuvo el orgullo de su voluntario pedestrismo, de su prosaísmo estético, alto, certero, como una especie de reivindicación o redescubrimiento poemático de la vulgaridad arrabalera. Carriego fue el poeta de la costurerita, del organillero, del conventillero enamorado de la luna; fue, como se le conoce por antonomasia, "el cantor del barrio". Como tal, se jactaba de sus lecturas no muy escogidas, de sus pobres melodías predilectas, al alcance del "gringo" que tocaba el pianito ambulante. Hizo virtud de lo que otros consideraban defecto. Para ello hubo de insistir largamente en sus temas, al punto de convertirse, como lo confirma F. de Onís, en poeta de

---

Buenos Aires, Raigal, 1954; Unión Panamericana, *Diccionario de la literatura latinoamericana, Argentina,* I parte, Washington, 1960.

una sola poesía "y por eso mismo, obra de arte puro universal". Loprete señala con acierto, aunque sin mucha originalidad, la sumisión del primer Carriego al primer Lugones y al Darío de siempre, así como la imitación patente de la "Letanía de Nuestro Señor don Quijote" (publicada en revista antes que en *Cantos de vida y esperanza,* 1905), patente en la composición titulada "Por el alma de don Quijote". Nadie en América, ¡qué digo! en el idioma, pudo librarse del implacable señuelo de Rubén en esos tiempos. Carriego escribió, sin embargo, entonces sus citados versos, ya que en libro se publicaron sólo el año de 1908. Pero no es ésa la cuerda característica de Carriego. Al contrario, se tipifica y expande al liberarse de la coyunda rubeniana; cuando pierde el culto de la musicalidad, y se lanza a retratar escenas vulgares, aunque sin perder el ritmo implacable del verso finisecular.

Nadie podría negar que en los versos de Carriego el sonsonete reemplaza a menudo a la poesía, y que los ripios menudean con desapacible frecuencia. No obstante, es un poeta en la más noble acepción del vocablo; poeta no sólo popular o difundido, sino de profunda raigambre humana y certera realización formal, excepto las inevitables caídas que a todo escritor le ocurren, máxime si como éste apenas alcanzó a los veintinueve y no tuvo tiempo de madurar ni oportunidad de ensanchar su cultura.

Álvaro Melián Lafinur, que le trató y prologa su colección de poesías completas de nuevo editadas bajo el título de *Misas herejes,* describe así a Carriego:

> Todavía me parece estarle viendo, pequeño y nervioso, con sus ojos obscuros y brillantes de mirar inolvidable, su frente alta y amplia, su gesto categórico y resuelto. Todavía me parece escuchar su voz vibrante, empañada a veces por una recóndita tristeza y oírle narrar sutiles anécdotas de la bohemia literaria o referir,

con apasionamiento irreplicable, las leyendas de sus héroes dilectos [3].

Por el propio Melián Lafinur sabemos que la primera composición que publicó Carriego fue la titulada *La viejecita,* y que sus amigos eran aparte de Melián, de Evar Méndez y de Florencio Sánchez, el fino Juan Mas y Pi, exégeta y en cierto modo redescubridor de Julio Herrera y Reissig, y algunos cuchilleros, "compadritos" y matones del barrio, con los que Carriego, como Florencio Sánchez, gustaba de departir y beber una que otra copa. Todo esto forma parte de un anecdotario lamentable. Mas frente a ello, o mejor, a consecuencia de ello, surge el poeta cada día más independiente de influencias extrañas, sujeto a su idealizado arrabal. Hay que oírle:

COMO AQUELLA OTRA

Sí, vecina, te puedes dar la mano,
esa mano que un día fuera hermosa,
con aquella otra eterna silenciosa
"que se cansara de aguardar en vano".
Tú también, como ella, acaso fuiste
la bondadosa amante, la primera
de un estudiante pobre, aquel que era
un poco chacotón y un poco triste.
O no faltó el muchacho periodista,
que allá, en tus buenos tiempos de modista,
en ocios melancólicos te amó,
y que una noche fría, ya lejana,
te dijo, como siempre, "Hasta mañana"...
pero, que no volvió...

Los elementos de este soneto son precisos. La emoción se gradúa de modo ejemplar, aunque haya ciertas concesiones a la

3 A. Melián Lafinur, prólogo a *Misas herejes* de Carriego, Buenos Aires, La cultura argentina, 1917, pág. 7.

rima que malogran formalmente algunos versos ("y que una noche fría, ya lejana", "esa mano que un día fuera hermosa"). El poema empieza con cierto énfasis modernista. Felizmente esta solemnidad se quiebra en el séptimo verso, y discurre entonces la composición de un *crescendo* pasional y un *diminuendo* expresivo que, por rara coincidencia, acaban por juntar sus aguas en los dos desgarradores versos finales, el último más corto que los otros, en magistral sincopado. (De este poema ha nacido un tango: aquel que empieza: T'acordás, Milonguita vos eras...). En la composición no hay una sola palabra que no pertenezca al léxico cotidiano, sobre todo el término "chacotón", absolutamente callejero.

A Carriego le gustaba entrecortar los versos, romper su unidad métrica, darles un tono coloquial, eliminar la más leve sombra de retórica, lo cual constituye, claro está, una forma específica de específica retórica. En cambio, no se apea del endecasílabo, sino para ensayar el alejandrino o el dodecasílabo, el verso más sonoro, acaso, junto con el decasílabo. Sus temas, aparte de los del suburbio, giran en torno de sí mismo. En una desigual composición, "Ratos buenos", alterna de modo insoportable la elevación con la caída. En ella nos dice:

El cigarro, la música y el vino,
familiar, generosa trilogía...

....

¡Oh, quién pudiera diluir la luna
y beberla en la copa, trago a trago!

....

En el fondo del vaso, poco a poco,
se ha dormido borracha la tristeza...

No son originalidades insignes; son datos biográficos o psicológicos que merecen ser tomados en cuenta para reconstruir la figura del escritor.

La poesía de Carriego es, a menudo, y a veces cuando mejor acierta, descriptiva. Sus presentaciones del "gringo" "bolichero" y del matón o compadre del barrio, fueron en su tiempo joyas de lirismo popular, y hoy, doradas por la pátina del tiempo, desaparecidas las figuras reales que inspiraron al poeta, adquieren un tono romántico, como las de un cruzado o un bardo para la poesía europea de fines del XVIII. He aquí dos fragmentos ilustrativos:

El gringo musicante ya desafina
en la suave habanera *provocadora,*
cuando se anuncia a voces, desde la esquina,
"el Boletín —famoso— de última hora".
Entre la algarabía del conventillo,
esquivando empujones, pasa ligero,
pues trae noticias uno que otro chiquillo
divulgando las nuevas del pregonero.
En medio de la rueda de los marchantes,
el heraldo gangoso vende sus hojas...
donde sangran los sueltos espeluznantes
de las acostumbradas crónicas rojas [4].

Bajo el impacto del *Juan Moreira*, que representaban los Podestá, primero como pantomima de circo, al final como pespunte de teatro, escribe Carriego *El guapo:* dedicado "a la memoria de San Juan Moreira, muy devotamente":

El barrio le admira. Cultor del coraje,
conquistó a la larga renombre de osado;
se impuso en cien riñas entre el compadraje
y de las prisiones salió consagrado.
....
Con ese sombrero que inclinó a los ojos
con esa melena que peinó al descuido,
cantando aventuras de relatos rojos,
parece un poeta que fuese un bandido...

4 "El alma del suburbio", en *Misas herejes*, ed. de Cultura argentina, 1917, pág. 85.

El último verso es una clarísima reminiscencia del Rubén de *Prosas profanas* y acaso de Valle Inclán, por el peculiarísimo modo de usar el subjuntivo.

Lo esencial de la ternura de Carriego, ternura algo barata si se quiere (si se malquiere), se halla en sus poemas finales, cuando se libera del señuelo de Rubén y de "Almafuerte". Cuando se encara a su propia, dolida sensibilidad. Ello es más transparente en "El camino de nuestra casa", "Mamboretá", "Mambrú se fue a la guerra", "La costurerita que dio aquel mal paso", "Como aquella otra", etc. Por lo demás, el ánimo descriptivo y lírico-periodístico de Carriego se desprende de los títulos de sus versos: "La muchacha que siempre anda triste", "La francesita que hoy salió a tomar el sol", "Otro chisme", "El hombre tiene un secreto", "El silencioso que va a la trastienda", "Aquella vez que vino tu recuerdo", "La silla que ahora nadie ocupa". A primera vista salta el carácter impresionista de los temas: no pueden hurtarse los versos a tal designio.

Podría pensarse en cierta analogía entre Luis Carlos López, el irónico poeta de Cartagena, y Carriego. Puede hallarse paralelo en la forma en el voluntario prosaísmo, no en el espíritu, pues a la sorna permanente de López responde el ahogado suspiro y el contenido lagrimeo del argentino. En realidad, en aquel tiempo, comienzos del segundo lustro de 1900, los poetas todos trataban de ser sencillos y hasta pedestres, en un evidente propósito de cortar amarras con la vieja orquestería modernista.

No llama la atención, por eso, la buscada ramplonería carriegana aun cuando la salpiquen rasgos de discreto lirismo. Por ejemplo:

... Caminito
de nuestra casa, eres
como un rostro querido
que hubiéramos besado muchas veces:
¡tanto te conocemos!

(El camino de nuestra casa)

Has vuelto, organillo. En la acera
hay risas. Has vuelto llorón y cansado
como antes.
El ciego te espera
las más de las noches, sentado
a la puerta...

(*Has vuelto*)

Carriego no se afanó, halló sin esfuerzo la clave de la emoción de los sencillos, de lo que podríamos llamar literariamente, la gente de Vargas Vila, pero sin énfasis. ¿Que no sea un mérito artístico? Es muy posible; sin embargo, no deja de ser un valor humano y por consiguiente estético. Citemos, por ejemplo, el soneto *La que hoy pasó muy agitada:*

¡Qué tarde regresas!... ¿Serán las benditas
locuaces amigas que te han detenido?
¡Vas tan agitada!... ¿Te habrán sorprendido
dejando, hace un rato, la casa de citas?

¡Adiós, morochita!... Ya verás, muchacha,
cuando andes en todas las charlas caseras:
sospecho las risas de tus compañeras
diciendo que pronto mostraste la hilacha...

Y si esto ha ocurrido, que en verdad no es poco,
si diste el mal paso, si no me equivoco,
y encontré el secreto de esa agitación...

¿quién sabrá si llevas en este momento
una duda amarga sobre el pensamiento
y un ensueño muerto sobre el corazón?

En este momento nada hay imprevisto, ni exótico, ni alambicado, ni sublime, ni elocuente. Todo aparece llano, casi trivial. El drama que sugiere es un drama cotidiano: de ahí su finura y penetrante lirismo. Un examen de su contexto, del *tempo* como discurre, ilustra sobre la técnica de Carriego. Uniendo cosas fútiles alcanza una dimensión honda y alta. El *ensueño muerto sobre el corazón* es la resultante de la serie de actos y conjeturas que rodean el regreso nervioso de la muchacha a su barrio. Es casi nada; es desde luego todo. Por lo que reúne toda la sección "La costurerita que dio aquel mal paso" se podría pensar que alguien muy allegado al poeta fue la heroína de aquella triste hazaña y del regreso arrepentido que inspira varias composiciones. Pero ¿es que no está ahí la urdimbre y alma del tango argentino?

"Leyendo a Dumas" nos ilustra sobre las modestas predilecciones literarias de Carriego. No es sino un esguince. El poeta no quiere abandonar su órbita hogareña y suburbial. Sus amores familiares: la hermana, la madre, el viejo, la prima, la abuela... Por fin evoca el solar donde vegeta y sueña: su acento es de una parca ternura intransferible:

Mañana cumpliremos
quince años de vida en esta casa.
¡Qué horror, hermana, cómo envejecemos,
y cómo pasa el tiempo, cómo pasa!
Llegamos niños y ya somos hombres,
hemos visto pasar muchos inviernos
y tenemos tristezas. Nuestros nombres
no dicen ya diminutivos tiernos,
ingenuos, maternales: ya no hay esa
infantil alegría
de cuando éramos todos a la mesa.

....

¡Cómo ha ido cambiando todo, hermana,
tan despaciosamente! ¡Cómo ha ido
cambiando todo!... ¿Qué se irá mañana
de lo que todavía no se ha ido?
Ya no la abuela nos dirá su cuento.
La abuela se ha dormido, se ha callado,
la abuela interrumpió por un momento

muy largo el cuento amado...

....

(Hay que cuidarla mucho, hermana, mucho)

La poesía de Carriego discurre así, como un chorrito manso, metiéndosenos a menudo en lo más íntimo del sentimiento, haciéndonos copartícipes de sus blandos desmayos, de su incoercible y vulgar melancolía.

De Carriego parten varios meandros líricos. Con variantes de perfección, intensidad y densidad, podríamos mencionar a Evar Méndez, Baldomero Fernández Moreno, Oliverio Girondo, al propio Jorge Luis Borges y aun a Raúl Scalabrini Ortiz *(El hombre que está solo y espera)*. Se le puede colocar en paralelo con Luis Carlos López, Leónidas Yerovi, M. Martínez Valarde, Falconí Villagómez, aun Pesoa Véliz. Se diferencian por los modos de usar la metáfora, de emplear la imaginación. Pero todos ellos coinciden en el rechazo del énfasis, en la deificación de la vida vulgar, en la exacerbación de los sentimientos cotidianos, en el degollamiento de la elocuencia, es decir, del cisne. Entre la sonoridad modernista y la arrogancia vanguardista (ultraísta, dadaísta, surrealista), la poesía cotidiana a lo Carriego se da cual un remanso, discurre como un arroyuelo, se arroja sin ruido al mar, clamando por sosiego y olvido, dos pasiones, dos virtudes de que se nutre el ser humilde de las "ciudades tentaculares", cuyos suburbios encierran tragedias que no se cantan, dolores que no se vocean, penas y alegrías grisáceas, del color de la tierra y de la nube cuando anochece, cuando la vida se repliega sobre sí misma para ensayar el recuento de sus tristes ganancias y sus irrestañables pérdidas, antes de refugiarse finalmente en la muerte...

XXIX

RICARDO MIRÓ

(Panamá, 5 noviembre 1883 — 2 marzo 1940)

La vida literaria de Panamá era una parte de la de Colombia hasta 1903, en que se realiza la independencia del Istmo. Después, aunque se lo disputaran influencias de diverso género, en especial las de Norteamérica, Panamá siguió fiel a la tradición cultural de Colombia. La asistían en este propósito, indiscernibles razones. Una de ellas el permanente vínculo con Bogotá, foco de su saber.

Ricardo Miró Denis, tenía sangre de liridas: su tía (Amalia Denis, hermana de Mercedes, la madre del poeta) se consagró a las letras. Entre 1883 (5 de noviembre) fecha de su nacimiento y 1898, Ricardo Miró vivió dentro del ambiente calino y fulgurante del Istmo. No eran días propicios a la literatura. Y aunque ya se insinuaba el lirismo de Darío Herrera, insigne modernista, debemos convenir en que, por ausencia de acicates inmediatos, la vida artística era en Panamá de aspecto y contenido subsidiarios. Hay un hecho ajeno a la literatura, que sin embargo, influyó determinantemente en ella: la apertura del llamado Canal Francés. Según es sabido, una Compañía Francesa, dirigida por Ferdinand Lesseps, que había tenido la gloria de abrir el Canal de Suez, obtuvo el beneplácito para coronar tal empresa. Fue un fracaso. Se introdujo en Panamá entonces una auténtica esclavitud de negros barbadenses, jamaicanos, bahamenses, antigueños, colombianos. No obstante la reducida tasa de gente culta, que hubo entre ellos, en cierta medida, aquella inmigración contribuyó a dar a conocer modelos directos del modernismo. Como en tierras del trópico, la pasión pudo siempre más que la intelección, Panamá hubo de experimentar esa pasión no siempre deseable. Los que hablan de la "generación literaria de 1894" en América Latina, pretenden ignorar ex-profeso la decisiva influencia del clima y las costumbres locales, como se ve en el caso de Centroamérica. El hecho es que Ricardo Miró Denis, emigró de Bogotá, para cultivarse; al poco tiempo volvió al Istmo, en donde, al menos, no eran tan perceptibles los efectos de la cruenta Guerra de los Mil Días, trabada entre los liberales y conservadores de Colombia.

El desenlace de aquella lucha, en lo que a Panamá corresponde, fue la creación de la República. Acaeció el suceso el 3 de noviembre de 1903; Ricardo Miró, ya de regreso de Colombia, cumplía los veinte años. No titubeó en adherirse al movimiento de exasperado nacionalismo suscitado a raíz de la Independencia. Al año siguiente aparecía *El Heraldo* del Istmo dirigido por Guillermo Andreve, uno de los capitanes del modernismo panameño [1].

He leído con atención casi todos los números de ese periódico, en el que afloraran, un poco a destiempo, los primitivos modos del rubendarismo. El mundo de aquellos escritores estaba poblado de ninfas y faunas, de marquesas y pastorales. Mantenían el tono de *Prosas Profanas* cuando ya el autor de este libro había variado radicalmente de tendencia. Se explica esto en gran parte por las características del trópico y por las circunstancias especiales de Panamá, atareado en ese momento por dos ocupaciones fundamentales: organizar la recién nacida república y encarar todo lo concerniente a la apertura del Canal. No era

---

1 Rodrigo Miró, introducción a la *Antología poética* de Ricardo Miró, Guatemala, ed. del Gobierno, 1951, págs. XVI-XXXV.

el instante más propicio para la deleitosa creación literaria, sobre todo, para la creación formalista del modernismo. Por otro lado, la propia situación istmeña instaba a liberarse de los fenicios del día para rescatar o resguardar el tesoro espiritual en peligro. Ricardo Miró se unió al grupo en que, además de Andreve, el más dinámico, figuraban Darío Herrera, Adolfo García y el joven Enrique Geenzier.

Rodrigo Miró, su puntual biógrafo, hijo y exégeta, nos refiere que Ricardo contrajo matrimonio en 1906, y que al año siguiente, se produjeron dos acontecimientos en su vida: La aparición de la revista *Nuevos ritos,* que se constituyó bajo el capitanazgo de Andreve, y el fugaz trato con Darío, al paso de éste por Panamá, de regreso de la Conferencia Panamericana celebrada en Río de Janeiro, de la cual queda, como magnífico airón la "Epístola a Madame de Lugonès" ("Madame de Lugonès, j'ai commencé ce vers..."). Acto seguido Miró publica su primer libro: *Preludios* (1908).

Miró era entonces lo que suele llamarse un joven prodigio. El Gobierno y la sociedad panameña elogiaban al joven apolonida. Para aplicar sus posibilidades, se le nombró diplomático en Inglaterra. Miró deja pasar tres años viajando entre este país, España y Francia, pero sobre todo residiendo en Barcelona, donde conoció a Santiago Rusiñol, Pompeyo Gener y el colombiano Vargas Vila. De ellos aprende la fácil ciencia del apóstrofe y la más difícil del sentimentalismo. Cuando encuentra a Filippo Marinetti, el padre del futurismo, la personalidad de Miró, aunque porosa, se halla impenetrable a los delirios automatistas de la nueva y estridente escuela literaria.

La peripecia biográfica de Miró es muy precisa desde entonces: vuelta a Panamá en 1911; reincorporación a la revista *Nuevos ritos,* publicación de *Los segundos preludios* (1916); director de los Archivos Nacionales (1919); miembro de la delegación panameña al Primer Centenario de la Independencia del Perú (julio de 1921); secretario perpetuo de la Academia Panameña de la Lengua (1926); renuncia de los Archivos (1927); publicación de *Caminos silenciosos* (1929); dedicación a escribir más versos, cuentos, dramas y finalmente la muerte el 2 de marzo de 1940, siempre en la ciudad de Panamá, a la que estuvo como adherido.

En Ricardo Miró se magnifican las virtudes y los defectos del modernismo, el cual precisamente alzaba la bandera. Los temas de Miró no se apartan de los predilectos de nuestros románticos, agravándose al contrario con sobrecarga de nacionalismo inusitable en esa hora en que nacía la nueva República. Miró se ciñe al cartabón de los sonetos lugonianos, en especial los de la etapa de *Los crepúsculos del jardín,* coincidentes con los de Herrera y Reissig, el de *Los peregrinos de piedra.* Los de Miró aparecen como saturados de sensaciones y emociones exclusivamente eróticas. Por ejemplo, este primer cuarteto del soneto "Copos de espuma", fechado en 1905:

> *Bajo el palio nupcial de tus amores,*
> *sobre la grama del jardín dormido,*
> *hallé en tu boca delicado nido*
> *para arrullar mis pálidos ardores.*

Cualquier crítico impugnaría la expresión "pálidos ardores" por ilógica y de discutible buen gusto. No es eso lo saltante, sino la anacrónica combinación de acentos que modifica el endecasílabo ritual, mezclando los acentuados en la sexta sílaba, con los acentuados en la cuarta y octava, y en especial la forma del último terceto, que condensa, como en una pincelada final, la inspiración entera de la estrofa:

> *Y en el cansancio azul de tu pupila*
> *fue la noche como una mar tranquila*
> *que se rizara con espumas de oro.*

La frase "el cansancio azul de tu pupila" luce, por doble vía, la impronta modernista: primero, en el uso del "azul" y segundo, en el tropo sutil "cansancio azul de tu pupila", que reemplaza con ventaja el empleo de los vocablos "languidez de tu mirada" y otros similares, al cabo de tanto uso absolutamente deplorable.

Ricardo Miró fue, empero, un repentista, con esa facilidad para soñar y rimar típicas en el hombre del trópico. Por ende, sufrió esa peligrosidad para caer en el mal gusto, característico del repentista. No suele abundar en las latitudes ecuatoriales el tipo del poeta cuidadoso, meditativo, racionalista, al modo de Saint-John Perse, Elliot o Valéry. Predomina el sensitivo, el sentidor. En el caso de Miró, y a causa tal vez de la deslumbrante luz de la región istmeña, se destaca un ágil impresionista. Sus versos son como cortas pinceladas o vigoroso brochazo. Rara vez concluyó un cuadro. Suele dejarlo insinuado, inconcluso.

Ha dicho Rodrigo Miró, su mejor glosador, que en Ricardo es notoria la insistencia en el tema de las garzas. Así ocurre, pero, en realidad, al hacerlo Miró recoge un tema esencialmente panameño. La garza es para ese país como el cóndor para la región andina, el loro para la selva de América Central, o el puma y la boa para la jungla amazónica. Miró admira y canta con delectación a la garza. Lástima que el léxico no iguale al ímpetu sentimental. La frecuencia de los verbos "enloquezco", "me enamoran", acusan cierto déficit en el vocabulario. No obstante, hay algunas estrofas en que casi desaparecen los excesos sonoros y las pobrezas de léxico:

Pero yo amo las garzas porque existe
un amable recuerdo en mi memoria:
es el tuyo: tú fuiste blanca y triste
y, volando en silencia, te perdiste
en el cielo sin nubes de mi historia.

La fecha es 1907: Miró tenía veinticuatro años, pero demasiada vehemencia por prefigurar sus apetencias y soñaciones. De otra suerte habría evitado los escollos poéticos significados por palabras tales como "amable", "sin nubes", y no habría insistido en algunas constructivas consonancias interiores como la del verso tercero.

Miró fue un bohemio, en el sentido decimonónico de la palabra. Le gustaba deambular; a menudo, los amores de paso; no pocas veces, el buen beber; siempre, en extraño contubernio, le rodearon la soledad esencial y la amistad barata. Vivía así; eso es: vivía y cantaba, sin importarle mucho lo que dijera la crítica, demasiado seguro de la potencia de su garganta, de la fineza de su oído. Se envolvía en una niebla de pesimismo y hastío, muy de acuerdo con la actitud de aquel tiempo; presa de un dandysmo no siempre de la mejor cepa. En la composición "Poemas dolorosos", pertenecientes a *Caminos silenciosos*, se halla como en ninguno de sus versos la verdad del lírida:

¡Dolor el de quien ama a una mujer que ha sido
de todos y no puede bañarse en el olvido!
Yo la encontré en la calle como encontramos una
moneda, o como hallamos, en un charco, la luna;
y así como la luna se hiciera mil pedazos
al tocarla, se me hizo pedazos en los brazos.

¿De qué remota estrella de amor plugo al destino
traerla y colocarla dócil en mi camino?
¿Acaso fue Dios mismo quien fraguó la ironía
de hacerla y suave y mansa para que fuera mía?

Mía... como la garza; mía... cual la gaviota,
como la nube errante, como la errante nota.

El ritmo de este poema es realmente como un título doloroso. Tiene el aval de una angustia autobiográfica, de una experiencia vertida en el tentador lenguaje del verso. Mas aparece, al mismo tiempo, una de las debilidades de la poesía de Miró: su falta de pulimento, su confianza en sí mismo, en su impulso inicial. Ello se advierte de nuevo, y con mayor nitidez en el "Responso a Margarita Krotsky", en el que, entre muchas concesiones imperdonables al tintineo de la rima, encontramos esta estrofa señorial:

Pero, imposible fue que entre los dos
floreciera el amor con sus espinas,
porque nos lo vedaron las divinas
y sabias manos de Dios.

En general, Ricardo Miró se consagra a temas demasiado trillados, por respetables o altos que sean: mujer, amor, patria, paisaje regional. En lo uno y lo otro, pone un insistente acento confidencial. En realidad, a semejanza de Chocano, a quien imitó en determinados instantes y a quien rindió pleito y público homenaje, no concibe el mundo ni la vida sino a través de su propia experiencia, de su pasión del día. El lirismo se le convierte en agudo subjetivismo. Podría decirse igual de Byron, Espronceda, Musset, pero, guardadas las distancias, aquéllos pertenecen a una etapa absolutamente romántica, mientras que Miró se desarrolla en la del modernismo, cancelados el romanticismo y hasta el simbolismo. Además considerada su larga permanencia en Europa y su contacto con Marinetti y Maristany, ¿cómo fue posible que no reaccionase contra un temario anacrónico y hasta absoluto como el de su uso?

Surge aquí una cuestión: ¿cuánto y qué leyó este hombre? Porque un poeta se perfecciona y alisa a través de sus lecturas. Éstas constituyen su alimento, su pista de ejercicio, su modo de crecer. Las lecturas perceptibles a lo largo de la obra de Miró son pocas y no muy significativas. Desde luego, Rubén Darío, José Santos Chocano, Guillermo Valencia, José Asunción Silva, entre sus más asiduos modelos modernistas, y Gustavo Adolfo Bécquer y Ramón de Campoamor, entre los españoles. No cabe duda de que frecuentó autores franceses y probablemente ingleses, pero siempre dentro de la escuela romántica y aun parnasiana. Es lo que traslucen sus versos.

Pertenecía Miró a un tipo de escritor finisecular. Prefería vivir y conversar a leer y estudiar. Sus aciertos provienen de la intuición, de un rapto de inspiración.

Esta actitud, lindante con el romanticismo, aparece con nitidez en este terceto:

¡Historia de mi vida compendiada
porque yo soy, cual la gaviota aquella,
ave dejada atrás por la bandada!

Como todo bohemio, prefería dejar libre a sus emociones e impresiones, que acendrarlas, depurarlas. Su obra es toda ella, como la gaviota de su símil, volandera e intensa, solitaria y velada de tristeza.

Con ese intransferible dejo de melancolía se oculta siempre bajo la gárrula apariencia de un vivir al desgaire, sin prejuicios, en realidad aterido del temor de no pasar sin huella, pero al mismo tiempo, por la urgencia de pasar pronto, resignadamente, con ese fatalismo esencial de los bohemios. La obra de Miró, la más importante en la poesía panameña hasta que apareció la nueva generación, en que destacan Ricardo Bermúdez, Eda Nela y otros, corre pareja con la de Olimpia de Obaldía y Demetrio Korsi, todos ellos aquejados del mal de la nostalgia amorosa, según suele ocurrir en los posrománticos. Si en el conjunto de la poesía americana no acusan ampliamente favorable, representan, de todas maneras, un modo de concebir la vida y la poesía en un sector de América: encarnan su manera de reaccionar estéticamente. Como en el campo de la vida cívica, representan una especie de caudillismo improvisador, gallardo, desigual y emotivo. El tiempo, los contactos culturales, la evolución colectiva e individual irían haciendo el resto. El resto que ahora es el núcleo del que irradian nuevas tendencias y una sutilísima poesía a menudo más bien metafísica que descriptiva, a despecho de realizarse en el trópico, donde por lo común predominan los elementos exteriores, arrasando con excesiva frecuencia las calidades y perplejidades íntimas de que se nutre sustancialmente toda poesía [2].

---

[2] Obras de Ricardo Miró: *Preludios*, Panamá, 1908; *Los segundos preludios*, Panamá, 1916; *Caminos silenciosos*, Panamá, 1929; *Antología poética*, Panamá, 1937 (comp. de Rodrigo Miró); *Antología poética*, Guatemala, Ed. del Gobierno, 1951. Además, *La voz de la raza* y *La leyenda del Pacífico*, largos poemas en "La revista nueva". Su obra en

prosa, dispersa en periódicos y revistas, ha sido compilada por su hijo Rodrigo.

Sobre Ricardo Miró: Miguel Amado, *Precursores y rebeldes*, Buenos Aires, 1934; Diógenes de Rosa, *Nota polémica*, en "La Estrella de Panamá", 13 de mayo de 1937; Roque Javier Laurenza, *Los poetas de la generación republicana*, Panamá, 1933; Ricardo Miró, *Taboga* (páginas autobiográficas), en "El Heraldo del Istmo", Panamá, 20 de setiembre de 1906; *Un héroe más* (autobiográficas), en el "Panamá América", 12 de enero 1946; Rodrigo Miró, *Introducción a la obra poética de Ricardo Miró*, en *Antología poética*, de R. Miró, Panamá, 1937; id. *Teoría de la Patria*, Buenos Aires, 1917; Federico Tuñón, *Preocupaciones*, San José de Costa Rica, 1943. Hay mucha bibliografía y comentarios en periódicos y revistas panameños.

XXX

RAFAEL ARÉVALO MARTÍNEZ [1]

(Guatemala, 25 de julio de 1884)

Felizmente la de Rafael Arévalo Martínez es una biografía de suyo abreviada. Fuera de su neurastenia, sus arrebatos de singular misticismo y esporádico ateísmo y su rara amistad con "Porfirio Barba Jacob", personaje capaz de llenar toda una exis-

---

[1] Obras del autor: *Maya* (versos) (prólogo de J. Santos Chocano), Guatemala, Imp. Sánchez & Guisse, 1911; *Los atormentados* (versos), Guatemala, Unión Tipográfica, 1914; *Una vida* (folleto-novela) (Ilustraciones de Máximo Ramos), Guatemala, Imp. Electra, 1920; *El hombre que parecía un caballo* (novela), Quezaltenango, Arte Nuevo, 1915; San José, Costa Rica, Ed. Sarmiento, 1918, México, Lectura Selecta, 1920; *El ángel*, Gmla., Ed. Ayestas, 1920; Gmla., Imp. Sánchez & Guisse, 1927, Madrid, 1931, Guatemala, Ed. Universitaria, 1951; además reprod. en *Revue de L'Amérique Latine*, trad. de G. Pillement, Paris (abril, mayo, junio 1932); *El Nacional*, México, 19 de junio, 1938; *New Directions*, trad. Norfolk, 1944; *El Fígaro*, La Habana; *Manuel Aldano (La lucha por la vida)* (novela), Gmla. Talleres Gutemberg, 1922, 149 págs.; *El señor Monitot* (prosa), Gmla. Sánchez & Guisse, 1922, 216 págs.; *La oficina de paz de Orolandia* (novela del imperialismo yanqui), Gmla., Sánchez & Guisse, 1925, 189 págs.; *Las noches en el palacio de la Nunciatura* (novela), Gmla., Sánchez & Guisse, 1927, 152 págs.; *Las rosas de Engadi* (versos), Guatemala, Tip. Sánchez & Guisse (8.ª Avenida Sur, 24), 104 (6) págs.; *La asignatura de la esfinge*, Guatemala, Sánchez & Guisse, 1923; *Llama* (versos), Guatemala, 1934 (no lo he

tencia, nada ocurre con la biografía de Arévalo digno de rememoración. Después de sus primeros libros, escritos entre 1912 y 1925 (casi toda su obra), Arévalo Martínez cae en un largo colapso del que no logra salir sino varios años después. Con el retorno de la salud, le nombran director de la Biblioteca Nacional de Guatemala, cargo en que debí conocerle en 1944. Pero, cuando lo intenté, a mi paso por la ciudad, me di con que entre el aeropuerto de La Aurora y la Biblioteca no existía ningún hilo telefónico, ni mención de ello en la guía respectiva. La tiranía del general Jorge Ubico, de las peores que conozco, tuvo relegado en dicho puesto al ya famoso escritor continental. En ese mismo 1944, Ubico fue derribado por las fuerzas populares y los militares jóvenes. Arévalo Martínez ocupó entonces un empleo de menor responsabilidad, el de director de la Biblioteca de Clásicos del Istmo. Por unos meses representó a su país en Washington ante la Unión Panamericana. Desde entonces, siempre frágil y aterido por perturbadoras inquietudes espirituales, persigue vagos sueños y forja personajes imprevisibles, como todos los suyos, surgidos de una especie de *Popol Vuh* contemporáneo, cargados de alegorías y de irrealidades.

Rafael Arévalo Martínez, hombre de paz y rutina, llevó, sin embargo, desapoderada existencia de poeta decadente. Insisto:

---

visto); *Fue un caminito así* (versos), Guatemala, 1937 (no lo he visto); *En el país de los Maharachias* (fantasía novelesca), Guatemala, Unión Tipográfica, Muñoz, Plaza y Cía., 1938; 126 (2) págs.; *Viaje a Ypanda* (alegoría novelesca), prólogo de F. Hernández de León, Guatemala, Centro Editorial, S. A., 8.ª Aven. Sur, 12, 1939, 227 (1) págs.; *Los duques de Endor* (drama alusivo), Guatemala, Centro Editorial, 1940, 51 (1) páginas; *Nietzsche, el Conquistador: la doctrina que produjo la segunda guerra mundial,* Guatemala, 1943 (no lo he visto); *Ecce Pericles,* prólogo de Julio Bianchi, Guatemala, Tip. Nacional, 1945, XXV, 649 (1) págs.; *Hondura* (versos), Guatemala, 1946 (no lo he visto); *Concepción del Cosmos,* Guatemala, Edit. Landívar, 1954; *Hondura,* novela, Guatemala, Ed. Ministerio de Educación, 1959; *Obras escogidas, prosa y verso, 50 años de vida literaria,* Guatemala, Ed. Universitaria, 1959; *El embajador de Torlania,* Guatemala, Ed. Landívar, 1960; *Juicios sobre Rafael Arévalo Martínez y lista de sus obras,* Guatemala, Ed. Ministerio de Educación, 1961.

poeta; no he dicho versificador. Al contrario, en él aparece como si dijéramos un divorcio visible entre el verso y las laboriosas calidades literarias de la prosa: dicho de otra manera, en verso prosifica; en prosa, poematiza. Aunque hay versos fechados en diferentes etapas, no es menos cierto que, a medida que se aleja de la juventud, escribe menos en renglón corto hasta que al final recupera el antiguo lirismo, filosofando. ¿Habrá que considerar sus ensayos métricos como Ricardo Palma juzgaba los suyos cual "solfeo" para escribir en prosa? Si no es así, lo parece y a menudo, las cosas son como parecen, más que como son.

Por eso, considerando que pudiera justificarse la hipótesis, prefiramos dar entrada primero al Arévalo versista, aunque cronológicamente haya prosas anteriores, lo cual no es tan cabal, puesto que el primer libro, "Maya", anterior a 1914, fue escrito en verso, y los en prosa datan de dicho año en que, al parecer, se echa a hervir a fuego vivo el temperamento de Arévalo Martínez, arrebatado por el ejemplo de algunos amigos de su juventud, todos ellos bohemios y hasta funambulescos, por ejemplo: el colombiano "Porfirio Barba Jacob", el guatemalteco Máximo Soto Hall, el salvadoreño Toño Salazar, el tempestuoso peruano Chocano (prologuista del primero de los libros), el moribundo y ya dipsómano Darío (el del año 1915-16 de regreso a la muerte), el jactancioso y vocinglero Gómez Carrillo, el espiritual Pepe Rodríguez Serna: todos ellos, copa en mano, blasfemia en labio y aventura en puertas. Don Rafael se quedó a la zaga, por su mala salud: de ahí que cuanta fantasía realizaron aquéllos, él las superó, pero sin practicarlas: imaginándolas y escribiéndolas con extraño y brujeril sortilegio. ¿No estará allí el secreto de sus voluntarias extravagancias? Para ordenar semejante caos, demos paso, primero al versificador.

Maya, Los atormentados, Las rosas de Engaddi, Llama, son los títulos de las colecciones de versos de Rafael Arévalo Martínez. Su tono será como indica el segundo de los rótulos, *atormentado*. El prologuista del tercero, Djed Bérquez, lo llama "el atormentado autor de *Maya*". El verbo "atormentar" se pega como una sombra al cuerpo de la poesía de Rafael Arévalo Martínez. Lo demás, caprichoso y exótico, se adapta servilmente al tercer título: *Las rosas de Engaddi.*

Quizá en verso, el poeta no se exprese con tanta libertad como en prosa. Realmente, la prosa de Arévalo Martínez posee más recursos y, al par, tanta agilidad como sutileza. En verso, el demonio de la rima —irrenunciable legado romántico— y el del ritmo y el léxico rebuscado a veces —herencia modernista— limitan la profundidad y tersura poemática. No así en sus novelas y dramas. De ahí que el verso arevaliano —sin ninguna novedad técnica— surja más firme y fino cuando se somete al prosaísmo; cuando voluntariamente acude a la sublimada vulgaridad; entonces prosaísmo es igual a poesía; por ejemplo:

DOS HIJOS

Dos hijos; mi esposa—
que tiene el criterio
de una mariposa—,
y ebrio de misterio,

ciego de cariños,
yo, que marcho en pos;
somos cuatro niños
sin madre, buen Dios.

Yo vivo con modos
tan hechos de sueño,
que, acaso, de todos
soy el más pequeño.

Somos cuatro armiños
que van sin pastor;
somos cuatro niños
huérfanos, Señor.

Niños que pasean
por la angosta vía
uno de otro en pos.

Para que no crean
que vamos sin guía,
¡delante va Dios!
(*Las rosas de Engaddi*)

A Rafael Arévalo le encanta el metro corto, como a Villaespesa y a Emilio Carrere, modernistas hispanos. Más que Rubén, los modelos de Arévalo Martínez son Juan Ramón Jiménez y Francisco Villaespesa. Cierto que mencionará muchas veces a Darío, pero no olvidemos que Edgar Poe anda campeando en la prosa arevaliana, y que Porfirio Barba Jacob, ese diablo alucinado de Colombia, fue su mejor compañero y mentor. Paradoja increíble: el demonio y el ángel, la lujuria y la castidad, la *joie de vivre* y el palor del ascetismo: François Villon y Juan de la Cruz. Desde luego el dulce y sencillo Francis Jammes extiende su manto sobre la poesía de Arévalo; se advierte a través de los temas domésticos, los sentimientos familiares, la ingenuidad incoercible:

La besé la mano y olía a jabón,
yo llevé la mía contra el corazón:
la besé en la boca breve y delicada
y la boca mía quedó perfumada...

Las rimas de Arévalo rehuyen dificultades. Nada de arideces, rebuscamientos ni malabarismos. Todo sencillo, normal, y —Coppée del trópico— fino y sutil en lo jornalero:

Porque agonizaba el día
y era cobarde el viajero,
el Señor que lo veía
hizo corto mi sendero.

En la composición "Las botinas blancas", que alguien descubre emparentada con los suaves y claros versos de "Los zapaticos de Rosa" de Martí —otro implícito modelo—, insiste Arévalo

Martínez resaltando las notas de palidez, melancolía y vencimiento, y usando el metro corto que le era ya habitual:

Y soñó la niña
de faz demacrada,
—que a pedirle auxilios
a la Virgen Santa
una noche obscura
salió de la casa—,
que había en la senda
por la que marchaba
lodazales turbios
y engañosas charcas;
y que al ir por ella
mucho le costaba
conservar sin fango
sus botinas blancas...

Claro: los tres últimos versos de esta primera estrofa adolecen del auténtico prosaísmo, el involuntario, que hace desplomar el sueño en las simas de la rutina: la expresión

mucho le costaba
conservar sin fango

es de una lamentable infelicidad estética. Riesgos de caminar al borde del muro entre lo cotidiano y lo excelso.

Sería hiperbólico, evidentemente hiperbólico, referirse a la originalidad de los temas poéticos de Rafael Arévalo: al contrario, si luce estilo propio la prosa, aparece demasiado rapsódico en el verso. Toda una sección de *Las rosas de Engaddi* se dedica a temas cristianos, que no llegan a ser místicos, aunque el autor lo pretende. A ratos crepita de beatitud:

Ha sido, tal vez, mi suerte
ser una rama encendida
que se apaga, consumida
por su deseo de verte.

La cosa que arde, Señor,
es tal vez cosa que ama;
tal vez, Señor, una llama
no sea más que un amor.

Pero otros cantos son de tema rutinario: "San Francisco de Asís" (y a Barba Jacob), "El Girasol", "Recibe mi oración", "Jesús" ("Pesado fardo era mi propio yo: y fui a Jesús, y Él me descansó"), "Cura de rosas", "Estirpe de palomas", "Navidad", donde hay estos versos sugestivos:

Si le limpias de una
lepra de razón,
como abierta cuna
es mi corazón.

Son también tópicos ciertas composiciones del libro cuarto titulado: "Oíd lo que el trópico encierra". Tales son "Sancho Panza contemporáneo", "Los hombres-lobos", "Canción de los bohemios", "En las joyerías", etc. En el "fragmento" de una Epístola a Manuel Machado, Arévalo insiste en los mismos temas: locura, tristeza, refinamiento, incorrección.

La impronta de Barba Jacob (o viceversa) es totalmente visible:

LAMENTACIÓN DEL VOLUPTUOSO

Esa voz de la carne que más grita
mientras más débil es, su aliento cálido
sopló en mi vida y la dejó marchita.
Yo he sido un pálido.

Repito: no es en el verso donde canta el poeta Arévalo Martínez; es —¡y cuánto sugiere esto a favor de la prosa modernista!—, es en la prosa...

En efecto, sus primeros libros prosificados nos lo presentan en permanente estado de confusión. El folletito *Una vida* se limita a contarnos cómo su madre les matriculó a él y a su hermana Adela en una humilde escuelita. El estilo trasluce ciertos pujos naturalistas, pero en seguida vence el idealista, y el acento se vuelve azorinesco. La escuela aquella era mixta; se enseñaba a leer por el silabario Mantilla. Rafael era ya miope: "Mis emociones de aquellas primeras horas eran exageradas por mi escasez de vista" (p. 33). Luego pasa al Colegio de Infantes, dirigido por religiosos, para un solo sexo. Leía *Los Tres Mosqueteros,* la historia de Aladino, la del Gato con Botas (también lectura predilecta de José Asunción Silva). Empero a los diez años Arévalo se atreve a leer ocultamente las obras de Balzac y Zola, con gran escándalo de sus mayores. Un médico declara por entonces a Arévalo Martínez inapto para estudiar. Él se resigna tristemente:

> La sociedad me declaraba incapaz para todo, y la vida me declaraba incapaz para vivir. Y esta mi triste existencia de no ser nada, de no hacer nada, de vivir en mi infinito egoísmo de contar las pulsaciones de mi dolor. Y a la postre, como remate, tres palabras que lo definen todo, que lo hacen comprensible todo: un poeta decadente más; un poeta decadente hispanoamericano más *(Una vida,* p. 46).

En realidad: todo queda definido entonces, al menos desde el punto de vista psicológico. En *Manuel Aldano (La lucha por la vida)* se dirá el resto. El autor no sale de sí mismo.

El pobre Manuel Aldano (léase Rafael Arévalo Martínez) se emplea en diversas tiendas y oficinas, siempre de fracaso en fracaso. Una de esas experiencias, como dependiente de comercio, evoca el triunfal ensayo que en parecida posición hiciera Gómez Carrillo, compatriota y antecesor de Arévalo. La madre y la hermana Adela, figurarán reiteradamente en el libro. También en los versos. El autor trata de ser objetivo, sin lograrlo. Se advierte que vive saturado de Zola y sus discípulos. La obra resulta por eso pormenorizada, lenta y trivial. Al terminar, el autor se lanza por los vericuetos de la sociología (todo muy positivista) y vaticina que los arios perecerán devorados por el trópico y que el mestizo es el hombre de Centroamérica. No regatea elogio a la potencialidad norteamericana. La novela está firmada en julio de 1914, aunque se publique mucho después. Recuérdese: es la época en que los alemanes invaden económicamente las fincas de café guatemaltecas, adueñándose de ellas, y en que se bosqueja el triunfo teutón sobre el mundo latino. Don Rafael prefiere resistirse al éxito visible.

Desde 1914 (en 1915 publica *El hombre que parecía un caballo*), el autor se siente dominado por una larga e invencible enfermedad, la neurastenia. Es entonces cuando imagina al mundo ya no como un juego de hombres, sino de animales con apariencia humana. Buen descendiente de los genios del *Popol Vuh*, advierte que cada ser tiene su correspondiente doble en forma cuadrúpeda y brutal. La gente que le rodea se le presenta bajo diversas formas zoológicas: caballos, perros, tigres, elefantes. La humanidad es para él como un circo fantástico. A puro meditar y desengañarse de su propia naturaleza, crea una especie de metempsicosis cotidiana, cuyas proyecciones reventaban en la flor de curiosas y excelentes obras literarias. La primera y la mejor de ellas es sin duda la titulada *El hombre que parecía un caballo*. Este libro no puede ser juzgado aisladamente, sino en compañía de *El trovador colombiano* y *El Ángel*, que lo integran, refuerzan y hasta remozan.

El hombre que parecía un caballo está fechado en "Guatemala, octubre de 1914" (p. 20 de la edición de 1920, Ayestas); *El señor Monitot*, en "Quezaltenango, 14 de diciembre de 1914". En *Las fieras del trópico* dice:

> *Las fieras del trópico* se concluyó de escribir el 17 de enero de 1915 en Quezaltenango, y debió aparecer en la edición que de *El hombre que parecía un caballo* se hizo en dicha metrópoli el mismo año, con parte de la trilogía formada por el caballo (el señor Aretal), el perro (León Franco) y el tigre (José de Vargas), pero en aquel tiempo reinaba en Guatemala la tiranía con el

consiguiente amordazamiento de prensa, y varios intelectuales quezaltecos, a quienes fueron leídos estos tres estudios, me hicieron observar que la publicación del tercero resultaría peligroso porque la suspicacia del Gobernante Estrada Cabrera vería alusiones políticas en este cuento, que, por desgracia, pudo tener por escenario cualquiera de las repúblicas hispanoamericanas, en las que con tanta frecuencia se encuentran hombres de la psicología del señor de Vargas. Por ello, hasta hoy aparecen *Las fieras del trópico* completándose la galería con el elefante (el señor Monitot) y la serpiente (el Licenciado Arrieta)[2].

Por los propios labios del autor sabemos que (1.°) los sucesos políticos influyeron en él de un modo u otro: censura, autocensura, impulso de rebeldía, crítica, sátira, etc.; (2.°) que ya se incubaba en él su más vigoroso libro publicado un cuarto de siglo más tarde, *Ecce Pericles;* (3.°) que sus "cuentos" (léase bien cuentos) encierran alegorías confesas, las cuales estarían constituidas en aquella fecha, 1922, por un caballo (el señor Aretal), un perro (León Franco, El Trovador colombiano), un tigre (José de Vargas), en *Las fieras del trópico,* un elefante *(El señor Monitot)* y una serpiente (el licenciado Arrieta, de *Nuestra señora de los locos).* Hasta ahí la intención expresa del autor. La posición del lector es algo diferente, y lo es también la indeliberada y espontánea actitud del propio Arévalo Martínez, quien se llama a silencio como creador (no como editor) hasta 1927: siete años después del derrocamiento de Estrada Cabrera, "el señor Presidente" de la novela de Miguel Ángel Asturias.

Rafael Arévalo Martínez no es, claro, un novelista, según lo hemos clasificado varios, entre ellos Torres Ríoseco y yo. Es un cuentista: no pasa de autor de "nouvelles", sin llegar al "roman": *cortinovelista,* si se puede decir. *El hombre que parecía un caballo* se desarrolla en 4.500 palabras. Refiere la extraña im-

---

[2] Arévalo Martínez, *El señor Monitot,* ed. cit., págs. 58 y 59.

presión que el señor de Aretal produce al autor, y los modos de conducirse como caballo, a pesar de que, desde la presentación, "empezó el señor de Aretal a desprenderse, para obsequiarnos, de los traslúcidos collares de ópalos, de amatistas, de esmeraldas y de carbunclos que constituían su íntimo tesoro".

La sugestión es más precisa aún: "cuando (el señor Aretal) se levantó para marcharse le seguí, aherrojado y preso como el cordero que la zagala ató con lazos de rosas". "Mansajero de la humanidad", "Mensajero divino", "Mensajero inconsciente" son calificativos que da el autor al señor de Aretal, es decir, al poeta Barba Jacob, quien al emborracharse, deja percibir sus vicios y flaquezas.

Entonces el mundo ya no es de color azul, sino rojo, y no empinado, sino chato. Arévalo Martínez se da cuenta de que ha vivido amando su propio azul proyectado imaginariamente sobre su extraño amigo. Después, sí, sólo después, advierte que el señor de Aretal estiraba el cuello, miraba y se acercaba a las mujeres como un caballo. Con todo, siempre fue un exquisito que —saudade de Huysmans— sabía rimar los colores del vestido con los del cuerpo (ojo, espíritu y corbata, por ejemplo, en rojo). El señor de Aretal es flaco y pecaminoso, en suma, amoral. Cuando el autor le increpa sus desvíos, el señor de Aretal se encabrita, piafa y finalmente se aleja al galope: escapa.

El retrato de León Franco, en *El trovador colombiano*, es coetáneo del anterior, sólo que el nuevo ser tiene el "ánima de perro callejero... de can sin dueño". La descripción física de León Franco es realmente pungente y poemática. Aludiendo a su bocaza, escribe Arévalo Martínez:

> ¡Cómo debe amar el buen Dios la boca de los perros cuando la hizo mano al mismo tiempo! ¡Oh noble bocaza de perro! ¡Bocaza que era mano y beso para el dueño! ¡Bocaza humilde que alza los alimentos del suelo sin sentirse humillada! Franco siempre había vivido, perro bohemio, pidiendo el pan a distintos amos: el señor de Aretal se lo daba cuando le conocí: el pobre no tenía manos: ¡sólo tenía boca!

La clasificación de los perros (de presa, artistas, etc.) es un trozo de bella prosa, pero... uno piensa que en esos años el amor a los perros —a los animales en general— era un tópico literario: Rubén escribía la "Canción de los osos" y "Los motivos del lobo"; Juan José de Souza Reilly, todo un libro, *El alma de los perros;* Nervo cantaba también a osos, perros y gatos; Chocano, a caballos, águilas, cóndores, pumas; Lugones, a los gatos y más tarde a los caballos. ¿No será una incitación temática rastrear el porqué del franciscanismo o zoolatría modernista? Rafael Arévalo Martínez confiesa paladinamente su devoción en prosa y verso al Santo de Asís. La ratifica en sus sátiras líricas, que tal parecen sus relatos. Sin embargo, las menciones de Nietzsche atemperan las de Bécquer (escribe erróneamente Becker) y Rubén Darío. Nombra también a Juan Montalvo, ¿por qué no a Vargas Vila, tan implícitamente presente empero en aquella constelación de imprecaciones, apóstrofes, metáforas y rimas internas? Luego asomarán las citas de H. G. Wells, Flaubert, Poe, Baudelaire, todo ello un poco desordenado y estrambótico. Ya en esa compañía *(El ángel),* Arévalo Martínez, actúa y dice con mayor desembarazo, y hasta nos refiere sus más profundas cuitas:

> El dolor de ser hombre, como una fiera hambrienta, devoró todos los dolorcillos de mi vida. Tuve desde niño una rara conciencia de la muerte. Los demás hombres no la conocen a ella, la inexorable; no creen en ella; son incapaces de la abstracción poderosa de evocarla. Viven su miserable vida de bestias del presente. ¡Oh, si la conocieran, todos vivirían como yo. Ella, la muerte, se sienta a mi mesa: me acompaña en la vigilia y me impide el trabajo inútil y estúpido de los demás hombres, tornándome contemplativo; ella comparte mi lecho. Ella es mi madre, mi hermano, mi capataz y mi hijo. Ella se interpone entre mí y los seres que amo. La naturaleza sólo tiene para mí las tres palabras de una Trapa de negación *(De morir tenemos,* en *El hombre que parecía un caballo,* Ed. cit. p. 61).

"Caracteriza mi obra el balbuceo de los moribundos" agrega en *Historia de mi vida*.

Éste será su tono, pese a algunos extremecimientos de ironía. Ése, y el prurito de representar con alegorías la realidad. Alegorismo propio de los mayas: transposición contemporánea de las viejas leyendas: las parejas de Creadores y Progenitores del *Popol Vuh* se dan cita para convertir el mundo de los hombres en uno de animales, justamente lo antagónico a lo ocurrido en el primer día de la creación.

Las otras tres historias, a que se refiere el citado preliminar, son *Las fieras del trópico, El señor Monitot* y *Nuestra señora de los locos*. Sin duda de ellas, la más representativa es la primera. Uno se explica el miedo de los amigos del autor a que publicara aquel retrato del "tigre", es decir, del gobernador José de Vargas, quien podía ser un duplicado de Jorge Ubico, entonces aspirante al Gobierno, o de alguno de sus tenientes. Arévalo Martínez presenta al tigre, como rubio, ágil y blanco, es decir, el retrato de Ubico, ya que Estrada Cabrera era moreno, grueso, lento; los actos denuncian la índole del personaje. La escena del juego de billar; el amable secuestro del señor Ardens (el autor, en este caso), a quien se le permite vender exclusivamente millares de botellas de cognac Hine; el pequeño atropello al yanqui Fergusson, todo eso refleja una violenta satrapía tropical, en medio de la cual la inteligencia se moviliza con precaución y con suma y forzada sutileza. El estilo de Arévalo Martínez adquiere suavidades de raso, agudeza de alfiler al enfrentarse a aquella situación y a aquel personaje. No es la suya, su vida como ciudadano, la libertad caricaturesca de que disfruta como cuentista *El señor Monitot* cuyas figuras (el elefante y su esposa) le permiten evocar a Rubén y hacer malabarismos de humor. Ni tampoco la densidad del tronchado e imposible idilio entre la señorita Eguilaz y el Licenciado Arrieta. En *Las fieras del trópico*, Arévalo alcanza plenitud en el estilo alegórico, que le será consustancial y que, repito, representa la modalidad cuasi cabalística, pero genérica, del modo de decir guatemalteco, o, mejor aún, maya [3].

Los veinte cuentos adicionales que completan el tomo de *El señor Monitot,* se encuadran dentro de las pragmáticas modernistas: relatos breves, a pincelada corta, de asunto exótico, dentro de un clima de impresiones, con lujoso atavío, en una mezcla de estilo humorístico y lírico: todo ello, de la misma familia de los cuentos de Gutiérrez Nájera, Rubén Darío, Jesús de Castellanos, Díaz Rodríguez, Dominici, Fiallo, y, en general, los modernistas: se encuentra igual estilo en las primeras crónicas de Ventura García Calderón y en ciertos apólogos de Lugones y Chocano. Si uno quisiera extender el examen de Rafael Arévalo Martínez tendría, por lo pronto, dos temas a examinar: su semejanza con Miguel Ángel Asturias, en el seno común de la mitología y las alegorías Mayas; su parentesco con el cuento modernista, en el camino vecinal de narración francesa "decadente", inspirada más bien por Catulle Mendes que por Maupassant, y en el *humour* británico impuesto por Wilde antes que por Shaw. Podría hasta hablarse de un anticipo de la manera de ide de *In memoriam,* es decir, una flor de elegancia, sutileza y vedad característica de la literatura europea occidental de conzos de siglo. Pero estos puntos, apenas esbozados, harían asiado vasto el comentario.

Tan consustancial es dicho "modo" en Arévalo Martínez es ya la dictadura de Estrada Cabrera (cuya paradójica bre las letras guatemaltecas habría que revisar), dic- se derrumba a sangre y fuego en 1920, arrastrando poeta Chocano, todavía subsiste en el escritor la afi- s alegorías y a los eufemismos. Se revela así en *Las no- el Palacio de la Nunciatura,* publicado "después de ca- años de obligados ocios", lo cual no es del todo exacto, s entre 1915 y 1917 sólo median 12 años, los del supuestaente obligado ocio.

---

[3] Véase mi trabajo "¿Hay un estilo maya?", en mi libro *La tierra del Quetzal,* Santiago, Ercilla, 1950.

con la blusa corrida hasta la oreja
y la falda bajada hasta el huesito.

Ya tenemos la vera imagen de la castidad de López Velarde. Ama a sus chicas provincianas que nada muestran, ni arranques de seno ni tentación de pantorrillas, sino que apenas se asoman enfundadas de "íntimo decoro", de pudor pueblerino, como debe ser, según su trasfondo, es decir, mexicanísimo.

En algunos fragmentos, López Velarde se desliza a lo folklórico (menciona el "rompope", las "tinajas", los "tiros de la policía", la "chia", la "trigarante faja"), pero le contiene al punto la pureza de su lirismo, la dignidad de su estilo, su propio respeto de provinciano refrenado, íntimo, sentimental, un poco al desgaire.

Este tono, en verdad, parece pariente del de Othon y Tablada, de cierto González Martínez, de cierto Nájera y de cierto Lugones, pero, es, ante todo, intransferiblemente, de López Velarde. Su nombre y su obra (quebrada, repito a los treinta y tres años) abre un surco y señala un hito en la poesía no solamente de México, sino en la de América. Tal como a Antonio Machado, le sencillez inspira filosofías a López Velarde; la filosofía, una filosofía congénita y primordial, le obliga a la pausa, al silencio, a la simplicidad. Con ellas de Cirineo, alza en vilo el cuerpo y el alma de su Patria, replegada en la provincia, y nos la entrega envuelta en la más dulce y fina poesía colectiva que tal vez haya parido América.

XL

GABRIELA MISTRAL

(Vicuña, 6 abril 1889 — Hamptead, New York, 10 enero 1957)

De lo mucho escrito acerca de Gabriela, habría que extraer lo estrictamente literario para iluminar su poesía. Si en Delmira Agustini, el verso mana de la vida, en Gabriela parece realizarse un proceso contrario: rayó a tanto la majestad de su estrofa, la apretó tal angustia, que se le hizo imposible la alegría, y hasta la prosa vistió al cárdeno sayal con que, a pie descalzo, ascendía a su cotidiano Calvario el corazón más conturbado y el ceño menos blando de los escritores del Continente.

Lucila de María Godoy Alcayaga nació de un modesto y errabundo profesor primario, llamado Gerónimo, y de su esposa, "Peta Alcayaga" [1]. En el ambiente pueblerino (lindo valle fru-

---

[1] Lenka Franulic, *Cien autores contemporáneos*, 3.ª ed., Santiago, Ercilla, 1952, págs. 665-674; Alone, *Gabriela Mistral*, Santiago, Nascimento, 1926; Julio Saavedra Molina, *Vida y obra de G. Mistral*, en *Revista hispánica moderna*, Nueva York, 1946; Augusto Iglesias, *G. M. y el modernismo*, Santiago, Prensas de la U., 1950; Margot Arce de Vásquez, *G. M.: Persona y poesía*, Puerto Rico, Asomante, 1958; Alberto Reid, *La sangre llegó del mar*, Santiago, Ed. del Pacífico, 1956; Julio Saavedra Molina, *Gabriela Mistral: su vida y su obra*, Santiago, Universidad de Chile, 1946; R. Silva Castro, *Panorama en la literatura chilena*, cit., 1961; Mario Ferrero, *Premios nacionales de literatura*, Santiago, Zigzag, 1962, págs. 228-290.

tal al borde del desierto) aprendió a admirar lo grandioso y lo retórico: a la Biblia, a Federico Mistral, a Amado Nervo, a Rubén Darío, a D'Annunzio, a Paul Fort y a Vargas Vila. De la primera adquirió la majestuosa sencillez; del segundo, el pseudónimo (aunque hay otra versión) y la casta simplicidad; del tercero, la familiaridad con la muerte; del cuarto la música verbal; del sexto, la primera parte de su nombre literario, la afición al símbolo y al estilo suntuoso; de Fort, la elocuencia; de Vargas Vila, cierta ira sagrada y el gusto por las metáforas tajantes. Conviene recordar la presencia de Rabindranath Tagore, Kempis y el Dante en este círculo de genios tutelares. Uno de los rasgos más típicos de Gabriela, su lealtad, la hará siempre montar guardia en torno de sus maestros juveniles, sin excluir a Vargas Vila, el negado por todos a causa de haber sido por todos exprimido [2].

Lucila se enamoró, estando en el poblacho de La Cantera, de un empleado de ferrocarril, Romelio Ureta, quien se suicidó en Coquimbo, el 25 de marzo de 1909, al no poder cumplir el compromiso financiero contraído en respaldo de un amigo insolvente. El episodio no ha sido totalmente aclarado, ni hace falta.

Entre 1911 y 1919, Gabriela desempeñó diversos cargos docentes en provincias. Fue maestra de Higiene y Biología en Traiguén. Durante este ejercicio experimentó dramáticas presiones en que la dureza del medio y los prejuicios la hicieron su víctima. Ya había publicado muchos artículos, pero fue el 22 de diciembre de 1914, al ganar con "Los sonetos de la muerte" el Primer Premio de los Juegos Florales convocados por la Sociedad de Escritores y Artistas, cuando se dio a conocer el nombre literario de Lucila Godoy. No se presentó a la ceremonia de entrega del premio y lectura de sus versos, mejor dicho concurrió como desconocida espectadora, desde la galería. Aunque un poco de lejos, a partir de entonces, puede considerársela en el brillan-

---

[2] Cfr. M. Ferrero, *ob. cit.*, pág. 235, una hermosa referencia de Gabriela a Vargas Vila en carta de 1907 a Norberto Pinilla.

te grupo de "Los diez", renovador de las letras chilenas. Durante dos años ejerció su magisterio en Punta Arenas, la ciudad más austral del mundo, la más solitaria y azotada por los vientos, en plena "desolación". Estaba marcado su destino. Desde 1922, en que la llamaron a México —en Valparaíso la despidió Pedro Prado— hasta su muerte, la vida de Gabriela prácticamente se desenvuelve fuera de su patria. México, Estados Unidos, Italia, España, Portugal, Brasil, Francia, Cuba, Puerto Rico, Argentina acogieron sus más largas residencias, en ellas consume casi treinta años. En 1945, la Academia Sueca le otorga el Premio Nobel de Literatura; en 1951, —¡Ay, después!— el Jurado Nacional de Chile, el premio Nacional de lo mismo. Su primer libro, *Desolación*, aparece en Nueva York, en 1922; lo seguirán de lejos, *Tala, Ternura, Nubes blancas, Canciones para niños, Lagar* y los numerosos, esporádicos y originales *Recados* [3]. Una cosecha apasionante.

En pocos poetas como en Gabriela, asumen importancia tan esencial las palabras; importancia no sólo por lo que expresan directamente, sino por lo que, en conjunto, relacionan, evocan y sugieren. Siendo hija del modernismo, devota de Rubén y Nervo, Gabriela se les emancipa lexicalmente (no en ritmo ni a veces intención), y les contraría en color y matiz. "Muerte", "carne",

---

[3] Conocemos las siguientes ediciones de Gabriela Mistral: *Desolación*, Nueva York, Instituto de las Españas, 1922, 2.ª ed., Santiago, Nascimento, 1923; 3.ª ibidem, 1926; 4.ª Santiago, Editorial del Pacífico (Obras Selectas, II), 1954; *Nubes blancas*, Barcelona, Bauzá, 1930; *Los mejores poemas de los mejores poetas, Gabriela Mistral*, Barcelona, Cervantes, 1936 (selección); *Ternura*, Madrid, Calleja, 1924, 2.ª ed., Buenos Aires, Espasa-Calpe Argentina, 1945; *Tala*, Buenos Aires, Sur, 1938; *Pequeña antología de Gabriela Mistral*, Santiago, Escuela Nacional de Artes Gráficas, 1950; *Antología*, Santiago, Zig-Zag, 1941 (varias ediciones); *Poèmes*, trad. por Roger Caillois, Paris, Gallimard, 1946; *Lagar*, Santiago, Edit. del Pacífico, 1955, 180 (2) págs.; *Recados*, Santiago, Ed. del Pacífico, 1957 (Obras Selectas, III), volumen aparecido cuando habíamos escrito el boceto del contexto, no varía nuestro juicio sobre Gabriela, sino en cuanto a que ha subrayado su simplicidad, incurre en los mismos modos formales y mantiene su inspiración cristiana saturada de amarga ternura.

"amor", "hijo", "niño", "Jesús", "Cristo", "sangre", "tierra", "corazón", "hombres", "rojo", "blanco", "ceniza": he aquí un conjunto de vocablos frecuentísimos en la primera parte de la obra de Gabriela, lo cual, si evoca a algún autor americano, sería a José Martí (faltarían "hermano", "padre", "rosa", "raso", "reseda", "lirio", "nácar", "seda"). En todo caso es un léxico más propio de D'Annunzio que de Federico Mistral, de Vargas Vila que de Amado Nervo: signo elocuente. Mientras Delmira se inunda de "azul" y "blanco", y a veces de "gris", los tonos de Gabriela son violentos: "rojo", "blanco", "negro", "cárdeno". Su pupila ignora los alquitaramientos plásticos. Su oído rara vez dejará constancia de sus predilecciones musicales: es más bien una memoriosa y una táctil: una sentidora, llena de "raíces chilenas", según lo apunta Ferrero.

Este vocabulario —insistamos— dista de ser muy escogido: en cambio la sintaxis es absolutamente propia. No por autodidacta, como se ha dicho: al revés: por sabia y cernidora, no le satisfacen los giros consagrados; requiere algo diferente que, aun cuando utilice términos usuales, los engasta en tal forma que parecen gemas distintas.

Debería siempre descontarse de la obra de Gabriela aquello de alusivo o de concesión a lo inmediato, que el poeta se permite como licencia o debilidad. A menudo eso toma demasiado espacio y hasta importancia. Habremos de limitarnos a lo claramente creador o poético: por felicidad es lo que más abunda. También sería preciso atenuar la vehemencia con que la Muerte es llamada deleitosamente a capítulo como inesquivable amiga. Interesa no olvidar el cristianismo fundamental de Gabriela, su poderosa angustia, su personal sintaxis, su ineludible necesidad de amar ("madre", "hijo", "amigo") sin frivolidades, con "sangre" y "tierra".

La visión de la vida y de Cristo es en Gabriela del todo hispana, no obstante ser ella tan irrevocablemente americana y reclamarse tan india.

Por ejemplo:

Cristo, el de las carnes en gajos abiertas;
Cristo, el de las venas vaciadas en ríos...;

....

¡Garfios, hierros, zarpas que sus carnes hienden
tal como se hienden quemadas gavillas!

(*Al oído del Cristo*)

De ahí emerge no un *Cristo de Velázquez* a lo Unamuno, sino un Cristo plenamente español como cualquier Cristo gitano, vasco o de Castilla. La afición a la letanía, al "canto llano" verseado, caracteriza a Gabriela ("Viernes Santo"); lo veremos reaparecer en "In memoriam", donde, refiriéndose al fallecimiento de Amado Nervo, deja escapar esta queja:

No te vi nunca. No te veré. Mi Dios lo ha hecho.
¿Quién te juntó las manos? ¿quién dio, rota la voz,
la oración de los muertos al borde de tu lecho?
¿Quién te alcanzó en los ojos el estupor de Dios?

El último verso abre una perspectiva inesperada. Muchos otros aspectos del poeta han sido glosados: su cristianismo, su amor a los niños, el significado potencial de "la mujer estéril" ("la mujer que no mece un niño en el regazo // todo su corazón congoja inmensa baña"); el desgarramiento de "Los sonetos de la muerte"; la difícil predilección por el eneasílabo, no siempre fiel, pues el oído falla ("Futuro", "A la Virgen de la Colina", "Himno al árbol", etc., y mucho de *Tala* y *Lagar*). Pero ese "estupor de Dios" encierra algo más que la raíz humana de toda Gabriela: su ideario, su léxico. Oigámosla:

Mi madre ya tendrá diez palmos
de ceniza sobre la sien...

(*Futuro*)

Es más terco, te lo aseguro,
que tu peña, mi corazón.

(*A la Virgen de la Colina*)

Creo en mi corazón siempre vestido.
pero nunca vaciado.

Creo en mi corazón en que el gusano
no ha de morder, pues mellará a la muerte.

Y en esta tarde lenta como una hebra de llanto...

(El Dios triste)

Bajo un árbol, yo tan sólo
lavaba mis pies de manchas,
con mi sombra como ruta
y con el polvo como saya.

(La fugitiva)

Tirita el viento como un niño;
es parecido a mi corazón.

(Plegaria por el niño)

Por hurgar en las sepulturas
no veré ni el cielo ni el trigal.

(Futuro)

Terrible simplicidad profética; voluntario desgarbo; deliberado prosaísmo, del que brota una belleza tremenda y rústica,
de santa más que de artista:

Tengo vergüenza de mi boca triste,
de mi voz rota y mis rodillas rudas;
ahora que me miraste y que viniste,
me encontré pobre y me palpé desnuda...

....

Llevaba un canto ligero
en la boca descuidada.

(El encuentro)

Es en la abolición de la retórica donde se acendra más la poesía de Gabriela: sabia sencillez, fruto de larga tradición humana
clásica. Así, "Los sonetos de la muerte", a que se ha de tornar,

por su significado y su audacia primeriza, puntean la misma cuerda simple y tierna:

Del nicho helado en que los hombres te pusieron
te bajaré a la tierra humilde y soleada.
Que he de dormirme en ella los hombres no supieron,
y que hemos de soñar sobre la misma almohada.

Hay una macabra visión en la primera parte de la obra ("porque a ese hondor recóndito la mano de ninguna // bajará a disputarme tu puñado de huesos"), lo cual dista absolutamente del esoterismo de Baudelaire y sus estridencias: aquí se trata de una primitiva visión del cosmos, tosca y directa. Tal un agua fuerte de Durero, o una ilustración de Holbein, el de las viejas "Carretas de la Muerte". Algo descomunal, frenético, que de cuando en cuando se deslíe en melodías como el "Nocturno" (el inevitable "Nocturno" de todo escritor americano de 1900).

Ha venido el cansancio infinito
a clavarse en mis ojos, al fin;
el cansancio del día que muere
y el del alba que debe venir;
el cansancio del cielo de estaño
y el cansancio del cielo de añil.

(*Nocturno*)

Soy cual un surtidor abandonado
que muerto sigue oyendo su rumor;
en sus labios la piedra se ha quedado
tal como en mis entrañas el fragor.

(*El surtidor*)

No es necesario divagar mucho acerca del contenido conceptual de la poesía de Gabriela. Bastará oírla a ella misma en su "Decálogo del artista" (más apetencia que realidad), pero, de todos modos, un indicio irreemplazable.

I. Amarás la belleza que es la sombra de Dios sobre el Universo.

II. No hay arte ateo. Aunque no ames al Creador, lo afirmarás a su semejanza.

III. No darás la Belleza como cebo para los sentidos, sino como el natural alimento del alma.

IV. No te será pretexto para la lujuria ni para la vanidad, sino ejercicio divino.

V. No la buscarás en las ferias, ni llevarás tu obra a ellas, porque la Belleza es virgen.

VI. Subirá de tu corazón a tu canto y te habrá purificado a ti el primero.

VII. Tu belleza se llamará también misericordia, y consolará el corazón de los hombres.

VIII. Darás tu obra como se da un hijo; restando sangre de tu corazón.

IX. No te será la belleza opio adormecedor, sino vino generoso que te encienda para la acción, pues, si dejas de ser hombre o mujer, dejarás de ser artista.

X. De toda creación saldrás con vergüenza, porque fue inferior a tu sueño, e inferior a ese sueño maravilloso de Dios, que es la Naturaleza.

Gabriela escribió este "Decálogo" a los treinta años (1919).)e su texto fluyen más bien lecciones éticas que estéticas. Para ervir a las primeras, las segundas huirán de lo que pueda ser ospechoso de excesivo deleite formal. De allí los vuelos y caídas e Gabriela; de allí, su notoria falta de ironía; de allí la estreecida contención que marca toda su obra. Además, agreguemos ue congénitamente, por despreocupación ante la forma y por ncarnizado amor a lo sustantivo, se cuida poco de cumplir cieros requisitos que a los demás preocupan; por ejemplo, la uniormidad en el número de sílabas, o, por el contrario, lanzarse a lenitud al verso libre. De allí también sus rotundas afirmacioes y negaciones, sin detenerse en los matices, salvo cuando se rata de ternura, y en tal caso se le facilita la tarea por ser sus feligreses los niños. Poetisa monumental (nada estatuaria); de hierro, granito y espuma —nunca de arcilla, de nieve o de nácar—, mineral y vegetal en sus esencias, terrígena de veras, lo humano parece como su envoltura, porque ella fue inmóvil. Las irregularidades de su verso reconocen su origen en aquella actitud del "Decálogo": no jugar con el arte, confundirse con Dios y con "ese sueño maravilloso de Dios, que es la Naturaleza". Apelamos a casos gráficos:

Sol de los Incas, sol de los Mayas (10 sílabas
maduro sol americano, (9 "
sol en que mayas y quichés (9 "
reconocieron y adoraron (9 "
y del que viejos aimarás... (9 "
etc.

(*Sol del trópico*)

¡Cordillera de los Andes, (8 sílabas
madre yacente y madre que anda, (9 "
que de niños nos enloquece (9 "
y hace morir cuando nos falta... (10 "

(*Cordillera*)

Mi amigo me escribe: "Nos nació una niña" (12 sílaba
La carta esponjada me llega (9 "
de aquel vagido. Y yo la abro y pongo (10 "
el vagido caliente en mi cara. (11 "
Les nació una niña con los ojos suyos (12 "
que son tan bellos cuando tienen dicha. (11 "

(*Recado de nacimiento*)

Y me llevas un poco de tierra (10 sílaba
porque recuerda mi posada. (9 "

(*Encargo a Blanca*)

El caso se repetirá a menudo. Insisto: no se trata de una opción por el verso libre, ni el empleo del método, dividido en pies. Por el número de sílabas (10 con 9, 8 con 9, 12 con 11, 10 con 12), se trata de simples descuidos o, ni siquiera de eso: indiferencia de mal oído.

Rubén, cierto, procede así. Mas, observamos: en Rubén se trasluce la coquetería del maestro ganoso de parecer ajeno a su prodigiosa melodía. Gabriela suele también mofarse de las reglas: he aquí cómo sale del paso en un romance con rima en *a-a*:

> *Todavía yo tengo el valle,*
> *tengo mi sed y su mirada.*
> *Será esto la eternidad*
> *que aún estamos como estábamos* (a).
> *Recuerdo gestos de criaturas*
> *y eran gestos de darme el agua.*
>
> *(Beber)*

La nota (a) de la propia autora explica, al pie de la página:

> Falta la rima final para algunos oídos. *En el mío, desatento y basto,* la palabra esdrújula no da rima precisa ni vaga. El salto del esdrújulo deja en el aire su cabriola como una trampa que engaña al amador del sonsonete. Este amador, persona colectiva que *fue* millón, disminuye a ojos vistas, y bien se puede servirlo a medias y también dejar de servirlo.

Las bastardillas son mías, reclamo. Y reclamo también indicar que Gabriela no fue tan ignorante como se dice acerca de las reglas de versificación, puesto que el esdrújulo en efecto pierde una sílaba, la siguiente al acento final, o sea, la antepenúltima, para la cuenta de sílabas, aunque nunca deja de influir, como sonido (como rima) modificando la limpieza de la consonancia perfecta o imperfecta entre sílaba grave y grave, o entre aguda y aguda.

A partir de *Tala*, a que pertenecen las anteriores transcrip-ciones, Gabriela se muestra más sobria, menos patética y mucho más cerca de la naturaleza americana. Curiosa paisajista que pinta sin paleta, a puro sentimiento. Su evolución pudiera compararse a la del autor de *Lasca* por su huir de la sonoridad y refugiarse en el acendramiento; pero, a quien cada día se aproxima más es al lapidario autor de *Versos sencillos*, con el cual coincide en la inclinación ética, aunque no en la genial musicalidad. ¿No parecen los siguientes trozos como arrancados de Martí?:

Amo las cosas que nunca tuve
con las otras que ya no tengo.
Pienso en el umbral donde dejé
pasos alegres que ya no llevo,
y en el umbral veo una llaga
llena de musgo y de silencio.
Un dorso, un dorso grave y dulce
remata el sueño que yo sueño.
Es el final de mi camino
y mi descanso cuando llego.
¿Es tronco muerto o es mi padre
el vago dorso ceniciento?
Yo no pregunto, no lo turbo,
me tiendo junto, callo y duermo.

(*Desolación*)

Si me ponen al costado
la ciega de nacimiento,
le diré bajo, bajito
con la voz llena de polvo:
—"Hermana, toma mis ojos"—
—¿Ojos? ¿para qué preciso
arriba y llena de lumbres?

("El reparto", en *Lagar*)

¿Verdad que es la voz, el tono de Martí? Y ¿entonces, los Recados? Los *Recados* de Gabriela están escritos en una prosa ital, conversada, de extraña retórica, retórica de platicante, donde las metáforas se deslizan a pie enjuto para no herir al lector eriodístico a quien tamañas audacias de concepto y vocabulario sustarían, si no se les filtrasen como desprevenidamente, enriqueciéndole a pesar suyo. Prosa de tal jaez, ancha y asordinada, uculenta y necesaria, la hay sólo en Martí, en Unamuno (y aquí, n secreto, a ratos, cuando explosiona, en Hugo y en su hijo erdido, Vargas Vila). Prosa de deber, no de joyería; de implíito adoctrinamiento, de información en haz, para ser imaginada repetida: inaprehensible en recetarios porque arranca de raíz oética; poesía o creación ella misma. El vocabulario de que se ale —igual en verso— proviene del uso diario: "tordos", "peral", "azafrán", "higuerillas", "hebras", "grumos", "gajos", "huenul", "mayoral", "maíz", "fuente", "crinada", "rompedores", tumbadores", "pastoreaba", "espejes", "desollaba", etc. De esta rosa ha dicho con razón Julio Saavedra Molina que "su castellano (el de Gabriela) no es el de Chile, ni el de Castilla, ni el de américa. Es un sedimento amontonado sobre el lecho primiivo por aguas de todas las vertientes: personas, libros, gustos, eorías. Es *su* castellano" [4].

Con todo Gabriela, colmada de gloria universal y dueña absoluta de su predio lingüístico, no le pierde la mirada a la Muere. No deja de verla rondando sus vigilias y sueños. Ayer, por mor; hoy, por ausencia: así la abandonaron, hiriéndola, sus mores: el del juvenil galán de Coquimbo; el del sobrino dileco, en Petrópolis; el de los amigos fieles, doquiera —y Stefan weig uno de ellos—. Doquier ausencia, abandono, desvío, foras de la Muerte. La angustia de Gabriela se aconcava: no ya ólo para acoger la de un niño cualquiera, ni para la de los niños ascos en el día del desastre, sino también para los abandonados e todas las edades y rumbos.

[4] J. Saavedra Molina, *Gabriela Mistral*, etc., *ob. cit.*, pág. XXXI.

Recordemos su poema "La extranjera", tan hondamente sentido por ella, víctima de extrañamiento:

Vivirá entre nosotros ochenta años,
pero siempre será como si llega,
hablando lengua que jadea y gime
y que la entienden sólo bestezuelas.
¡Y va a morirse en medio de nosotros
en una noche en la que más padezca,
con sólo su destino por almohada,
de una muerte callada y extranjera!

O en "Caída de Europa":

Ven, hermano, en esta noche
a rezar con tu hermana que no tiene
hijo, ni madre ni casta presente.

Gabriela Mistral no ha podido, no podía, no podría tene[r] discípulos. Tampoco los buscó ni admitió su angustia. No cab[e] ella en tendencias ni clasificaciones mucho menos en prosa qu[e] en verso. Como todo vale, simplemente, ella fue un ser y un[a] voz inconfundibles: no siguió ni comenzó nada: es.